杜甫千年之後的異國知己：吉川幸次郎

連清吉　著

臺灣學生書局印行

自　序

就讀淡江，聽講張之淦眉叔先生的杜詩，一首〈遊龍門奉先寺〉，眉叔師以一節課的時間，先徵引《詳註》《心解》《鏡詮》《錢注》的解詁，解釋詩句的意義，再以自身作詩的感受，說明杜甫遣詞造句的用心，詳細剖析杜甫用字的精細，對杖的工穩，前後呼應的脈絡與體道心境的推移。遊學東瀛，閱讀吉川幸次郎的《全集・杜甫篇》，一首〈倦夜〉，以五頁的篇幅，說明杜甫以遠近焦距，時間推移之時空的交錯，架構所見之景。至於體物之緻密，情景交融之心象風景的描述，則是唐詩的典型。咀嚼吉川先生的杜詩譯注與賞析，彷彿重溫淡江的風雨，眉叔師闡述古人作詩心境的歲月，也感佩吉川先生自稱「為讀杜甫而誕生」的執著，洵可謂之為「杜甫千年之後的異國知己」。

吉川幸次郎的一生是中國文學研究的生涯。上自《詩經》，下至清朝文學，皆有講述，誠為日本近代中國文學的泰斗，綜觀日本漢文學史，亦無出其右者。以精神史為前提，說明《尚書正義》是研究中國中世精神史的重要史料，元人雜劇的形成與前後期作者的宗尚，作品的殊異，是時代風氣變遷的結果。又著述《陶淵明傳》，而以〈自祭文〉為開端，皆吉川先生獨特發想的精心傑作。至於「成為道地的中國人」的自許，或繼承狩野直喜的緻密，祖述內藤湖南的淵博，既涉獵經典而體得其博雅，又優遊詩文而領會其神韻。撰序《尚書正義定本》而以駢文為之，譯注《尚書正義》而以煩瑣為要，意在體得其本真。終其一生傾注心力於杜詩的講述，自稱「杜甫是我的古典」，以杜詩體物緻密，抒情飛躍是中國詩賦的典型。又說杜詩的注釋，非有錢牧齋的才學，不能為之。擬以二十餘年的歲月，注釋杜詩二十冊，然僅出版《杜甫詩注》五冊，甚為遺憾。

　　叢書的編輯，學界的評價不高，然而服部宇之吉總編輯的《漢文大系》，早稻田大學出版的《漢籍國字解全書》是日本江戶漢學研究的總整理。吉川幸次郎編輯的《世界の名著》《詩人選集》等，是日本近代文化事業的表徵。要皆集結一時俊秀的結晶，中國學界的里程碑，然今日問津者甚稀。町田三郎先生說今後中國學研究的重振，或有待如服部、吉川等前賢的再現。町田先生之言洵不誣，或於二十一世紀可以望見斯文斐然成章的開展。

連　清吉

乙未還曆識於長崎

杜甫千年之後的異國知己：吉川幸次郎

目 次

學問終極

附　錄

後　記

前言

吉川幸次郎是
日本近代中國文學的泰斗

關鍵詞 典型主義 抒情文學 緻密與飛躍 杜甫研究

一、學術生平

吉川幸次郎（1904-1980）出生於神戶。大正 12 年（1923）4 月，入學京都帝國大學文學部。昭和 3 年（1928）2 月，隨狩野直喜往赴中國而留學北京，6 年 2 月，旅遊江南，其間，嘗造訪黃侃、張元濟等人，4 月歸國，受聘東方文化學院京都研究所（今京都大學人文科學研究所）所員。22 年（1947）4 月，以《元雜劇研究》獲得文學博士，6 月就任京都帝國大學文學部中國語學中國文學教授。26 年 1 月任日本學術會議會員，39 年 1 月任日本藝術院會員。42 年（1967）3 月退休，翌年 3 月，自編《吉川幸次郎全集》二十卷，4

月起，由筑摩書房逐月刊行一卷。[1]44 年 5 月獲法國學士院頒授 Stanislas Julian 賞，11 月獲文化功勞之表彰，46 年（1971）1 月獲贈朝日賞，49 年 4 月頒授二等旭日重光勳章。

吉川幸次郎於中國文學的研究是以通古今之變的史觀，運用清朝考證學與歐洲東方學術研究的方法論，分析東西方於中國文學研究的優劣長短，以嚴密的考證與細緻的賞析，重新評述既有的研究成果，開拓新的研究領域，則是其成就一家之言，為日本近代以來研究中國文學的大家的所在。

二、中國文學特質的探究

敘事性的發達與想像虛構的豐富是西洋文學的特色，則抒發內在的情感，描寫生活環境的現實是中國文學的特質。至於典型的尊重而曲盡於修飾技巧的表現則是中國文學創作方法論的根源所在。換句話說，忠實於文學的傳統，窮究於美善境界的追求，既要求表現技巧的緻密，又重視內在感受的飛躍是中國文學作品美善圓熟的終極。

---

[1] 《吉川幸次郎全集》二十卷於昭和 45 年（1970）全部刊行，48 年至 51 年又刊行《增補吉川幸次郎全集》二十四卷。平成 7 年（1995）至 8 年 4 月，弟子興膳宏又編纂《吉川幸次郎遺稿集》三卷、《吉川幸次郎講演集》一卷，平成 9 年（1997）10 月起，再出版《決定版吉川幸次郎全集》二十七卷，皆由筑摩書房刊行。有關吉川幸次郎的學術生平，參桑原武夫．興膳宏等編《吉川幸次郎》（東京：筑摩書房，1982 年 3 月），〈先學を語る—吉川幸次郎博士—〉（東京：《東方學》第七十四輯，1987 年 7 月，其後收入《東方學回想》五，頁 147-173，東京：刀水書房，2000 年 4 月，頁 147-173）。

(一)忠實於文學的傳統

中國人有尊重典型的傾向，在人格的養成上，所謂「聖人」，是道德修養的究極理想，而「典型在夙昔」，即意味著以古代聖賢的行儀為人生在世的典範。此一尊重典型的傾向亦見於思想傳承與文學創作上。宋明儒學，即以發揮孔孟儒學的真義為依歸，而展開理學與心學的新局面。魏晉玄學則以老莊為其思想源流之一。換句話說，中國的思想傳承是以先秦諸子為典型而展開的。至於經學歷史亦然，經書大抵形成於戰國時代，經兩漢經注、唐代正義而有清朝考證學的發展。在中國文學的文體方面，詩雖大成於盛唐，然四言詩蓋源於《詩經》，五、七言與樂府的形式，大抵見於漢代。絕句、律詩的近體詩雖亦隆盛於唐代，魏晉南北朝時，即有對句之法，音韻之學，平仄的格調亦略具雛形，至唐而詩法益形嚴密，詩的形式底定，詩的面目一新。就典型尊重的事例而言，杜甫之所以被稱為「詩聖」，乃杜甫近體詩的格律為後世詩人所取法以外，以日常生活的事物為詩的題材，是中國文學的忠實，再者杜詩所展現的是圓滿具足的人生境界全，猶如聖人的存在而為後世詩歌創作的典範。[2]

散文的發展亦復如此，唐宋古文家固然有「文以載道」、「文以明道」的提倡以振興八代之衰微；在行文的體裁上，則以秦漢的散文為宗尚，故八大家的古文頗有先秦諸子的神韻，如蘇洵取法《戰國策》的縱橫奇策而長於論辯，蘇軾有《莊子》豪邁飄逸的風

2 〈中國文學の特色〉，吉川幸次郎述、黑川洋一郎編《中國文學史》第一章，東京：岩波書店，1974年10月，頁31-39。

格，王安石則有《韓非子》壁壘森嚴的格局。至於黃山谷江西詩派的「換骨奪胎」，李攀龍的「文必秦漢，詩必盛唐」，更是尊重典型以創作詩文的典型論說。因此，即重視既有存在學說或行為，然後於表現方法上推敲琢磨，以典型的尊重而進行新的開展，乃是中國人創造性根源的所在。

㈡以抒情文學為主

自古以來，中國人的終極關懷是在人間世界，因此古典文學作品的取材大抵以現實社會的人生問題與個人的日常經驗為多。所以吉川幸次郎說以人為中心的情意表現是中國文學的根本特質。[3]就文學的形式而言，詩是以表現人之感情的抒情詩為主，而甚少歌詠英雄的敘事詩。散文的主流不是需要豐富想像與虛構的小說而是記述人在人間社會之實際生活與實在經驗的散文。就詩歌而言，此一抒情的傳統起源於《詩三百》到杜甫而達於極盛，吉川幸次郎舉杜甫於流寓蜀地時所作的〈倦夜〉為例，說明杜甫詩之所以沈鬱頓挫的所在與中國古典抒情詩的普遍特質。〈倦夜〉雖然是寫所見之景，卻在景中抒發人生遭遇的感懷。「竹涼侵臥內、野月滿庭隅」在說自然現象是超然性與圓善性的存在，「重露成涓滴、稀星乍有無」是描寫時間推移的微妙變化，「暗飛螢自照、水宿鳥相呼」則在寫蟲鳥的孤獨哀憐，進而由此起興而陳述「萬事干戈裏、空悲清夜徂」之戰爭的不幸與人事的悲哀。畢竟人間原來也有成就善意的

---

3 同上。又〈中國文學の性質〉（《中國文學入門》，東京：講談社學術文庫，1976 年 6 月，頁 109-121，《吉川幸次郎全集》第一卷，東京：筑摩書房，1968 年 11 月頁 78-87），亦有相同的論述。

可能，奈何因為時世的紛擾，而有不知清平的社會何時到來的憂愁。以日常周遭的情事為題材，陳述人間社會重要的問題是杜甫詩的特徵，也是中國古典抒情詩的普遍象徵。[4]

三、中國文學的特質及其形成的環境

重視文學，忠實於文學的傳統，進而產生以自身的文學為獨善至上之文學意識，又以日常生活為創作的素材而產生以抒情為主的文學是中國文學的特質。至於何以產生典型主義之文學意識與抒情文學之人文主義的特質則與中國特殊的地理、思想、政治、文化與社會等環境有極大的關連。

(一)形成以中國文學為唯一存在之意識的地理環境與思想傳統

吉川幸次郎說：就地理環境而言，中國的沃野之大與歐陸等同，歐陸國家林立而中國四周有著天然的屏障，乃形成一個獨立空間，由黃河產生的文學傳統在極少受到外來文學的影響，甚至於幾乎沒有外來文學存在的意識下，逐漸擴展到中華天下的各個角落。在廣大空間所形成的文化未必沒有時間性與地方性的色彩，如語言即有古今差異和南北通塞，文化也有唐代華麗而宋代素樸的時代性

---

[4] 由於中國古典文學是以抒情與寫實為主，故敘述性又需要虛構的小說就不發達。又因為重視真實，在創造手法上，就有以確實描寫為必要條件的共同意識。《史記・項羽本紀》的鴻門宴，曾鞏〈越州鑑湖圖序〉等山川形勢的記述即是。（吉川幸次郎〈中國文學の特色〉吉川幸次郎述、黑川洋一編《中國文學史》，東京：岩波書店，1974 年 10 月，頁 10-17）。

與北方重理而南方主情之地域性的差異，但是在政治政策與文化傳承的意識下，由於秦始皇之統一文字的政令施行，先秦諸子之自由開放的文化色彩，是中國最初也是最後所展現出的地方性分歧，至於各地的方言也由於存在著意志疏通的障害，相對於具有普遍性與共通性的「官話」，方言僅停留於「生活言語」的階段而未必能形成「記載言語」，用以行諸文字而抒發感情或記錄時事。再就思想環境而言，先秦諸子固然表現出地方色彩的對立，又在原理表達上，雖有儒家追求人間的善意，道家以自然的善意為究極，法家主張權力意志，墨家高舉無我兼愛的不同，但是實現於政治之現實性希求的動機是共通的，至於以散文作為言語表現的形式則是一致的。到了漢代，不但政治鞏固統一，以人間善意為原理的儒家思想也成為中國人生活行為的傳統理念。換句話說漢代以後，以儒家思想為唯一至上的意識是中國文化的傳統，也是普遍存在於中國人心中的民族感情。

㈡由於「異文化」的交流而形成中國文學是至上獨善的意識

中國文化之唯一性的形態在與周邊民族的往來後，更穩固的確立。就政治環境而言，為達成開疆拓土的目的，中原政權與周邊民族彼此有武力攻伐的軍事行為，中原用兵開地而周邊民族逐漸「漢化」，周邊民族入主中原，大抵都被漢族所同化，即使如元、清有以自身的言語作為「政治言語」而宣達政令或載記歷史，也未成為發生文學的可能因素。換句話說，與周邊民族接觸的結果，外族文化皆為中國文化所同化，中國文學是至高無上之存在的意念便形成民族的歷史傳統。不但如此，即使佛教與西學的傳入，中國傳統文學是唯一存在的信念也終始毫無動搖。

佛教自東漢傳入中國之後，即成為中國思想的主流之一，魏晉之際，與老莊、周易並稱三玄，南北朝則或以佛教為內教而儒教為外教。唐代以來佛教鼎盛，宋代理學家受到佛教盛行的影響而提倡儒學的復興，以佛教為異端而欲排除於中國文化之外，但是佛教的研究依然是中國哲學史的重要課題，佛教始終是中國主要的宗教而為民間大眾所信仰。雖然如此，在文學方面，即使南北朝的志怪、唐代的傳奇小說起因於佛教空想的虛構，敦煌的曲子詞與唐宋以來的禪詩都有佛教的色彩，南北朝以迄唐代，西域音樂的活洛，改變中土的音樂形式，近體詩的格律也多少受其影響，但是以日常生活為題材之寫實與人間社會之感懷的抒情文學始終是中國文學的主流。至於西學的傳入，分析性的思考促成實證性古代言語學方法的建立，緻密的思惟也使清朝詩文的肌理極盡細膩之能事。但是西洋的言語結構固然不同於漢語的結構，卻不能以之作為創作古典詩文的工具。西學的影響僅止於科學實證之學問或文學創作方法的形成，意識到西洋文學是以敘事為主，而小說創作是其精華，則在白話文學運動以後。就中國傳統文化的環境而言，在宗教或藝術方面，印度、西洋之異文化的存在，如佛經是宗教的經典，《幾何原理》是科學性著作，固然為中國人所意識到，但是印度和西洋文學的存在則未為中國的文學傳統所認知。換句話說，就傳統文學而言，與印度或西洋文化接觸的結果，只證實中國文學的獨善性，進而更忠實於其傳統而已。[5]

---

5 〈中國文學の環境〉，《吉川幸次郎全集》第一卷，東京：筑摩書房，1968 年 11 月，頁 278-290。

㈢以文學創作能力的有無而決定其社會地位的社會環境

所謂文學能力是指鑑賞作品的能力和創作作品的能力，以創作詩文的能力作為決定人的社會地位是中國文學之所以異於世界其他文學的特殊功能。形成以文學創作的優劣作為決定社會身分的尺度則與中國傳統社會的環境有密接的關連。

吉川幸次郎以為「士人」與「庶人」的區分是漢代以來二千年，中國社會的共通意識。漢武帝之所以推崇儒術，或許因為「選良」制度原本即內在於中國的傳統而且是最適用於中國社會，乃以儒學作為施政的指向。自漢武帝尊崇儒學，設立《五經》博士以後，《論語》所謂有德的「君子」與《孟子》治人勞心的「大人」即是「士人」的形象，《禮記・曲禮》的「禮不下庶人，刑不上大夫」既說明士人的性格，也存在著士人擁有特權的思想。換句話說所謂「士人」是既能參與政治，又以講讀《五經》及其他古典為職志而有維持並遂行道德文化能力的存在。至於任官，或未必任官而能批評政治，有文化特別是文學的發言權，受到法律特殊的保護則是「士人」的特權。中世社會的身分大抵是世襲，近世以來，所謂歷代簪纓之家，書香門第，豪門富商固然俊才出世的所在，但是家世與富裕並非成就「士人」的唯一條件，決定「士人」身分的尺度則在於經書理解的程度與文學創作的能力。中國傳統社會之以文為舉士而選良的特殊環境則具現於科舉制度。

科舉濫觴於漢武帝的策問，成立於隋唐而完備於北宋，至清末的一千數百年間，為中國人立身樞要而享受幸福生活的關鍵。唐代科舉有「明經」與「進士」二科，「進士」課詩賦，「明經」又稱

「帖書」，大抵為經書與國定注釋，如《五經正義》的記誦而已，太宗時，雖有「策論」，要皆為辭藻的修飾，美詞麗句的陳列。北宋王安石變革新法，廢除「詩賦」辭課以「論」「策」，「明經」則不求經書的記誦而採取「經義」的自由闡述。南宋與金則恢復「詩賦」與「明經」「策論」並行。元初廢止科舉，元末仁宗皇慶二年（1313）再開，然輕「詩賦」而重「明經」「策論」，經書含《五經》《四書》，經義則採宋儒的新注。明清六百年的科舉科目是以「經義」為主，尤以「四書義」為中心，所謂「制義」「制藝」「時文」「八股」「舉業」「四書文」皆「四書義」的別名，至於「四書義」的參考書則以朱子集註為準據。明清的科舉制度看似改變歷來以文學能力判定人物價值的取向，實則「經義」的考試依然是作文的責求。《四書》文句的演繹發揮有其限度，答案又固定為煩雜的「八股」的形式，因此論理思考能力難分高下，文學表現的巧拙才是優劣的根據。換句話說，以言語表現巧拙的文學創作能力來判定人的價值，決定其社會地位的結果與以「詩賦」為中心的時代的風尚並無顯著的區別。因此經義與策論二科的本旨雖在道德文化意識的責求與政治政策和為政見解的陳述，然而其優劣高下的判定卻歸結在文章表現的巧拙，亦即言語的表現能力是選良舉士最終的依據。此為中國傳統社會以文為舉士而形成中國人重視文學創作能力的原因所在。[6]

細膩地表達內在世界的感動與緻密地描寫生活環境的事物是中國文學追求美善的傳統，而此一傳統的形成和長久持續則與以人為

6　〈中國の文學とその社會〉，《吉川幸次郎全集》第一卷，東京：筑摩書房，1968 年 11 月，頁 292-324。

主的思想傳統和山海之自然屏障而護衛著廣大幅員的地理環境有密接的關連。在中國歷史的發展上，中原政權與周邊民族有頻繁的接觸，中華文明與古今文明也有「異文化」的交流，或以武力而入主中原，或以思想文化而改變中國人的思惟方式，雖然如此，對中國文學之「緣情而綺靡，體物瀏亮」的詩文世界則沒有產生巨大的影響。相反地，由於與「異文化」交流的結果，中國文學是唯一至善之存在的意識卻變成中國文學的傳統。至於士人之重視文學的理念也在此傳統意識和以文舉士之社會環境下應運而生。

在中國傳統意識中，所謂「士」（君子、讀書人、文人、知識分子）是指具有道義、政治和文化的能力，而且有對道義、政治和文化發言權者，科舉的制度即在此理念上成立的。至於「士」的必要條件是正確地把握以經書為中心之古典的意義，適切地實踐經義於人間社會和具備創作詩文的能力。歷代科舉的考試科目即顯現出傳統士人的形象。此傳統意識與以文舉士的科舉制度之所以能長久持續，是和中國傳統社會之尊重文學的普遍價值與中國言語構成之特殊性有密接的關連。在中國傳統社會中，不但存在著「人為世界中心」的世界觀，即唯有人才能以美麗的文字表現人間世界的調和與美善，而且抱持著缺乏經典的文學教養與文學創作的能力，即未必有為人尊重的其社會地位。尤其是中國古典詩歌是具有特殊技巧的「記載言語」，能表現「記載言語」之特殊技巧的人，即表示其具備生存於人間社會之各種能力。在此人文意識下，即使於貴族社會中的貴族僅保有雄厚的財富或強勢的門閥而無文學能力是為社會所肯定的。雖然如此，既以文學的能力作為決定身分的尺度，則決定的尺度即不能頻繁的更易，也未必飛躍玄想而脫離人間社會的常軌。由於此一社會環境，乃形成忠實於文學傳統的典型主義，以描寫日常生活與社會現象為主流的特質。

四、以辨彰學術的歷史意識進行中國文學史的分期

有關中國文學發展歷史的分期，吉川幸次郎大抵根據其師內藤湖南的主張而稍有差異，其以為中國文學的發展可分為四個時期。[7]

第一期　周朝初期以迄秦帝國（西元前十二世紀到西元前三世紀的一千年間）
　　前文學史時期。

第二期　漢朝至唐代中葉（西元前二世紀到西元八世紀的一千年間）
　　抒情詩或美文時期。

第三期　唐代中葉以後至清末（西元八世紀後半到二十世紀初的一千年間）
　　散文時期。

第四期　相應於「辛亥革命」之「文學革命」以後
　　語體文時期。

7　〈中國文學の四時期〉，此文原收於 1966 年 5 月新潮社出版的《世界文學小辭典》，其後又收入《中國文學入門》，東京：講談社學術文庫，1976 年 6 月，頁 101-108。吉川幸次郎有關中國文學史的分期，又見於〈中國文學史敘說〉，《吉川幸次郎遺稿集》第二卷，頁 3-23，東京：筑摩書房，1996 年 2 月，頁 3-23，除第一期止於漢武帝外，其餘大抵史同。據筧文生《吉川幸次郎遺稿集第二卷・解說》指出：〈中國文學史敘說〉是吉川幸次郎的手稿，唯不明其執筆的時間，或為自東方研究所轉任京都帝國大學教授（1947 年）時，所準備的講稿。

吉川幸次郎以為中國文學第一期的「場」是在黃河流域，其文學體裁，除《詩經》是表現感情的韻文以外，大抵是以組織國家方法之政治性或論述個人、學派思想內容之論理性為中心。換句話說當時士人的政治、論理的意識較為強烈，因此語言的表現也以生存法則與人生的現實為多，而人的感情、玄思或唯美追求的價值則是次元的存在。至於《楚辭》之以韻文的文體與比興的手法抒發豐富的感情，而為後世美文的典型，或由於《楚辭》是產生於長江流域的緣故。

第二期的文學是以感情抒發為主，而表現的方式則是有韻律的辭賦詩歌。吉川幸次郎以為由於文學不再是政治的附庸而有語言美感與個人感情的表現，故有獨立的價值而成為構築文明的基本要素。至於東晉以後，文明的中心轉移到長江流域，歌詠山水田園與自然風景的詩文也成為中國文學的主要題材之一，與三國西晉的宮廷貴族的浪漫文學輝映成色。到了八世紀前半的盛唐，由於詩人的感性與思想的飛躍，又把握自然的象徵以為自由詩語的表現，形成中國詩歌的黃金時代。

第三期是散文的時代，即使是韻律的詩歌也有散文化的傾向。漢唐以來雖然有《史記》、《漢書》歷史散文的傳統，但是吉川幸次郎以為第二期的千年間依然是以四六駢儷之文為主，尚未有以散文為典型的意識。在第三期的文學中，最值得注意的是雜劇、小說等虛構文學的產生。起源於庶民娛樂的講唱，經過潤飾而形成口語講唱之口白並存的雜劇與散文詩歌兼蓄的小說。第四期的文學則是受到西洋文明的影響，產生以虛構文學為主流與語體文為通行文體的變革。

五、以考鏡源流的歷史意識
探究中國文學中人生觀的推移

「己立立人、己達達人」的淑世救人是儒家生生哲學的根本精神，如《詩經・大雅》所記載的「天生烝民，有物有則」，「物」是內在於人的良善本性，「則」是自然天成的本來存在，而體現此一精神的是「聖人」。「聖人」是圓滿良善的存在，為人之所以為人的理想目標，即「聖人」是樂觀主義的理想存在，是提供無限可能的象徵。吉川幸次郎以為樂觀主義不但是儒家的人生觀，而樂觀與悲觀的交替推移也是中國文學發展流衍的一個重要現象。[8]換句話說，從人生觀的角度來探究中國古典文學的內容，則中國文學是一部表現情意的文學史。

《詩經》中表達悲憤的詩歌多於歡樂，但是《詩經》所表現的人生觀基本是樂觀主義的，如〈周風・桃夭〉即是祝福女性結婚而充滿希望的詩歌。〈邶風・柏舟〉固然是憂愁悲憤的作品，但是接續其後之〈邶風・綠衣〉「我思古人，實獲我心」的敘述，則未嘗沒有現在雖處於不幸的環境中，但困窮的環境只是一時的而不是本來且持久性的存在，畢竟無論是個人或是社會，其本來的存在是圓滿幸福的。換句話說《詩經》的時代，一般人並沒有失去人生理想與希望，而且正因為尚存在著人生本來理想的寄望，對現實的遭遇才有悲憤，《詩經》的憂憤之作大抵是在這種心理狀況下創作的。

---

8 〈中國文學における希望と絕望〉，〈中國文學に現れた人生觀〉，《中國文學入門》，東京：講談社學術文庫，1976年6月，頁122-151，《吉川幸次郎全集》第一卷，東京：筑摩書房，1968年11月，頁88-111。

《詩經》之後的《楚辭》也存在著這種創作心理，屈原固然有滿腹的鬱憤而投江自盡，但是其人生哲學則是重建幸福圓滿的人間社會。換句話說人生本來幸福的信念是屈原內在根底的人生觀，而古代昇平社會的回復，則是其終身的執著，即使面臨死亡的到來也未必有強烈的恐懼。[9]

《詩經》與《楚辭》所反映的樂觀主義之人生觀並不是永久持續的，秦漢到初唐的文學則有感嘆人的存在是何其微小，表現出天道無常之絕望的灰暗色彩，如項羽〈垓下歌〉的「時不利」即有時不與我和天命無常的感嘆。至於感受人天生就有著生死的限定與福禍因果未必相報的無奈，即使窮盡最大的努力也無法突破人生困境的悲觀，則是此一時期的文學作品的顯著象徵。如「韮上露，何易晞，露晞明朝更復落，人死一去何時歸」的挽歌，則表現出一般人恐懼死亡的心理。〈古詩十九首〉的「浩浩陰陽移，年命如朝露，人生忽如寄，壽無金石固」，則說明人既是微小不安定的存在，且有極多的限定，而最大的限定就是死亡。至於「白露沾野草，時節忽復易，……不念攜手好，棄我如遺跡」，「思君令人老，歲月忽已晚」，則以時節轉換之快象徵著人生的短暫，時間的流逝只是徒增遺憾而已。此感嘆時間的推移而產生「幸福轉變成不幸或不幸的持續或人生終歸死亡」之悲哀，可以說是漢代文學的普遍情感。[10]至於天道無常的感嘆也見於歷史著作中，如司馬遷《史記・公孫弘

9　〈詩經と楚辭〉，《吉川幸次郎全集》第三卷，東京：筑摩書房，1969年9月，頁16-27。

10　〈推移の悲哀——古詩十九首の主題〉，《吉川幸次郎全集》第六卷，東京：筑摩書房，1968年4月，頁266-330。

列傳》的「太史公曰公孫弘行義雖修，然亦遇時」的評論，則有即使有天縱英才而無時機的造化，也未必能為世所用，反之，無過人之才而有時運的機緣，也能出人頭地的感嘆。到了魏晉南北朝，除了陶淵明的詩文以外，其餘文人的作品頗多感嘆人之無法超越死生哀樂與擺脫運命支配的悲觀與絕望。如曹操〈短歌行〉「對酒當歌，人生幾何，譬如朝露，去日苦多」，是感嘆人生的短暫。由於天道無常，人生充滿無奈，即使以自在為超越的阮籍，也不免有「獨坐空堂上，誰可與歡者，出門臨永路，不見行車馬，登高望九州，悠悠分曠野，孤鳥西北飛，離獸東南下，日暮思親友，晤言用自寫」的〈詠懷詩〉，以自然的悠久廣闊而襯托人的藐小，又用「孤鳥」與「離獸」來表現自身的孤獨。至於謝靈運的詩賦，則有寄情於山水以慰藉無常人生的感慨。江淹的〈效阮籍〉「宵月輝西極，女圭映東海，佳麗多異色，芬葩有奇采，綺縞非無情，光陰命誰待，不與風雨變，長共山川在，人道則不然，消散隨風改」，更通過與自然的對比而描寫其對人生的感傷，以自然是超越時間而永遠美善的存在，而表達人生短暫的悲哀。故魏晉六朝文學所刻畫的情意世界是人生本來不但不是圓滿幸福，反而是充滿憂愁抑鬱的苦悶，作品所呈現的是人不但與鳥獸同朽是微不足道的存在，而且只能任由命運翻弄的灰暗色彩。

回復古代樂觀主義，歌詠人生在世原本是充滿希望的是盛唐文學，特別是李白與杜甫詩歌的特色。唐代詩人未必沒有人生苦短的感嘆，如杜甫的「人生七十古來稀」，也未必沒有青年榮華的眷戀，如杜甫的「可惜歡娛地，都非少壯時」，但是超越絕望與悲觀，以為理想社會可能實現的樂觀，人間社會依然有快意的所在，則是盛唐詩歌的情境。李白的詩歌看似一味地追求快樂，而且在李白以前，中國文學中也有歌詠盡情歡樂的詩文，卻大多數是在絕望灰暗人生觀充斥的時代中所創造的快樂，由於感到人生無常，只能假借酒色之一時的歡樂以排解憂愁而已。然而李白的詩歌則異於以往，如〈將進酒〉的「君不見黃河之水天上來，奔流到海不復回，君不見高堂明鏡悲白髮，朝如青絲暮成雪，人生得意須盡歡，莫使金樽空對月」，由於繁華不再，青春稍縱即逝，而盡情地飲酒作樂的強調，大抵與前代的詩歌無太大的差異，但是「天生我才必有用，千金散盡還復來」，則表現出積極樂觀的性格，由於酒能消解萬古以來的憂愁，又唯有飲者能留名青史，故以「五花馬、千金裘」換「美酒」也毫不吝惜。換句話說肯定歡樂之積極的意義，是李白詩的情境。吉川幸次郎以為李白是以超越絕望的轉折，回復古代的樂觀。至於杜甫詩歌的情境雖然也有回復古代樂觀主義的傾向，但是杜詩的題材與表現方式則與李白不同。世稱杜詩沈鬱頓挫，然其思想根底則是人生本來是充滿希望的樂觀。所以雖然不能為世所用，卻以「致君堯舜上，再使風俗淳」為職志，即使是流離失所，依然寄望有朝一日能實現「廣廈千萬間，大庇天下寒士盡歡顏」的理想。吉川幸次郎以為此人性良善的本質，社會本來和樂的樂觀主義乃是杜詩活力的泉源。再者，此現實理想主義不僅表現於社會現狀的描寫，也運用於自然的歌詠。歷來的自然詩中的自然只是寄情的對象而已，但是杜甫於自然的歌詠，則是從自然中探求秩序與調和要素與生生不息的創造能源。換句話說自然創生的營為，乃是杜甫展望未來而充滿幸福與無限希望的精神底據。[11]

---

11 〈新唐詩選前編　杜甫〉，《吉川幸次郎全集》第十一卷，東京：筑摩書房，1968 年 8 月，頁 46-49。

盛唐文學之回復古代樂觀主義以後，文學風格就與兩漢六朝有極大的差異，在文學的情意世界中，甚少傾吐悲哀與苦寒的色彩了。特別是到了宋代，就產生如何脫離悲哀而建立新的樂觀主義的文學意識。吉川幸次郎以為與宋代新儒學的成立互為表裏，宋的詩歌，尤其是蘇東坡的詩，即展現出理性的樂觀主義。蘇東坡洞察人生的道理，以為是非得失與人事浮沈，如時間的流轉，四時的推移，乃天道之常，所以說「吾生如寄耳」。又以為人之有生離死別如自然的循環，花好月圓之不能長存，則是人世間的常情，因而說「別離隨處有」，「離合既循環，憂喜迭相攻」，即以超越死生與得失的困境，進而肯定「人生無離別，誰知恩愛重」之天道常理的積極意義。即人生未必只是失意困窮的一再重現，看穿人事的浮沈而泰然自處，則是洞察事理的結果。換句話說超越命定的限制而肯定人之所以為人的存在價值，翻轉悲哀的人生觀為喜樂的人生觀，進而展現無限的可能，乃是蘇東坡所證成的人生境界。因此「十日春寒不出門，不知江柳已搖村，稍聞決決流冰谷，盡放青青沒燒痕，數畝荒園留我住，半瓶濁酒待君溫，去年今日關山路，細雨梅花正斷魂」[12]，肯定四時佳興與人同的超越與日常愉悅之俯拾可得的澹然，則是蘇詩的生命情境。[13]蘇東坡樹立的理性樂觀主義為後世的詩人所承繼，進而構築了中國文學之具有形上超越的情意世

---

12 〈正月廿日往岐亭郡人潘古郭三人送余於女王城東禪莊院〉，《施注蘇詩》卷十八。

13 〈宋詩概說・宋詩の人生觀　悲哀の止揚〉，《吉川幸次郎全集》第十三卷，東京：筑摩書房，1969 年 2 月，頁 27-32。

界。[14]因此吉川幸次郎說：唯有肯定人自身的存在價值才能突破人生的困境，也唯有人自己的努力才擁有無限可能的理性樂觀主義，不但是中國文明的創造源泉，也是中國文學的究極表現。[15]

六、中國文學批評論：緻密與飛躍

吉川幸次郎解析杜詩而以為「緻密」與「飛躍」是詩歌成立的必要條件[16]，「緻密」是體察客觀存在事物的方向，「飛躍」則是抒發主觀內在意象的方向，「緻密」所刻畫的是輪廓清晰的具象世界，「飛躍」所指涉的是起興超越的抽象世界，「緻密」猶「賦」的「體物而瀏亮」而「飛躍」則是「詩」的「緣情而綺靡」，「緻密」是被動，「飛躍」則是主動。〈胡馬〉〈畫鷹〉的細微描寫是「緻密」的方向，〈曲江〉之孤獨意象是「飛躍」的方向。唯二者的表現方式雖非同一方向，卻是並存互補相互完成，此詩歌創作意識的自覺於杜甫壯年詩作既已體現了。如〈敬贈鄭諫議十韻〉的「諫官非不達，詩義早知名，破的由來事，先鋒孰敢爭，思飄雲物外，律中鬼神驚，毫髮無遺恨，波瀾獨老成。」所謂「詩義」是作詩的方法、原則、理論，故知杜甫在壯年的時期即有詩論的意識。

14　陸游〈東津〉「四方本是丈夫事，安用一生無別離」，《劍南詩稿》卷三，即是一例。

15　〈中國文學に現れた人生觀〉，《中國文學入門》，東京：講談社學術文庫，1976 年 6 月，頁 152-153，《吉川幸次郎全集》第一卷，東京：筑摩書房，1968 年 11 月，頁 110-111。

16　〈杜甫の詩論と詩〉，《吉川幸次郎全集》第十二卷，東京：筑摩書房，1968 年 6 月，頁 593-628。

若以「緻密」與「飛躍」來分析，則「破的由來事」是準確表達詩義之「緻密」的方向，「先鋒孰敢爭，思飄雲物外」則是抽象性意象之飛躍超越的方向。「律中鬼神驚」是詩律的細密而到達超自然的存在，即由於「緻密」而生「飛躍」之並存的手法。「毫髮無遺恨」是確實緻密而周衍的方向，「波瀾獨老成」固然是飛躍的方向，而意境的飛躍是詩律緻密的結果，由於詩作是緻密才能到達圓熟的飛躍。再就作詩的方法而言，對句是分別殊相而後統一融合的詩歌創造技巧，即對同一事物先從兩個不同的方向來歌詠，而後進行統一融合。「破的由來事，先鋒孰敢爭」的「破的」與「先鋒」是鄭虔作詩的兩個方法，而二者的融合則完成由緻密而生超越的「律中鬼神驚」，進而到達飛躍中有緻密的圓熟境界。

吉川幸次郎以為〈月夜〉〈月夜憶舍弟〉之凝視人間社會與自然萬象的視線是「緻密」的極致，〈倦夜〉之時間推移的無限空間與人間真實的感受則是「飛躍」的圓熟。緻密伴隨著超越才能更緻密，飛躍中有緻密才能更超越。緻密的凝視對事物的感受，才能深入事理而形成超越的意象，對事理抱持著飛躍超越的意念，才能緻密細微地抒發內在的感受。主動的「緣情」飛躍要有緻密的「體物」才能完備，被動的「體物」緻密要有超越的「緣情」才能圓足。杜甫不但以賦入詩，由於「緻密」與「飛躍」的並存互補相互完成，「體物」就具有主動與被動，主觀與客觀融合的新的意義。

七、杜甫研究

吉川幸次郎之所以研究杜甫，除了世稱杜甫為詩聖，杜詩於中國文學史上有重要地位以外，以杜甫及其詩歌的注釋與賞析，提示日本戰後中國文學研究的新取向，也是其研究杜甫的原因之一。

吉川幸次郎於〈中國文學研究史──明治から昭和のはじめまで、前野直彬氏と共に〉與〈日本の中國文學研究〉[17]指出：明治前期是中國文學的受容時期，明治後期是評釋時期，大正至昭和初年則是翻譯時期。再就研究的取向而言，明治時代大抵以西洋的方法論進行分析性的研究，大正年間則重視新領域、新資料與目錄學的研究。所謂「新領域」是指戲曲小說文學，新資料是敦煌文物而目錄學則是日本宮內省、內閣及藩府、寺院、私人文庫之書物的研究。昭和初期則重視語學與現代文學的研究。綜觀明治以來的中國文學的研究，大抵有偏重戲曲小說、現代文學與資料萬能、語學萬能主義的缺失。若欲彌補此一缺失而取得均衡的發展，則宜重視文學內容本質的研究與修辭藝術的鑑賞。換句話說吉川幸次郎以為文藝作品的內容與修辭藝術的研究乃是戰後日本於中國文學研究的新取向。因此以中國文人典型的杜甫與中國詩歌結晶的杜詩為例，而展開文學內容的解說、修辭藝術的鑑賞與理論性的分析，架構中國文學研究與文藝作品賞析的方法[18]。其弟子興膳宏說：賞析辭彙所具有的功能是「吉川中國學」的主軸。吉川先生終身抱持著辭彙不僅是為了傳達事實，而是在如何表達事實，表現事實是文學的使

17　收入《吉川幸次郎全集》第十七卷，東京：筑摩書房，1969 年 3 月，頁389-420。

18　吉川幸次郎以為杜甫詩論性的研究，即理論架構性的文學批評研究是中國文學研究的新途徑。〈杜甫の詩論と詩〉，1967 年 2 月 1 日京都大學最終講義，先後刊載於《展望》，朝日新聞社「清盧の事」，其後收入《杜詩論集》，1980 年 12 月，東京：筑摩叢書，《吉川幸次郎全集》第十二卷，東京：筑摩書房，1968 年 6 月，頁 627-628。

命，而洞見文學的表現形式則是文學研究之任務的觀念。至於吉川先生之所以對中國產生深刻的共感是在於中國所擁有的優雅的一面而不在於莊嚴的一面，其所以深深地愛好中國的詩文是在於中國詩文所具備的纖細之美，擁有纖細之美的詩人的典型是杜甫。這是吉川先生深入研究杜甫的原因所在。[19]

吉川幸次郎說：杜詩的體裁、題材、風格隨著杜甫一生的波瀾而有顯著的變化，至晚年而達於圓熟。中國古典詩人，即使是蘇東坡、陸游所吟詠的事物雖有變化，其詩風大抵是不變的。因此，詩風隨人生的遭遇與時代的變動而不斷成長的詩人在中國文學史上是極罕見的。就此意義而言，以傳記的形式解讀賞析杜詩，掌握杜甫創作詩歌的生活空間與時代背景，才能正確理解杜詩題材、體裁、風格變遷的具體所在及其變遷的究竟。如〈畫鷹〉等詠物詩不但體物工巧，用語既忠實於文學的傳統而有典故來歷，又賦予「再生」的意義而有古典新義的表現。故杜甫詠物詩的體物之工與六朝同，然兼具忠實於文學傳統的普遍性與「再生」古典新義的創造性則是杜詩異於六朝的所在。又如〈夜宴左氏莊〉〈遊何將軍山林〉等宴會冶遊之作，不但自然與人事並敘，以情景交融而構成杜甫個人新的自然意象，又豐富五言律詩的韻律，於既有的傳統詩體極盡變化而作為感情抒發的新場域。〈自京赴奉先縣詠懷五百字〉則以賦入詩，結合詩的「緣情」與賦的「體物」而豐富詩的題材，開拓詩的新領域。至於〈臘月〉是杜詩成長歷史的關鍵之作，杜甫早期的七律如「春酒盃濃琥珀薄，冰漿碗碧瑪瑙寒」（〈鄭駙馬宅宴洞中〉）的

---

19 興膳宏〈吉川幸次郎先生の人と學問〉，《異域の眼——中國文化散策》，東京：筑摩書房，1995年7月，頁192-203。

詩句，大抵與初唐無異，皆用心於文句的裝飾，而〈臘月〉詩則表現出與鄭虔相會之錯綜複雜的感情，是杜甫一生創作七律傑作的開端。〈喜達行在所〉在內容上，適切地表現出異常的經驗，在形式上則發揮五律之簡短而具有裝飾的特徵，到達充實新穎的藝術境界，象徵著律詩的完成。〈秦州雜詩〉是反映杜甫一生極盡苦寒的詩作。〈倦夜〉的詩境呈現出自然秩序的和平，而景物刻畫緻密，用語對仗平穩工整，自然的善意的圓滿是杜甫生命的源泉，緻密工整則是杜詩的基調。因此〈倦夜〉一詩不但是反映其成都草堂的快意人生，而此自然善意的體悟也是其漂泊江南卻能超越的思想根源。吉川幸次郎又以為秦州的苦寒與對人生的懷疑是晚年圓熟與對人間社會的信賴必經的途徑。就杜詩凝視細微之妙而言，壯年的詠物詩表現出體物細微的創作藝術，秦州時期的詩作於體物緻密之外又有緣情之綺靡，唯帶有苦寒的憂愁，成都草堂以後的詩作則是體物與緣情兼具，又以自然的善意觀照人間世界，轉化個人的困頓為普遍存在於人間社會的共通憂愁苦楚。如果秦州時期的憂愁隨時間的推移而累加，則草堂以後的憂愁已化作永遠的持續而淡然自處。因此放浪長安的詠物之作是超越六朝初唐外形修飾的象徵，秦州尖銳苦寒是過渡，成都草堂之自然善意的感得是超越江南漂泊無奈的動力，詩境趨向圓熟，格律刻畫皆到達完成的境界。

綜括杜甫的遭遇與杜詩的內容風格，大抵可將杜詩分別為旅食長安、長安監禁至秦州落魄、成都草堂、漂泊江南等四個時期。壯年求仕的詩作雖幾近完成，卻多少有習作的性質，雖體物細密，用語工巧而感情外放。此一時期的代表詩體是七言歌行，如〈兵車行〉〈渼陂行〉。安史之亂不但是唐代由榮華轉趨暗澹的歷史事件，也是影響杜甫一生運命的關鍵。賊軍監禁、人生唯一的宮廷生活、攜妻帶子覓食而生的落魄，使杜甫經歷了人生的苦樂憂患，詩歌盈溢著無盡的憂愁。此一時期代表的詩體則是五言律詩，如〈月夜〉〈喜達行在所〉〈秦州雜詩〉。草堂的生活是杜甫一生最幸福的時期，詩歌體現出自然的善意，詩語則充滿著回復古典樂觀的圓熟。其後放浪於長江雄壯的風景中，杜詩達到最後的完成，人生的漂泊雖有憂愁，然此憂愁既已不是個人的憂愁而是化作人類共通的感情而歌詠。草堂以後的代表詩體則是七言律詩，如〈賓至〉〈秋興八首〉即是。

就詩歌體裁與詩風表現的關係而言，吉川幸次郎以為杜詩有離心發散和向心凝集的兩個不同的方向，前者主要是以七言歌行來抒發，後者則用五、七言律詩來表現。七言歌行的用語自由，感情外放激發，詩作的視線是通向世界而無遠弗屆。杜詩發散的方向雖未必勝於李白，然杜甫的用語豐富自由，感情誠摯，較諸前代詩歌則有由男女戀情的抒發而真摯寫實的轉換。五、七言律詩的用語適切，情感內斂，詩作的視線凝聚於世界最微小的部分而緻密細微。如果七言歌行是杜甫早年即興之作，則五、七言律詩是壯年自覺性鍛鍊凝集而發揮真實沈鬱的結晶。二者雖然都是杜甫追求真實之寫實精神下的產物，也經常是並行發用，但是就杜詩的特徵而言，後者才是杜詩的代表。杜甫詩體之由七言歌行而與五、七言律詩，詩風之由強烈的發散而轉趨審視內斂的轉變，未嘗不能說是杜詩成長的軌跡。

杜詩題材的豐富，詩境的開展大抵隨著杜甫生涯的遭遇而轉換圓熟。吉川幸次郎以為旅食長安時期，杜甫自覺地以寫實主義為出發點而抒發周遭景物的真實。長安幽禁時期則有以自身憂愁為媒介而理解人類普遍存在著憂愁的自覺，唯秦州的苦寒，飽嘗人生的窮困艱屈，又陷入懷疑絕望的深淵。成都草堂時期短暫的快意幸福，體悟自然的善意，即使漂泊江南，也是人生的無奈，窮途的困頓也超越為人類共有憂愁的普遍現象，至此，杜詩的意境也到達沈鬱悲壯的圓熟。[20]

吉川幸次郎以為杜詩最大的特徵在於藝術性與現實性的融合。[21]杜甫一生的遭遇與其生存的背景促成杜詩不斷成長，由離心發散而向心凝集之詩作的方向轉移，由體物工微而至人生體悟之圓熟的意境完成，正足以說明杜詩特徵的所在。至於吉川幸次郎指稱杜詩是「思索者的抒情」[22]或杜詩「具有抒發人民性或社會性共同體之責任的意識」[23]皆在強調杜詩具有現實性的特質。關於杜詩的藝術性，吉川幸次郎則說「杜甫是語言再生的魔術師」[24]，探究其立言的意義，則在指涉杜詩的語言具有古典新義，或通過既有言語的整合而產生新的意義，或以舊題材而創造新的意象。前者如「側目似愁胡」，後者如「月」的吟詠。「愁胡」一語雖見於晉孫楚〈鷹賦〉，然「深目蛾眉，狀似愁胡」的「愁胡」不過用以比喻鷹的眉目形狀，而「側目似愁胡」則把鷹的神情全幅呈現，雖是描寫畫

20　參〈杜甫私記〉（《吉川幸次郎全集》第十二卷，東京：筑摩書房，1968年6月，頁3-205），〈杜甫と鄭虔〉（同上，頁402-431），〈秦州の杜甫〉（同上，頁437-4569，〈杜甫について〉（同上，頁560-580）。

21　〈我所最喜歡的中國詩人〉，《吉川幸次郎全集》第一卷，東京：筑摩書房，1968年11月，頁147。

22　〈中國文明と中國文學〉，《吉川幸次郎講演集》，東京：筑摩書房，1996年4月，頁94。

23　〈私の杜甫研究〉，同上，頁413。

24　〈杜甫私記・胡馬　畫鷹〉，《吉川幸次郎全集》第十二卷，東京：筑摩書房，1968年6月，頁147。

鷹，卻栩栩如生，有振翼擒物之勢。杜詩語句雖有來歷，但是通過杜甫的創意，便產生新的意象[25]。以「月」為題材的吟詠，古來有之，六朝的詩人把「月」當作美的象徵，杜甫〈月夜〉〈月夜憶舍弟〉的詩則將人的感情投入自然之中，進而創造自身所感受的新的自然，亦即以移情作用，將情景交融，既歌詠自然的秩序，也寄寓自身沈鬱的感情。因此在六朝，自然是美的典型，而在杜詩的世界中，「月」固然有自然之美，也有寄託人間事物之人文自然的意義。[26]換句話說由於杜甫凝視人間世界和自然萬物而產生新的自然觀，也由於其細密地刻畫描繪而形成以賦入詩之詩作意識的自覺性改革。

吉川幸次郎說：究明「杜甫於中國文學史上的意義」與說明「杜甫所給予的感動」[27]是其講述杜詩的目標。換句話說從杜詩在中國文學史上的意義說杜甫之所以為詩聖，是其尊崇杜甫為古今第一詩人而終生鍾愛的所在。吉川幸次郎強調：著重抒情而表現「人

---

25 同上，頁 145-146。

26 〈中國文明と中國文學〉（《吉川幸次郎講演集》，東京：筑摩書房，1996 年 4 月，頁 94-124），〈唐詩の精神〉（《吉川幸次郎全集》第十一卷，東京：筑摩書房，1968 年 8 月，頁 9），〈東洋文學における杜甫の意義〉（《吉川幸次郎全集》第十二卷，東京：筑摩書房，1968 年 6 月，頁 590），〈杜甫の詩論と詩〉，《吉川幸次郎全集》第十二卷，東京：筑摩書房，1968 年 6 月，頁 600-603。

27 〈杜詩序說〉，《吉川幸次郎遺稿集》第二卷，東京：筑摩書房，1996 年 2 月，頁 289-298。吉川幸次郎以為杜詩之所以受感動的是題材豐富、用語正確、音律完成、人格偉大，至於杜詩在中國文學史上的意義則是詩歌形式的增加、抒發中國文人淑世窮愁的普遍現象，建立詩歌的新風格，為劃時代的關鍵性存在。

本主義」是中國古典文學的特質，具體而完足地體現中國抒情詩歌的內容是杜甫，因此杜詩是中國抒情詩歌的典型。杜詩隨著杜甫的人生遭遇與生存時代的變動而不斷成長，而杜詩由七言歌行而五七律詩，由離心發散而向心凝集，由客觀緻密的體物而主客觀融合的圓熟體物之變遷的軌跡正是中國古典詩歌歷史發展的縮影。再者杜詩不但是人類最圓滿完足的詩歌，具體呈現了詩歌的道理，而且其詩歌題材的豐富多樣，用語的精確老練，格律的細密工巧，感情的真實摯烈，因此規定其後一千年中國詩歌創作的模式。故如《新唐書・杜甫傳》所說：杜甫「貫通古今，渾涵汪洋，千彙萬狀，兼古今而有之」，是集中國古典詩歌的大成而為圓滿足具的詩人。

結語：杜甫千載之後的異國知己

吉川幸次郎是杜甫的權威，是眾所周知的，其所以研究杜甫，除了世稱杜甫為詩聖，杜詩於中國文學史上有重要地位以外，主要原因之一是在提示日本戰後中國文學研究新取向的前提下，以中國文人典型的杜甫與中國詩歌結晶的杜詩為例，而展開文學內容的分析與修辭藝術的鑑賞，架構中國文學研究與文藝作品賞析的方法。

吉川幸次郎自昭和 22 年（1947）起，開始於京都帝國大學文學院講授杜詩，[28]主持杜甫讀書會，有關杜甫的著作收集於《吉川幸次郎全集第十二卷・杜甫篇》，自京都大學退休後，則從事杜詩的

---

28 筧久美子〈吉川幸次郎遺稿集第二卷解說・付錄・吉川幸次郎先生京都大學文學部講義題目一覽〉，《吉川幸次郎遺稿集》第二卷，東京：筑摩書房，1996 年 2 月，頁 576-582。

注釋，自稱要全部注釋完成得活到一百多歲，臨終前五日囑其弟子小南一郎校正《杜甫詩注》第四冊。[29]其於杜甫研究的執著由此可以窺知一二，至於其對杜詩的用語、對、音律、意境的細微分析，要皆見於《杜甫詩注》以及其他有關杜詩的論著中，故可謂之為杜甫千載之後的異國知己。

---

29 小南一郎〈吉川幸次郎先生鎮魂〉，《吉川幸次郎》，東京：筑摩書房，1982 年 3 月，頁 203。《杜甫詩注》共出版五冊，第五冊是以遺稿刊行問世的。

上篇 中國精神史研究

中國精神史論

關鍵詞 遠心方向 求心方向 知的直覺 聖人論 天生命定論 倫理轉換

一、中國人遠心方向與求心方向錯綜並存的精神形態

吉川幸次郎在所述〈支那精神序說〉[1]一文指出：遠心方向與求心方向錯綜並存而形成中國人既尊重個體的存在意義，又樹立典型而強調其權威性的精神形態。存在事物千差萬別而皆有其存在價值，是遠心而不統一方向的思惟，至於存在個體雖殊相萬端，而從中選出其一，以為典範性的存在型，則是求心統一方向的思惟。以

1 吉川幸次郎〈支那精神序說〉，《吉川幸次郎遺稿集》第一卷，東京：筑摩書房，1997 年 10 月，頁 228-263。

經書為生活的規範，是求心的思惟，而《五經》並存，為中國傳統生活的根源所在，是遠心思惟的表徵。《五經正義》繼承漢魏經傳訓詁的傳統，是求心精神，然於義疏反復論辨，存其異同而折衷諸說，又極其煩瑣，則是遠心的思惟。朱子的「理一」是求心的復歸，而「分殊」以窮究人間世界存在事物之理為究極，則是遠心的再生。史書記述有其歷史的主流意識而取捨資料，是求心的精神，然列傳載千古風流人物，人間群像之多岐而皆躍然紙上，則是遠心的象徵。要皆說明遠心方向與求心方向相互內含並存發展而形成中國人特殊的精神形態。至於「下學而上達」一詞最能說明遠心與求心並存發展的精神形態。敏銳感受世間存在萬象之殊異，故多蓄前言往性，以博聞強記而富殖學養，是遠心方向的精神。以博學而選定事例，賦予絕對典範準則之至上地位，是求心方向的精神。敏感於存在事物之多元殊異，是遠心方向的認知，然在體察多岐事象的自覺中，又存在著探求絕對價值之典型的意識。故尊重先例以為生活規範的自覺意識或可稱之為「知的直覺」。

吉川幸次郎強調語言是民族精神的象徵，中國文人以文字遊心，朝廷以文舉拔賢良，故「語言科學」呈現中國民族科學活動的精華。「語言科學」包含界定字詞意義之辭典的編纂和解釋著述義涵的訓詁學。漢字一字一義，或可謂之為本義，然詩文言志與著述立說的文字的字義輒有所差異，是一字多義，可謂之為本義的假借或引伸義。字義統一界定是辭書編纂的旨趣，釐清著述字義的多岐是訓詁的學問。經子史集的詮釋訓詁汗牛充棟，而辭典的編纂則如鳳毛麟爪。著述詮釋訓詁之「注釋語學」的成果豐碩而規範字義之辭典編纂鮮少的現象，是敏銳感受事物煩瑣多岐之遠心的思惟。雖然如此，生活於品物萬殊的人間社會與自然環境中，既有事物存在千差萬別之無際涯的感受，又有未必能完全體察所有存在之畢竟的有限性體認，於是靜觀萬象而欲體得統攝煩瑣多岐之唯一存在，形成在感覺世界之並列多元的諸個體中，選出絕對完美之典型的意識，則是體多岐而求統一之「知的直覺」的體現。若絕對價值預攝為如「道」「天」「理」等超越性的形上根源，則於人間世界設定體現形上理則之聖人的實存。換而言之，求心方向的極致而樹立尊重典型的精神，遠心方向的伸張而產生所有存在皆有其價值之非典型的思惟，二者相互作用，於中國歷史流衍中，形成既有尊重先例典型之求心的理想，亦有超越典型突破規範之遠心意識。遠心方向之非典型思惟的突破與求心方向之典型尊重的祖述，二者交錯迭出而促成中國精神史的變遷。

周末至漢初的儒家之所以提出聖人與經書為典型的主張，蓋以百家爭鳴，九流並起，精神思惟複雜多岐之故。至漢武帝罷黜百家，表章六經，舉拔賢良文學而獨尊儒術，是為求心方向的極致。中世之時，求心的價值取向弛緩，遠心方向的思惟勃興，故能接受外來的佛教，以為信仰。於人性的論說，則背離孟子「人人皆可以為堯舜」之性善論，荀子起偽化性的人文主義，而主張上智與下愚不可移的「天生命定論」。至於文學創作，於詩賦與散文之外，四六駢儷之極盡聲色對偶修辭之文藻亦應運而生。韓愈作文以起八代之衰，唱道以濟天下之溺，至朱子力闢中世遠心非典型的流弊而強化求心的絕對價值，建立以孔子為中心之儒家道統的近世主流思想。宋代經濟發展而講談演劇之都市文化興盛。蒙古入主中國，強制統治而形成生活倫理與文學倫理的轉換，庶民意識擡頭而口語直寫的小說戲亦登上中國文學的舞台。遠心方向與求心方向相互內含融合，形成存立典型，突破再生而衍生發展的精神形態。若析理時代精神的主流，則古代是人倫之至的聖人論的樹立，中世是上智與下愚不可移之「天生命定論」的突破，近世是士庶雅俗分別意識的強化與口語直寫世俗民情之文學倫理轉換的變遷。

二、古代：人倫之至的聖人論

吉川幸次郎強調聖人之於中國的地位，猶如神於世界其他民族的地位，皆有受人崇尊敬畏之絕對的權威性。「聖」字見於《論語・子罕》「太宰問於子貢曰夫子聖者與，何其多能也。子貢曰固天縱之將聖，又多能也」。謂聖者天縱稟賦叡智，多能才藝而無所不通。荀子祖述孔門傳承，《荀子・哀公》稱述：「所謂大聖者，知通乎大道，應變而窮，辨乎萬物之情性者也」，《大戴禮記・哀公問五義》遠紹承續，亦有相同文字的記述。是知周末漢初的儒家稱謂聖人為全知全能而無所不通，且為「可與為善，不可為惡」之純粹無垢完美無缺的存在。聖人既全知全能，故能發現制定人類生活的法則。《易・繫辭下》揭示此一思想。

> 古者包犧氏之王天下也，仰則觀象於天，俯則觀法於地，觀鳥獸之文與地之宜，近取諸身，遠取諸物，於是始作八卦，以通神明之德，以類萬物之情。作結繩而為罔罟，以佃以漁。……神農氏作，斲木為耜，揉木為耒，耒耨之利，以教天下。……日中為市，致天下之民，聚天下之貨，交易而退，各得其所。……黃帝堯舜氏作，通其變，使民不倦，神而化之，使民宜之。……刳木為舟，剡木為楫，舟楫之利，以濟不通，致遠以利天下。……服牛乘馬，引重致遠，以利

天下。重門擊柝，以待暴客。……斷木為杵，掘地為臼，臼杵之利，萬民以濟。……弦木為弧，剡木為矢，以威天下。……上古穴居而野處，後世聖人易之以宮室，上棟下宇，以待風雨。……古之葬者厚衣之以薪，葬之中野，不封不樹，喪期無數，後世聖人易之以棺槨。……上古結繩而治，後世聖人易之以書契，百官以治，萬民以察。

沿襲荀子的傳承，以為古代聖王「通神明之德，以類萬物之情」，而博施濟民，利用厚生。傳述伏羲結繩為網，行狩獵漁獲之教。神農作耕耘器具，營為農事，又設市場而聚集貨物，行交易之道。黃帝堯舜應變窮通，衣食住行之需，城郭兵備之器與書契典章略具規模。生活營為的方式由於上古聖王的天氣縱英才而創始制定。周公繼往開來，制禮作樂而建立高度的文化生活法則。《禮記・樂記》曰：「知禮樂之情者能作，識禮樂之文者能述。作者之謂聖，述者之謂明，明聖者述作之謂也。……聖人作樂以應天，制禮以配地，禮樂明備，天下官矣」。聖人洞察大道理則，制作禮樂典章，用以安定人間社會的秩序。至於文字載記聖人制定人類生活法則的書籍，如《文心雕龍・明經》所說：「經者恒久之至道，不刊之鴻教」，蓋以記載聖人所制定的生活規範，為最上無二的典籍，中國人永遠傳承的教科書，故稱為「經」。[2]

吉川幸次郎說孔子雖「述而不作」，然「信而好古」，集成古代聖王制作，編定中國傳統生活規範的懿典，功績厥偉。孟子傳承孔子道統，而稱「規矩者，方圓之至，聖人者，人倫之至也」

---

2 同注 1，頁 236-239。

（〈離婁〉上），蓋「聖人者，與我同類者也」（〈告子〉上），故聖人是人倫的存在。「至」者最高，最完全之意，「至於味，天下期於易牙，……至於聲，天下期於師曠，……至於子都，天下莫不知其姣也。……至於心，獨無所同然乎，心之所同然者何也，謂理也，義也。聖人先得我心之所同然耳」（〈告子〉上）。謂聖人體得言動生活的根本義理，如易牙，師曠，子都分別體現味覺，聽覺與視覺之最上法則，又如以規矩所畫之方圓是最完全的形狀，「聖人者百世之師」（〈盡心〉下），是最高且最完全的典範存在。[3]

吉川幸次郎又說以「聖人者，人倫之至也」的觀點來探究中國人的精神形態，則中國人的精神思惟是理性理想與感性具體並存共在的形態。「人倫之至」有二義，聖人是人，是人倫的存在。聖人又是人倫中最高的存在，具有絕對權威的價值意義，為人間社會的典型，是理性理想的思惟。聖人是「人倫之至」，即所設定的權威是人間世界所感覺的具體存在，而非抽象形上的存在。聖人是人，人才是自然品物中最高且最完全的存在。換而言之，最高且最完全的存在是人間社會的實存，則是感性具體的思惟。聖人是言動生活的典型，詩作和書法之藝術生活的典範則是詩聖和書聖。所謂書聖王羲之，詩聖杜甫，二人分別是寫作最高且最完全之書法和詩歌的人，為書法和詩作的典型。換而言之，書法的道理完全顯現於王羲之，詩歌的道理完全顯現於杜甫，「王羲之即書法，杜甫即詩作」。最高且最完全的存在是人間社會的存在，從人間社會的所有存在中，選出唯一的存在，賦予絕對的價值，而為所有存在的主宰。「聖人者，與我同類者也」，說明聖人是一個個人，「聖人

3　同注 1，頁 240。

者，人倫之至也」，是人中之人，是「人間選手」而為其他個人的典範。或有以「天道」為萬物主宰，以「天理」「理」為形上理則，而萬物主宰的超越存在和形上根據必完全投影於人間社會的絕對實存。朱子所謂「聖人一身渾然天理」[4]，天理的存在由聖人來顯現證成，記載聖人述作的《五經》亦皆是天理的所在。天理為萬物的主宰，顯現其形上理則的聖人與經書亦有絕對的存在價值，天理與聖人、經書圓融一體，此為中國人理性與感性並存的精神形態。聖人體現主宰的形上理則，是維繫人文精神的「人間選手」，述作生活規範之經典，而為「人倫之至」。[5]

三、中世：上智與下愚不可移的天生命定論

朱子說「五經疏中書易最劣」，然吉川幸次郎則強調《五經正義》最善[6]，而於〈尚書正義定本序〉說：

> 唐儒孔君承詔作疏，據二劉之成業，吸六代之菁華，深而不蕪，鈎而能沈。慎步趨於漢苑，義例甚嚴，闢奧窔於孔室，發揮乃勞。難義紛設，類羊腸之宛轉，賓實屢核，辯毫髮於幾微。辭曲折而後通，義上下而彌鍊。匪惟經詁之康莊，實亦名理之佳境。孔疏五經，斯為翹楚。文公譏云最下，恐言

---

4 《朱子語類》卷五十八，孟子八，萬章上。

5 同注1，頁241。

6 吉川幸次郎〈《尚書正義》解題〉，《吉川幸次郎全集》第八卷，東京：筑摩書房，1970年3月，頁22。

之未當。世儒止資涉獵，固淺之乎。

《尚書正義》所選定的《尚書孔氏傳》雖是偽古文經，卻是現存最古的《尚書》注本，也是漢代《尚書》注釋的集大成。孔穎達奉勅撰述《尚書正義》的論證雖煩瑣，卻是六朝以來議論駁辯折衝抗詰而得持平穩定的傳疏，允為科考準據的經典注釋。或有不合經義的所在，卻是探究中國中世人文精神史的史料。[7]

吉川幸次郎強調中世經學大抵是鄭玄注的延長，三國六朝四百年間的經書注釋承襲鄭玄統合經說的學風，而致力於折衷經傳義疏矛盾的論證。《五經正義》的編定是集結取捨經義而以合理解釋為歸趨的結晶。因此，《五經正義》不但可以窺知鄭玄以後中世經學的風尚，更顯示致力於經說細微差異與取捨矛盾的解說之中世經傳訓詁的學風。換而言之，《五經正義》是中世經學的代表，也是理解中世思惟方式與人文精神的重要史料。蓋《五經正義》是以合理解釋經義而精細探索經傳文字為前提，綜輯經傳文字的慣用例，考索言說者心理和言說的事實根據，其疏義可謂之為「人間學」（即文化人類學）的成立。如〈金縢〉「我之弗辟」的「辟」或作

7 吉川幸次郎《尚書孔氏傳》的論述，見所著〈尚書孔氏傳解題〉，《吉川幸次郎全集》第七卷，同注 1，頁 265-283。至於《尚書正義》的見解，分論於〈唐篇 I、II、III〉自跋，《吉川幸次郎全集》第八、第九、第十卷。東京：筑摩書房，1970 年 3 月、8 月、10 月。
野間文史於《五經正義の研究》指出吉川幸次郎〈尚書正義解題〉論述《五經正義》成立的經緯及其性質，強調《五經正義》於學術史上的意義，吉川幸次郎《尚書正義定本》是研究《尚書正義》的必讀之書。東京：研文出版，1998 年 10 月，頁 45。

「法」，或作「避」而有征伐與避居的不同解釋，則周公的歷史定位就殊異。亦即「辟」訓為「法」或「避」的文字解釋的差異，則周公的性格與周初歷史的定位就有不同。故吉川幸次郎強調《五經正義》是中世經傳義疏的集成，也是探究中世精神思想史的重要文獻。[8]

《尚書正義》之所以具有意義的是中國思想史的史料價值，吉川幸次郎強調漢代以後的思惟大抵以經典為規範，而甚少超離經義的範疇，然則歷代的經傳訓詁除了經典原義的探究以外，也添加對經典的時代的理解，故具有思想的史料價值。而《尚書正義》又有異於其他注疏的所在，即《尚書正義》是眾議歸結而非個人的專著，以研討論辨的累積，力求符應經傳的原義，即使有未必能與經義一致的所在，卻是折衷融合而認同共識的注疏性格是中世世風的具現。多年議論的累積而取得的認同，又有超越中世的制約，具有普遍性的性格，異於宋代以後，以個人思索主體而歸趨於理想主義的思潮。如對人生觀的看法，吉川幸次郎《尚書正義》所表述的論理是愚者惡人存在，且絕對無法救濟之「決定的運命論」（天生命定論）思惟，而異乎中國傳統人性本善的人性論。亦即《尚書正義》雖是《尚書》經傳的義疏，卻也反映六朝至唐初人為命運所支配，有極多限定的思惟方式。換句話說，《尚書正義》所提示的天生命定論，即人間世界既有絕對善良，全知全能的聖人，也有無救濟可能之絕對愚者惡人的存在。

天生命定的言說，首見於《論語・陽貨》的「子曰，惟上智與

8 吉川幸次郎〈支那人の古典とその生活〉，《吉川幸次郎全集》第二卷，東京：筑摩書房，1968年2月，頁318-322。

下愚不移」，最上的智者與最下的愚者的性格是天生不變的。至於前一章「性相近，習相遠」所指涉的是〈雍也〉「中人以上，可以語上，中人以下，不可語上也」的「中人」，即「中人」或有變化氣質，人文化成的可能。至於「中人以下」的愚者就無救濟的可能。接續此一思想的是班固。《漢書・古今人表》分先秦人物為九等，……，並引述《論語・季氏篇》「生而知之者，上也。學而知之者，次也。困而知之者，又其次也。困而不學，民斯為下矣」，說明「可與為善，不可與為惡，是謂上智。……可與為惡，不可與為善，是謂下愚。……可與為善，可與為惡，是謂中人」。然而《尚書正義》則徹底的突顯聖愚的性格差異。如〈多方〉「惟聖罔念作狂，惟狂克念作聖」，意謂聖人與狂者以其存心而有墮落或向上的可能。《尚書孔氏傳》訓詁為：

> 惟聖人無念於善則為狂人，惟狂人能念於善則為聖人。言桀紂非實狂愚，以不念善，故滅亡。

平易的說明經義，無論聖愚皆有變化性格的可能。然而《尚書正義》的演繹則異於經傳之義。

> 聖者，上智之名。狂者，下愚之稱。孔子曰惟惟上智與下愚不移。是聖必不可為狂，狂必不能為聖，此事決矣。而此言惟聖人無念於善則為狂人，惟狂人能念於善則為聖人者，方言天須暇於紂，冀其改悔。說有此理爾，不言此事是實也。謂之為聖，寧肯無念於善，已名為狂，豈能念善。中人念與不念，其實少有所移。欲見念善有益，故舉狂聖極善惡者言之。

「聖必不可為狂，狂必不能為聖」是天生命定論，「謂之為聖，寧肯無念於善，已名為狂，豈能念善」，則強調上智聖人與下愚狂者的兩極差異。至於經傳所謂「無念於善」與「狂人能念於善」則有墮落或遷善之可能的論述，是曲解人間存在的實情。就此意義而言，上智與下愚是天賦氣質與習性而不可變易，乃《尚書正義》的哲學。

肯定上智聖賢之絕對善人存在與凡人皆有成聖的可能是中國思想的傳統，聖人是全知全能之神格存在，乃古今不變的通則，愚惡之人亦有遷善向上可能的性善根源。前者如《尚書・大禹謨》載記益贊揚堯的言辭，「都帝德廣運，乃聖乃神，乃武乃文」，即是傳統思惟的言說。後者如《尚書・多方》之「惟狂克念作聖」，即根據《孟子・告子下》「人人皆可以為堯舜」，肯定變化氣質之無限可能性。《尚書正義》卻主張愚者惡人之無法救濟的絕對性。〈大禹謨〉記述益對禹敘述舜的孝行，「帝初于歷山，往于田。日號泣于旻天于父母。負罪引慝，祗載見瞽瞍，夔夔齋慄，瞽亦允若。」意謂舜至孝而感化其父而遷善。《尚書孔氏傳》符應經意，稱舜「初耕于歷山之時，為父母所疾，日號泣于旻天及父母。克己自責，不責於人。……舜負罪引惡，敬以事見于父，悚懼齋莊。父亦信順之，言能以至誠感頑父。」《尚書正義》則不從經傳之義，而演繹為：

> 父亦信順之者，謂當以事見之時，順帝意不悖怒也。言能以至誠感頑父者，言感使當時暫以順耳，不能使每事信順，變為善人。故孟子說舜既被堯徵用，堯妻之二女。瞽瞍猶與象欲謀殺舜，而分其財物。是下愚之性，終不可改。但舜善養

之，使不至於姦惡而已。

「下愚之性，終不可改」，即人間世界有無救濟可能的存在。此絕對愚惡存在的思想既有違中國傳統思想的通則，亦不同於宋學所強調儒家「人皆可以為堯舜」的性善傳承。救濟不能之「下愚」存在所指涉的是凡人皆有定限的思想。

《尚書正義》雖是《尚書》經傳的義疏，卻也反映六朝至唐初人為命運所支配，有極多限定的思惟方式。換句話說，《尚書正義》所提示的天生命定論，即人間世界既有絕對善良，全知全能的聖人，也有無救濟可能之絕對愚者惡人的存在。故吉川幸次郎強調《尚書正義》是中國中世人文精神史的重要史料。[9]

四、近世：士庶雅俗分別意識的強化與口語直寫世俗民情的文學倫理轉換

吉川幸次郎說其《元雜劇研究》是運用中國文學史方法論的論著，主張「文學史研究是精神史研究的前提」[10]。畢竟文學是社會性的存在，各時代的文學性格與其產生的社會精神有密接的關連。故文學可以作為考察精神生活諸相的資料，而時代精神的變遷則是文學盛衰的關鍵所在。因此，吉川幸次郎說《元雜劇研究》一書是

---

9 吉川幸次郎強調《尚書正義》反映中國中世人文精神的說明，見於《吉川幸次郎全集第十卷．自跋》，東京：筑摩書房，1970 年 10 月，頁 465-479。

10 吉川幸次郎《吉川幸次郎全集第十四卷．自跋》，東京：筑摩書房，1998 年 11 月，頁 610。

「綜合性論述中國精神史研究的一環」[11]，文學生活的考察是掌握流貫於風土生活法則的過程，因為文學最能顯現社會精神，這是吉川幸次郎的著述立場。雜劇文學的性格與中國傳統文學未必一致，即非傳統文學，此一文學性格的形成與元代的時代精神息息相關。如黃宗羲《明夷待訪錄》所說：「古今之變，至秦一盡，至元又一盡」，元代是中國歷史動搖最為劇烈的時代，受到蒙古人刺激的動搖與孕育於漢人歷史自身的動搖，是雜劇文學形成的原因。然則時代、文學亦有流衍於中國歷史傳統而難以動搖的所在，由於歷史動搖的方向受到難以動搖的制約，元代雜劇急速衰頹。故吉川幸次郎強調其《元雜劇研究》是究明中國近世社會精神史的一環。[12]

吉川幸次郎說雜劇文學的性格取決於作者與聽眾的設定，雜劇首先以民眾為聽眾，故用語以俗語為主，取材大抵以市井生活為背景而描寫庶民的感情，宋代以來講唱文學興起，至金元入主中原，以民眾娛樂的演劇盛行，而雜劇勃興。至於蒙古朝廷沿襲金代愛好演劇的風氣，世祖以後熱心於文物制度的整備，設置掌理演劇的儀鳳司、教坊司，亦助益雜劇的勃興。唯雜劇用語雖多為市井的俗語，而文字，尤其歌辭頗為精鍊，或未必有深厚詩文素養的庶民與中國古典涵養不深的蒙古朝廷所能為之，蓋知識分子的參與，或為演劇熱心的聽眾，或撰述雜劇的科白歌辭，以致雜劇具有文學的性格，甚至與漢賦、唐詩、宋詞並稱辭千古不朽。至於元代文人於雜劇的創作，《四庫提要》評胡祇遹《紫山大全集》云「闡明道學之人，作媟狎倡優之語，其為白璧之瑕，不止蕭統之譏陶潛者」，而

---

11 吉川幸次郎《元雜劇研究・自序》，同前注，頁3。

12 吉川幸次郎《元雜劇研究・自序》，同前注，頁3-5。

吉川幸次郎則說元初社會風氣特殊，或難為清儒所理解，進而指出元初士人之所以從事雜劇的製作，其直接原因在於士人的不遇，而士人之不遇，如王國維所說[13]，乃科舉廢止之所致。科舉是士人仕宦而實踐經世濟民理想之道，然元初政治以科舉之學為詩賦之空言而經濟之才難得，又鑑於「金以儒而亡」[14]，重視以質矯文的素樸主義，遂行以實務為尚的方策。科舉廢止後，士人或寄身武將麾下，或屈就胥吏而伺機仕進，至於不適時宜，奔放不羈者，則或「踵金辭賦餘習，以飾章繪句相高」[15]，或以自嘲意識而製作背離詩文傳統之教坊技藝的腳本。辭賦寄情是詩文傳統的繼承，雜劇科白歌辭的指染，則是元初文學倫理轉換的現象。吉川幸次郎強調元初社會風氣導致生活倫理的轉換是文人創作雜劇的決定性要因，蒙古人的強制統治，促使中國人精神的變革，形成轉換生活倫理的風氣。吉川幸次郎說：

> 蒙古的統治，尤其是世祖以前的統治極為強烈，迫使即便固守傳統的人也於非傳統的生活中，發現其合理性，進而肯定認可，甚至積極支持非傳統生活的取向，如董文忠、楊恭懿之順從科舉的廢止，即是一例。又走向非傳統生活的結果，在生活不受強制的感受下，也形成超越非傳統生活的意識，如李治的新數學，郭守齋的新曆學，新傳朱子學的風行，都

---

13 王國維說：「余則謂元初之廢科目，卻為雜劇發達之因」《宋元戲曲考 九、元劇之時地》，臺北：里仁書局，1993 年 9 月，頁 97。

14 《元史・張德輝傳》，臺北：鼎文書局，1979 年 3 月，頁 3823。

15 蘇天爵〈耶律神道碑〉，《滋溪文稿》卷七。見引鄭清茂譯吉川幸次郎《元雜劇研究》，臺北：藝文印書館，1950 年 1 月，頁 113。

> 是此一意識的產物。要之，蒙古人的強烈統治，造成倫理轉換的風氣，在傳統士人意識中，演劇的腳本非屬文學的範疇而不屑一顧，然元初士人卻指染創作，此為文學倫理轉換的結果。其轉換的最大原因，即在於元初的社會風尚。科舉的廢止，使士人生活陷入物質與精神的困境，從而製作演劇的腳本，是士人創作雜劇的直接原因。至於決定性的原因，則在於形成倫理轉換的社會風氣。[16]

社會變革在中國歷史中，不斷發生，而元代，特別是元初社會的變革最為劇烈，故生活倫理的轉換最容易形成。元初生活倫理轉換具現於演劇世界的士人成為演劇熱心的聽眾。虛構抽象的作品，本非中國傳統倫理的宗尚，然士人傾聽演劇則倫理轉換的顯示，至於士人從事雜劇的創作而成為雜劇的作者，則是文學倫理轉換下的自然推移。元代雜劇的流行是受到元代政治強烈的刺激而形成倫理轉換之社會變革的現象。演劇是以庶民的娛樂而發生，而演劇受到廣大民眾的傾聽，乃蒙古強烈統治而形成倫理轉換之所致。至於蒙古朝廷於雜劇的愛賞與付諸有司的管理，是雜劇勃興的助力。然而吉川幸次郎更強調文學倫理的轉換，沈潛詩文的文人以真摯的文字創作明朗健康，清新靈運而毫無卑屈束縛的雜劇，則是元初積極進取之社會精神的反映。[17]

---

16 吉川幸次郎《元雜劇研究　上篇　元雜劇の背景　第二章　元雜劇の作者（上）前期の作者》，《吉川幸次郎全集》第十四卷，東京：筑摩書房，1998年11月，頁140。

17 同前注，頁144。

吉川幸次郎又強調元人雜劇前期的作品以口語描述市井生活，語彙雅俗並用而有趣生動，科白與歌辭的文字與聲音極其流動，內容寫實靈動，故前期雜劇文章的特徵，可歸於「活潑」二字。[18]然而後期的雜劇則轉趨弛緩沈滯。造成弛緩的直接原因是社會風氣的變遷，亦即形成雜劇的「環境」產生變化。蓋元初社會不受中國傳統的束縛，進而產生脫離傳統，形成活潑而積極進取的社會風氣，文人階層亦從而產生倫理的轉換，營為新興文學的創作。具有活力的社會風氣，以仁宗恢復科舉為分界，元末社會復興中國傳統，安於傳統生活的現象再現，社會風氣由活潑轉趨沈靜。時代活力弛緩，導致作者精神的弛緩，作品也失去靈動的活力。換而言之，由於社會環境的變化，促使作者的素質、取向與創作心理產生變化，雜劇乃沈滯衰頹。其顯著的事象為作者素質的低下，作品題材的變化，作者凝視能力的衰退而模倣盛行。

吉川幸次郎將《錄鬼簿》上下卷的人物區別為元人雜劇前後期的作者，並進行考證，說明下卷後期南方作者未必缺乏詩文的素養，然社會地位甚低，即使任官或有門第，其階級亦不高，而且與當時詩文名流亦無交遊。進而論斷白仁甫、侯正卿等前期作者亦以詩文成家，與當時詩文大家有密接往來，而後期作者非以詩文名家，故與當時的詩文家無交涉，乃別出於傳統詩文名家之外的旁支。至於下卷後期作者的社會地位低下，不如前期作者優遊的處境，則與當時的社會狀態有極為密接的關連。吉川幸次郎以為後期

18 吉川幸次郎《元雜劇研究　上篇　元雜劇の背景　第四章　元雜劇の文章（下）》，《吉川幸次郎全集》第十四卷，東京：筑摩書房，1968 年 9 月，頁 347。

雜劇作者之社會地位低下的直接原因是科舉的復興，以詩文應舉仕進之途再開，一時之選的文人不再傾注心力於雜劇的製作，以抒發其鬱憤之情，故雜劇的創作大抵出自於「門第卑微」或「職位不振」者之所為。鍾嗣成自身也是「累試有司，命不克遇」的落第書生。然而雜劇作者地位低下的決定性因素則是社會風氣的變遷。《錄鬼簿》上卷記錄元初北方作者背後的社會與下卷記載元末南方作者背後的社會風氣有所殊異，從而士人對演劇的觀感亦大有逕庭。蓋元初北方的士大夫積極參與演劇的活動，雖非雜劇劇的作者，也是熱心的聽眾，記述演劇或演藝的詩文傳世者甚多，如與元遺山並稱的李治有〈贈絕藝杜生〉〈杜生絕藝〉詩，贊佩教坊的技藝。元代中葉以後，文壇中心轉移南方，除楊維楨《東維子文集》以外，有關演劇或演藝的記事付諸闕如。足見元末南方士人對演劇極為冷淡。

前後期雜劇的結構的取向有所不同。吉川幸次郎指出雜劇構成的特徵固然在於異乎日常生活常情的奇特，故一名「傳奇」，但是情節的發展則力求合理，而保有人生的真實。換而言之，情節的發展，一方面是異於尋常而製造高潮的營為，一方面是解消異常高潮的過程而極盡合理真實。故奇異與真實並存具在是雜劇的必要條件，尤其是情節合理推移的傾向是雜劇結構的特徵。至於作者力求情節發展的合理性，是作者以不違真實之「愚直」的本性而敷陳雜劇奇異與合理並存的結構。雜劇結構之所以活潑生動，蓋起因於元初社會充滿活力的風氣。吉川幸次郎說元初社會超離中國傳統生活倫理而呈現清新活躍的氣氛，非傳統文學之雜劇的結實，即在反傳統的社會風氣與文學生活營為的取向下形成的。社會的活力不但促進雜劇的創作，也充實劇作者的精神，而作品也呈現活潑精彩的結構。換而言之，社會活力流向新奇的方向，雜劇作品也有徹底新奇的表象，若流向真實的方向，則有徹底寫實的表象。特別是後者旺盛的寫實性，受社會風氣的影響更大。亦即元初社會形成凝視人間萬象的寫實主義，蓋既存思惟無法體應社會現狀時，則有重新凝視細察社會諸相的必要，又生活營為不能以固有形式作為媒介時，則產生直接審視社會實相而探索新生活樣式的動力。雜劇之所以重視言辭迫真，描寫社會現實的表述，即寫實精神的具現。此寫實的精神又是不違人生真實之「愚直」的呈現。然吉川幸次郎強調以「愚直」而描寫人生真實的精神，固然是雜劇作者天生所具有，更受到元初社會脫離傳統束縛之清新風氣的感染，而敷陳活潑靈動的結構，創造雜劇的傑作。[19]然而後期的雜劇結構雖也追求合理性的展開，卻是理性分析的結果，而非不違真實之「愚直」率真的直接表述。

中國古典文學以文言雅語與聲調和諧為傳統，元代前期雜劇雖以為口語表述，甚且平仄通押，皆異乎傳統，然文辭生動活潑，以「愚直」描寫市井庶民人生的真實，故與漢賦唐詩宋詞並稱而為「元人的古典」。後期雜劇於復歸古代倫理的社會風氣的影響下，取向傳統文學的營為，多用有歷史典故的文辭，以模倣前人作品，留意歌辭的優雅，曲盡結構展開的合理性。但是，內容空泛而缺乏真實靈動，未必能博得讀者聽眾的共感，終盛極而衰。[20]

---

19 同前注，頁 254-255。

20 同前注，頁 349-355。

結語：遠心方向與求心方向相互內含融合而形突破再生的精神形態

吉川幸次郎說遠心方向與求心方向相互內含並存發展而形成中國人的精神史觀。求心統一的方向形成尊重先例，以為理想生活之象徵的尚古主義，在前言往性中，選擇特定事例，賦予絕對典範準則之至上地位，如禮的生活即是尊重先例以為生活規範的表徵。《儀禮》記述中國古代生活起居而行禮如儀的理想形態，於歷代相傳的事例中，選擇最為美善的事例而奉為行為的準繩規範，是禮儀生活成立的經緯。由此推衍，《五經》載記是先例中的先例，而為中國傳統生活的經典懿常。至於言語生活之奪胎換骨於前人著述立說所使用的文例而創作詩文，亦是尊重先例的表現。再者，以人為中心的人文主義思惟亦衍生於求心方向而賦予人類絕對存在價值的精神象徵。漢儒「天人合一」思想乃把人的存在提升到自然之天的地位。《禮記・禮運》所謂：「人者天地之心也，五行之端也，食味別聲被色而生者。故聖人作則必以天地為本，以陰陽為端，以四時為柄，以日星為紀，月以為量，鬼神以為徒，五行以為質，禮義以為器，人情以為田，四靈以為畜」，亦說明人得天地之隆寵，制作取象而以禮義人情通達天地自然的生養之德，是最圓滿具足之存在的人文思想。人是芸芸眾生中，最完全的存在，而聖人知人知天，維繫道義倫常，故為人倫的典型。

何以中國人的生活以理想典型是尚，吉川幸次郎解釋之為中國人感受萬象多歧分殊而探求統一絕對的精神，體多岐而求統一的精神或可稱之為「知的直覺」。蓋生活於品物萬殊的人間社會與自然環境中，既有事物存在千差萬別之無際涯的感受，又有未必能完全體察所有存在之畢竟的有限性體認，於是靜觀萬象而欲體得統攝煩瑣多岐之唯一存在，形成在感覺世界之並列多元的諸個體中，選出絕對完美之典型的意識。若絕對價值是形上超越，如「道」「天」「理」的根源的存在，必於人間世界設定形上理則之完全投影的具象存在，以為核心而綜括所有的殊別異相，三十幅集於一而車以行，執兩用中，統理多元而匯集於中心，天下殊途而同歸，眾人百慮而有一致，要皆說明思惟雖是理性理想的方向與感性具體的方向並存，且相互內含的精神形態。換而言之，求心方向的極致而樹立尊重典型的精神，遠心方向的伸張而產生所有存在皆有其價值之非典型的思惟，二者相互作用而形成既有尊重先例典型之理想，亦有超越典型突破規範之意識。唯在中國的歷史流衍中，有遠心方向之非典型思惟的高潮，而形成突破舊有成規，建立新典型動力的時期。其一、雖以典型設定之求心方向為主軸，而內含突破典型，接受新生的文化生活的遠心思惟。此一思惟方向最為伸張的時代是三國以迄盛唐的中世。其二、未必能紹述典型文化之庶民階層的生活，以庶民文化為主體的生活方式形成於宋代以後的近世。其三為異民族生活注入的動力，中世是以佛教為主要媒介而傳入的印度和西域的文化，近世則是蒙古族和滿族的武力支配。

吉川幸次郎又強調遠心方向之非典型生活的累積，雖形成三個造成中國人精神思惟變革的動力，卻未必完全破除典型尊重的求心意識。於第一動力形成的中世，遠心方向的活洛顯現尊重所有存在的精神，然於所有存在與既有典型存在的理解，則未必以二者為水火不容之對立關係，而是相互內含的圓融存在。上智與下愚不可移的天生命論雖是中世的精神思惟，而聖人之「可與為善，不可為惡」的典型思惟未必顛破。佛教傳入而以《老子》《莊子》《周易》三玄的思想說明佛教的教理的「格義」則是中世的思潮。於第二動力促成庶民生活形成的近世，雜劇的創作雖背離中國文學的傳統，而元代初期的雜劇以口語直述市井生活，活潑靈動而為「元代的古典」，是遠心方向的文學倫理轉換。唯後期雜劇的作者以士人的文化生活為理想，於雜劇的遣詞造句崇尚文雅，多用典故，而題材亦有描寫文人生活的傾向。元人雜劇前後期內容與表現方式的差異現象，是遠心意識內含求心方向之精神形態的表象。周邊民族與外來思想入主中國，形成遠心思惟的第三動力，自印度、西域傳入的佛教盛行於中世，然近世以後，三教融合而衍生新的思想。元、清統治中國，或區別種族，又廢科舉，或髻髮著滿服，強行倫理的轉換，然終同化於傳統典型，或再興科舉，促成士人「知的直覺」的再生，或注重實證，結實古典文獻考證的漢學。故遠心存異雖形成發展，而求心守成的典型意識並行，遠心方向與求心方向相互內含融合，形成存立典型，突破再生而衍生發展的精神形態。[21]

---

21 同注 1，頁 259-261。

中國經學論：「訓詁學的人間學」之形成與變遷

關鍵詞　古典生活　經學精神史　人間學　「言—事—心」

一、中國人以《五經》為生活的規範

吉川幸次郎以精神史的觀點，論述中國經學的變遷，其在所著《支那人の古典とその生活》[1]強調尊重歷史的先例，以古典為現實生活的規範，是中國知識分子傳統生活的特殊面相。又以「人間學」（anthropology）的概念，論述中國先秦至東漢是以《五經》為生活規範的萌芽，魏晉六朝至唐代是「訓詁人間學」的形成，宋代強化以《五經》為生活規範的思想，清朝經學復興中世訓詁人間學，進而以文字、聲韻的語言學，忠實詮釋經典為極致，訓詁明而義理

1　〈支那人の古典とその生活〉是吉川幸次郎於昭和 18 年（1943 年）3 月，在東京帝國大學教養特殊講義的講稿，其後修改補訂，於昭和 19 年（1944 年）8 月，在岩波書店出版《支那人の古典とその生活》，昭和 39 年（1964 年）9 月改訂。1968 年 12 月收入《吉川幸次郎全集》第二卷，東京：筑摩書房，頁 267-359。

明，是清朝考證學的宗尚，也是中國學術的究極。

吉川幸次郎說文明古國皆有古典，且大抵以古典作為生活的規範，而中國傳統生活受到古典的制約尤其強烈。《五經》是中國的古典，《易經》是古代中國思索自然與人事現象，《書經》是政治生活，《禮記》是家族與社會生活規範，《春秋》是歷史的記錄。以古典為生活規範，在中國歷史中，呈現出以下幾個特殊的面相。第一、《五經》不但記述古代中國的社會諸相，也成為後世中國傳統生活的規範。第二、《五經》記述著永續不變的道理，是中國人根深蒂固的傳統思惟，故以《五經》為生活規範。第三、現實生活力求與古典一致。如唐代以後的六部官制與《周禮》六官職掌頗為符應，喪服制度大抵沿襲《儀禮》的喪服記載。《孝經》所謂「非先王之法服不敢服，非先王之法言不敢言，非先王之德行不敢行」，不僅德行之精神生活奉行先王之懿德，衣服制度之現實生活也遵守先王的規制，介於精神生活與現實生活之間的語言生活，亦以先王的箴言為規範，要皆說明生活的諸相皆以古典為準則的思惟。吉川幸次郎又強調中國人以古典為生活規範的現象與中國人的思惟有密切的關連。中國人的精神特質在於現實感受的重視，至於超越現實的抽象存在則非中國人的關心所在。如《論語・先進》所謂「未能事人，焉能事鬼，……未知生，焉知死」，說明儒家重視現實生活而死後的問題則是次要的存在。又《史記・五帝本紀》「擇其言尤雅者」，而將神奇不可思議的神話傳說排除於歷史記載之外。再者，小說的創作至明清才登上中國古典文學的舞台，而除了《西遊記》有濃厚的虛構神奇的色彩以外，其他的古典小說大抵致力於現實社會感受的描述。換而言之，視野聚焦於現實感覺的世界，是中國人精神思惟的特質所在。再者，中國人以為歷史事實與先例比較確實，因此，生活法則大抵以既成事實與先例為依據，更以《五經》為生活的規範。

中國尊重先例，然先例千差萬別，又何以獨尊《五經》。吉川幸次郎主張《五經》是絕對的存在，是「先例中的先例」，如朱子所說天理具現於《五經》，即形上理則的探求，其究極則在於生活具體規範的《五經》。至於探究「先例中的先例」的意識，又與「聖人」的概念結合，聖人既是全知全能的完美存在，則《五經》也具有絕對的權威性，故《五經》所記載的生活乃為中國人生活的絕對規範而最受尊重。再者，《五經》是中國最古的生活記錄，也是圓融道理所在之傳統思惟，形成《五經》最受尊重與肯定的規範意識。由於《五經》包含廣博的先例，故博學旁通則成為讀書人的第一要件，沈潛《五經》而體得《五經》的道理，是學者正統的學問方法。博學《五經》記載的先例，是讀書人的基本素養，精熟且實踐《五經》古典的內涵，成就經世濟民的任務，是讀書人的理想歸趨。

二、經學精神史：古典生活營為的歷史變遷

吉川幸次郎強調雖然中國人尊重古典而以之為生活規範的意識起源甚早，但是古典生活之營為亦幾經迂迴曲折的演化，由於時代的推移而有因革損益的殊相。[2]

---

2 同上，頁 269-276。

㈠先秦至東漢：以《五經》為生活規範意識的萌芽

吉川幸次郎強調三皇五帝是傳說時代，殷商的存在雖是歷史的事實，然殷商文獻之納入《五經》載記者，則未必十分確鑿。至周代「監於二代，郁郁乎文哉」（〈八佾〉），即因革損益前代的文獻以構築禮樂的世界，故周代載記頗多成為信史，亦顯示周人尊重古典的心理。又《春秋左氏傳》記錄諸侯賦詩應酬，亦說明周人以古典為生活規範的現象。至於確立詩書禮樂的地位，以之為古典，主張古典為生活規範而成為中國傳統精神的是孔子。孔子曰：「吾嘗終日不食，終夜不寢，以思，無益，不如學也」（〈衛靈公〉），「發憤忘食，樂以忘憂，不知老之將至」（〈述而〉），「十室之邑，必有忠信如丘者焉，不如丘之好學也」（〈雍也〉），其「發憤忘食，樂以忘憂」的「好學」即讀書，說明孔門傳承既以古典為規範，則非讀古典不可。至於具體實踐的方法則以周公及其時代作為生活規範的先例與理想的所在，亦即以周公制禮作樂為生活的規範，禮樂規範的時代是理想的時代，故曰「郁郁乎文哉，吾從周」（〈八佾〉），並以「詩、書、執禮，皆雅言」（〈述而〉），即以詩、書、禮作為教育子弟的教材，責求弟子實踐之於社會生活。[3]蓋「興於詩，立於禮，成於樂」（〈泰伯〉），乃能成就內聖外王的事業。強調「不學詩，無以立，不學禮，無以立」（〈季氏〉），記誦《詩三百》既可以「多識鳥獸草木之名」，又可以體得「興、觀、群、怨」（〈陽貨〉）的內聖道德，而其極致則在於成就「授之以政，使於四方」之「專對」（〈子路〉）的外王事業。至於禮的修

---

[3] 同上，頁 289-293。

得，則近能「克己復禮」而歸於仁（〈顏淵〉），遠能構築「以和為貴」（〈學而〉）的理想社會。

孔子以古典為生活規範的主張，於三百年後，漢武帝以政治意志獨尊儒術而確立以《五經》為民族生活的指標。吉川幸次郎強調秦以二世而亡，是秦政排除遵守「先王之道」的先例，而施行制定現實社會法則之「法後王」的政治，由於不能符應中國人的氣質，以致短祚崩頹。至於漢武帝雄才大略，洞察當時社會以儒家尊重古典的先例，以古典為生活規範的需求，而舉賢良，遂行最適合中國人生活方式的儒術。漢武帝以後，至辛亥革命，滿清滅亡，中國雖幾經易姓革命而改朝換代，但是以《五經》為生活規範的理念與而實踐的傳統未嘗改易。[4]吉川幸次郎強調《五經》的載記，頗能反映中國人的性格特質，蓋《五經》大抵記述現實人間社會的事象，甚少超越感官世界的記載。如「天」的敘述，《詩》《書》以天為王侯將相死後的歸趨所在，而以天為人類命運與萬物消長之主宰的記述則不多。再者，雖有以《五經》為生活規範的意識，如《禮記．經解》所謂「溫柔敦厚，詩教也。疏通知遠，書教也。廣博易良，樂教也。絜靜精微，易教也。恭儉莊敬，禮教也。屬辭比事，春秋教也」，但說明以古典的旨趣，而非敷陳人如何以生的哲學論理。至於《易》以「爻」「象」記述人間社會與自然事象的象徵及其發生的因果，《書》記載古代帝王的言說，《詩》收錄王室儀式祭祀與民間的歌謠，《禮》記錄禮儀行事，《春秋》記錄魯國歷史，要皆選擇記述生活規範而足資參酌的先例，甚少論述作為生活規範的道理。亦即《五經》的記述，旨在提示生活規範的具體事

4 同上，頁 293-297。

象，而甚少言說抽象道理，大抵反映中國人不重視超越感覺之抽象思惟的性格。[5]

吉川幸次郎又指出：由於《五經》的記述，大抵要略提示具體事實的先例，故足資後世學者自由解釋經典的空間，演繹諸多道理的言說，形成經傳注疏的經學體系。如《易・大蓄》的經文，「利貞，不食家吉，利涉大川」，說明全卦的時位事象，「彖曰大蓄，剛健篤實，輝光日新其德。剛上而尚賢，能止健，大正也。不食家吉，養賢也。利涉大川，應乎天也」，則斷「大蓄」的吉凶。「象曰天在山中，大蓄。君子以多識前言往行，以蓄其德」，敷衍「大蓄」事象的道理。〈經〉〈彖〉〈象〉記述卦爻的構成事理，而〈文言〉〈繫辭〉〈序卦〉〈說卦〉〈雜卦〉總論卦爻彖象的本末因果，則是後世的演繹。《春秋》之有《三傳》的說明記述亦然。漢武帝以後，中國人尊經崇儒，兩漢的《五經》注釋汗牛充棟，今古文經分庭抗禮，唐代正義，宋明義理，乾嘉考證，各領風騷，皆足以說明經籍詮釋之自由演繹的現象。

至於經典詮釋之所以能自由演繹，蓋與漢字音義的特質有極大的關連。漢字一字一音，是漢字的規範，然漢字又有一字多義的現象，文字的訓詁頗多岐異，因此，《五經》的解詁就有分岐的所在。如《書・金滕》「武王既喪，管叔及其群弟乃流言於國，曰公將不利於孺子。周公乃告二公曰我之弗辟，我無以告我先王，周公居東二年，則罪人斯得」。武王崩殂，周公攝政，管叔等人傳言周公將不利於成王，周公告諸召公、太公曰「我之弗辟」。鄭玄以「避」注「辟」，謂周公「避居東都」。《尚書孔氏傳》從許慎

5 同上，頁297-309。

《說文解字》訓「辟」為「法」，謂周公征伐三叔。「我之弗辟」的「辟」或作「法」，或作「避」，而有征伐與避居的不同解釋，訓詁有差異，則周公的歷史定位就殊異。又如《儀禮‧士虞禮》「朞而小祥，曰薦此常事。又朞而大祥，曰薦此祥事。中月而禫」，親死一年而行一週的祭祀，又一年而行三週祭祀的訓釋蓋無異義。至於「中月而禫」的「中月」或謂「中猶間也」，「小祥」的一週祭行於親死之後的第十三個月，「大祥」的三週祭行於親死之後的第二十五個月，「禫祭」則行於親死之後的第二十七個月。或謂「中月者月中」，言「禫祭」行於「大祥」三週祭之後的當月。

在一字一義的規範中，展開一字多義的特質，是中國人經解生活之精神自由的表現。漢武以迄清朝，既有以《五經》為生活的規範，又有自由解釋經典的傾向，亦即在中國經典詮釋的歷史流衍中，錯綜著既有以《五經》為規範，尊奉經傳義疏的傳統而展開經籍訓詁的生活，也有雖存在著經典的意識，卻未必墨守規範而自由解釋經典的兩種面相。[6]

㈡魏晉六朝至唐代：「訓詁學的人間學」的形成

戰國陰陽五行的思想流行於西漢社會，今文經學演繹天人合一之論而附會災異之說。東漢既有承續西漢經學的今文經學，亦有重視經書文字訓詁之古文經學的流行，而鄭玄大成古文經學。吉川幸次郎強調漢武以來《五經》分別設立學官，各經博士專精一經，分門別屬，然鄭玄則先綜輯古代語言的慣用例，以之解釋經書文字的

6　同上，頁 309-313。

意義，然後統合《五經》，涉獵《易》《書》《三禮》《三傳》《孝經》《論語》，致力於《五經》統一的解釋。如《詩・邶風・綠衣》的「綠兮衣兮，綠衣黃裏」，《詩序》曰：「綠衣，衛莊姜傷己也，妾上僭，夫人失位，而作是詩也」，鄭注：「綠當為褖，故作褖，轉作綠，字之誤也」。又箋曰：

> 褖兮衣兮者，言褖衣自有禮制也。諸侯夫人祭服之下，鞠衣為上，展衣次之，褖衣次之。次之者，眾妾亦以貴賤之等服之。鞠衣黃，展衣白，褖衣黑，皆以素紗為裏，今褖衣反以黃為裏，非其禮制也，故以喻妾上僭。

乃鄭玄援引《儀禮・士喪禮》「褖衣」，而注曰「褖衣，黑衣裳，赤緣謂之褖，褖之言緣也，所以表袍者也，古文褖作緣」又根據《周禮・天官・內司服・綠衣》[7]，而注曰「此綠衣者，實作褖衣也，褖衣，御于王之服，亦以燕居」，說明周官職掌與周代禮制無「綠衣」之制，當為「褖衣」。意在探索《五經》慣用例，力求統一的解釋，取得合理詮釋經典的規範。

《五經》傳承分別成立，而鄭玄綜輯經書的用字例，致力於統合的解釋，或背離經學歷史的事實，然排紛解難的執著，力求統合而幾近了無矛盾抵觸的緻密，是鄭玄經學所以集東漢古文經學大成

---

7 《儀禮・士喪禮》「褖衣」，鄭注曰「褖衣，黑衣裳，赤緣謂之褖，褖之言緣也，所以表袍者也。古文褖作緣。」（《十三經注疏》4，臺北：藝文印書館，1997 年 8 月，頁 414。）與《周禮・天官・內司服・綠衣》，鄭注「此綠衣者，實作褖衣也。褖衣，御于王之服，亦以燕居」。（《十三經注疏》4，臺北：藝文印書館，1997 年 8 月，頁 126。）

的所在。探究鄭玄統一群經解釋的用心，蓋以人間世界為「一貫存在」所支配的意識為前提，「一貫存在」衍生世間萬象，說明萬象的因果關係，則是學問的任務，此學問任務的遂行，至鄭玄而覺醒。因此，鄭玄的經學或可謂之為「訓詁學的人間學」，以《五經正義》為代表的中世的經學是鄭玄經學的延長，人間世界為「一貫存在」所支配的論理，至朱子的經學而大成。[8]

鄭玄致力於各經文字統一的解釋，三國六朝以迄唐代的經學則以經書記述是絕對道理的所在，主張各經並無矛盾的存在，反復論議辨證，用以解消各經文字訓詁差異的所在。換而言之，緻密論證而折衷異說是中世經學的特質，《五經正義》則是中世經學的結晶。蓋以問題提起，質疑論難，往復駁辨的形式，展開細密訓詁，而取得最持平公允的經典詮釋，是《五經正義》之經傳義疏的精要所在。如《毛詩・邶風・擊鼓》「擊鼓其鏜，踴躍用兵，土國城漕，我獨南行」，《詩序》曰：「擊鼓，怨州吁也。衛州吁用兵暴亂，……國人怨其勇而無禮也。」鄭箋：「此言眾民皆勞苦也。或役土功於國，或脩理漕城，而我獨見使從軍南行伐鄭，是尤勞之甚。」意謂土木工事固然辛勞，而南征伐鄭，或有生命之虞，更為憂慮。然《毛詩正義》則曰：

> 州吁虐用其民，此言眾民雖勞苦，猶得在國，己從征役，故為尤苦也。禮記曰五十不從力政，六十不與服戎。注云力政，城郭道渠之役，則戎事六十始免，輕於土功。而言尤苦者，以州吁用兵暴亂，從軍出國，恐有死傷，故為尤苦也。

8　吉川幸次郎《支那人の古典とその生活》，同注 1，頁 314-318。

> 土國城漕，雖用力勞苦，無死傷之患，故優於兵事也。若力政之役，則二十受之，五十免之，故韓詩說二十從役，王制云五十不從力政是也。戎事則韓詩說曰三十受兵，六十還兵，王制云六十不與服戎是也。蓋力政用力，故取丁壯之時，五十年力始衰，故早役之，早捨之。戎事當須閑習，三十乃始從役，未六十年，力雖衰，戎事希簡，猶可以從軍，故受之既晚，捨之亦晚。戎事非輕於力役。[9]

《詩序》謂衛侯用兵暴亂，庶民有怨，鄭玄說百姓皆勞苦，而從軍南征者尤可憂。《正義》則引用述《禮記・王制》說明從事兵役與勞役的年齡差異，乃基於體力的顧慮，非如鄭注所說「戎事六十始免，輕於土功」，而論說力役雖苦而無生命之虞，「戎事希簡」，力雖衰，「猶可以從軍」，然有死傷之痛，乃權衡力役與戎事的實情，述說雖煩瑣而曲盡合理，體得「溫柔敦厚」的旨趣。如此義疏經傳，或可謂之為「訓詁學的人間學」。蓋《五經正義》的煩瑣論述，旨在統合經書看似有所矛盾差異的載記，進行極其精微詳密的檢證，其論辨的方法則是「言－事－心」的架構，即首先綜輯經書文字的用字例，探求正確的訓詁，進而考索語言表述的事實與著述立說的心理，亦即檢證經書文字的歷史事實與作者記述的心理。成立「言－事－心」之「訓詁學的人間學」是中國訓詁學的特質，而具現於代表中世經學之《五經正義》的義疏。前文引述《尚書・金縢》「周公乃告二公曰我之弗辟，我無以告我先王，周公居東二年，則罪人斯得」的訓詁，「辟」或作「法」，或作「避」，一字

9　《十三經注疏》2，臺北：藝文印書館，頁80。

的解釋有別，則周公的歷史定位就有殊異。如何詮釋是最適切的思量考索檢，即是「訓詁學的人間學」的考察。至於《毛詩・邶風・擊鼓》的論說，則是細察記述者心理，而取得兩行皆可成立的檢證。又《五經正義》的論證有「非其理也」的文字，如《春秋正義・序》：

> 劉炫於數君之內，實為翹楚，然聰惠辯博，固亦罕儔，而探賾鉤深，未能致遠。其經注易者，必具飾以文辭，其理致難者，乃不入其根節。又意在矜伐，性好非毀，規杜氏之失，凡一百五十餘條，習杜義而攻杜氏，猶生於木而還食其木，「非其理也」。[10]

意在駁斥前人的素養，雖詳於注疏，而有未能中節之失，更有矯飾矜伐非毀成說之弊，不合人間的情理。亦有「非文勢也」「非義勢也」的文辭，前者如《尚書・堯典》「日中星鳥，以殷仲春，……日永星火，以正仲間夏」的《義疏》：

> 傳曰日中至可知。正義曰其仲春仲秋冬至夏至，……馬融、鄭玄以為星鳥星火，謂正在南方，春分之昏，七星中，仲夏之昏，心星中，秋分之昏，虛星中，冬至之昏，昴星中，皆舉正中之星，不為一方，盡見此與孔異也。至于舉仲月以統一時，亦與孔同。王肅亦以星鳥之屬為昏，中之星，其要異者，以所宅為孟月，日中日永為仲月，星鳥星火為季月，以

---

10 《十三經注疏》6，臺北：藝文印書館，頁4。

> 般以正，皆總三時之月。讀仲中，言各正三月之中氣也。以馬融、鄭玄之言不合天象星火之屬，仲月未中，故為每時皆歷陳三月，言日以正仲春，以正春之三月中氣，若正春之三月之中，當言以正春中，不應言以正仲春。王氏之說，非文勢也。孔氏直取畢見，稍為迂闊，比諸王馬，於理最優。[11]

後者如《尚書・酒誥》「爾尚克羞饋祀，爾乃自介用逸，……茲亦惟天若元德，永不忘在王家」的義疏：

> 傳能考至之道。正義曰以聖人為能饗帝，孝子為能饗親。考德為君則人治之，已成民事，可以祭神，故考中德能進饋祀於祖考，人愛神助，可以無為，故大用逸之道，即上文飲食醉飽之道也。鄭以為助祀於君，亦非義勢也。以下然，並亦天據人事，是惟王正事大臣本天理，故天順其大德，不見忘在於王家，反覆相成之勢也。[12]

所謂「王氏之說，非文勢也」，或「鄭以為助祀於君，亦非義勢也」，皆在批判既有成說的訓詁不能體得經書文章的脈絡和立義的情理，而不能苟合雷同。意謂經典文獻的解詁宜有「人間學」的義涵，即考察文字表述的事實，探索著述立說的心理，而形成「言－事－心」[13]的詮釋方法。此為中世讀書人沈潛於《五經》，探求經

11 《十三經注疏》1，臺北：藝文印書館，頁24。

12 吉川幸次郎《支那人の古典とその生活》，同注1，頁208。

13 吉川幸次郎於〈外國研究の意義と方法〉一文強調：民族的語言生活是民

書著述立說的究竟，既維繫經典生活的營為，也建構「訓詁學的人間學」之經學面相。[14]

㈢宋明：經學思想的確立

吉川幸次郎強調北宋以來，以《五經》為生活規範的思想強化鞏固。[15]蓋中世是民族、文化、宗教融合的時代，雖保有以《五經》為生活規範的意識，也融合佛教等異質性的文化，故中世的知識階層既沈潛儒家經典，亦奉行佛教的生活。如《梁書・皇侃傳》載記：

> （皇侃）性至孝，常日限誦《孝經》二十徧，以擬《觀世音經》。[16]

當時世間傳誦《觀世音經》，日誦數十遍。而皇侃以《孝經》代之，唯其誦讀《孝經》二十遍的方式，則是當時誦讀佛經的方法，日誦《孝經》事親以盡孝，亦佛教現世福報的世俗觀念。又中世貴族生活重視修飾而煩瑣，四六駢文辭藻華麗，音律對仗極盡工巧，至於《五經正義》的訓詁義疏也極其煩瑣。吉川幸次郎以為中世知

族精神生活的投影，由於語言的投影而能最經驗性且實證性的把握精神生活的樣式。……語言是精神的象徵，通過實證的分析，即吟味文獻記載一字一句的意義，熟視其記述事實的真相，而體得著述立說的主旨所在。（《文明のかたち》，東京：講談社，1980 年 7 月，頁 246-252。）

14 吉川幸次郎《支那人の古典とその生活》，同注 1，頁 319-322。

15 同上，頁 323。

16 《梁書・列傳第四十二》，臺北：鼎文書局，1978 年 11 月，頁 680。

識階層大抵為世襲的貴族，富裕優遊，故能兼容並蓄，文化生活華麗而煩瑣。然近世的士大夫多為庶民出身的讀書人，生活營為未必能沿襲中世貴族奢華繁複的方式，故近世知識階層則有揚棄煩瑣雜多而趨於純化專一的變革。二程子提倡生活規範以《五經》為歸趨，而以《五經》為生活規範的主張則大成於朱子。程朱於經學的興革，有《四書》的尊崇與「理一分殊」之理氣說的提出。《五經》大抵記述先例事實，雖可從先例事實抽繹出各種道理作為生活的規範，然先例繁多，取向則有無限可能的自由空間。《四書》論說綜攝人生應然當行的道理，較諸《五經》記述，明確指示精神生活的趨向。再者，以《五經》為規範，乃以儒家選擇的先例為指標，取向多元，然尊崇以《論語》為中心的《四書》而作為規範，則以孔子典範，生活的指標則集中於孔子言行的實踐。故近世中國人的精神生活以希聖成賢，傳承聖賢的典範為極致。[17]至於理氣說的哲學義理則確立尊重《五經》《四書》的主張。萬物由氣所構成，萬物氣性殊異，為「分殊」，然萬物皆有生生之理的存在則萬物咸同，是「理一」。「理一分殊」的理氣哲學應用於古典尊重的主張，而強調萬物之理的最完全顯現乃在於《五經》《四書》所記述的聖賢之言論，沈潛經典即能體得生活的法則。吉川幸次郎說明探求超越感覺世界之權威，必與地上的權威之證成相結合，而其結果則強化人間社會所存在之權威的絕對性，是中國人的傳統思惟。朱子的「理一分殊」的哲學架構亦然。理是形而上的存在，《五經》《四書》既是理的完全顯現，則《五經》《四書》即具有絕對性的權威。換而言之，歷來以經典為生活規範的意識，由於「理一

---

17 吉川幸次郎《支那人の古典とその生活》，同注1，頁324-329。

分殊」之理氣哲學的論證，而強化為民族精神生活的究極懿常。再者，理是形上理則，是「理一」，而理雖具在於萬物之中，然萬物皆有其生成之理，是「分殊」，欲窮究萬物的事理則有博學的必要，所謂「致知在格物」，博覽經典載記的先例，乃能體得人間存在的事實，領會自然現象的法則。亦即窮究事物之理的歸結則在於究明經典的旨趣，確立《五經》《四書》是人生道理所在，為生活規範的究極。王陽明主張「心即理」，理在吾人心中，不假外求，雖然如此，《五經》是道理的所在，《五經》記述的道理與吾心之理是相合符應，理既是形上根源則《五經》乃是人間存在的究極。換而言之，「道理＝《五經》」的先天性命題，在陽明的「心即理」的哲學體系也是毫無改易。

以《五經》為生活規範的思想，由於宋明理學的論證而強化，將理的形上根據擴充至《五經》乃道理的究極歸趨，形成經學思想。宋明儒者於經書注疏，輒顯現以《五經》《四書》為生活規範之究極所在的精神。[18]

㈣清朝考證學的究極：訓詁明而義理明的「訓詁學的人間學」

宋明儒者以理氣哲學和心學詮釋經書時，不免有牽強曲解的所在，一如西漢今文經學以陰陽災異附會經書記述，導致東漢古文經學之嚴密訓詁經書的形成。朱王以哲學義理發明經義，雖以《五經》《四書》為道理的依歸，然論理深奧晦澀，故清儒有再興「漢學」的主張，意謂欲上達經書標示的道理所在，非正確解讀經書文

---

18 同上，頁 329-332。

字不可。吉川幸次郎強調清儒頗多祖述鄭玄的經學，以古代語言的慣用例的綜輯，探究經書記述的本義。經書既是道理的究極，則非忠實的訓解經書文字不可，而以語言研究為根柢，正確解讀經書，是清朝漢學的學問意識。近代於中國古代漢語的研究，世人極為推崇高本漢的研究方法及其成果，然高氏的學問與清儒於古代言語訓詁學的成果相較，庶幾無重大的進展，足見清朝於古代漢語的研究有極高的水平。[19]再者，探究清朝考證學的內涵，則有因革中世「訓詁學的人間學」於議論的奇矯，宋明理學的艱誨，於論證的考索，力求合理適切，如戴震主張「文理說」，用以究明經文章脈絡的論理與作者著述立說的心理[20]。訓詁明而義理明，是清朝考證學的宗尚，也是中國學術的究極。

綜觀中國近世的經典生活，雖有宋明儒者之以理學與心學敷衍經書義理的旨趣，清朝儒者以正確訓詁經籍文字為究極的差異，然生活規範強度集中於《五經》記述的學問意識，則是近世古典生活一貫的思惟。較諸中世融合儒、佛的營為，近世則有儒家經典為絕對至上的傾向。由於以經典為行為尺度的判準，生活營為不免於束縛的窘促。雖然如此，由於庶民的抬頭與經濟的發展，岐出於傳統規範的生活營為也運應而生，如小說戲曲之以口語撰述，雖超離以詩文為主流的傳統，而流行於市井社會，形成民間講唱文學普及的

19　同上，頁 332-333。

20　吉川幸次郎於所著〈清代三省の學問〉，強調戴震的「文理說」，是讀書必深入通透文章的「論理與心理」，即文章的論理脈絡與作者著書立說的用心所在。此讀書論學的態度是晥派所遵奉的精神，既超越宋代以來讀書與思索何者為重的論爭，也是最正確的讀書方法。（《吉川幸次郎全集》第十六卷，東京：筑摩書房，1970 年 7 月，頁 3-10。）

近世都市文化。再者，理學的成立，定位《五經》《四書》的著述立說是道理的所在，強化《五經》為生活規範的意識。又由於文官任用之科舉制度的施行，形成近世以文人為主體的社會結構，而異乎中世以貴族為主體的社會。至於文化生活的營為，亦有別於貴族階層的華麗，而有以素樸是尚的傾向。再者，以文舉士的科舉則維繫近世讀書人的文化生活，記誦沈潛科考必備的經典是近世讀書人的基本素養，而語言生活主於詩文的鍛鍊，用以求取仕進，制義文章的論說，要在責求經世濟民的胸襟。故近世文學的內涵，大抵以宗經明道為極致，而異於中世義疏的煩瑣與四六駢文之修飾華麗。換而言之，以《五經》為規範而展開以錘鍊為尚的生活是近世文化的特質。[21]

結語：中國人以經典為生活規範的得失

中國幅員廣闊，土地面積約與歐洲相當，境內地理環境有所差異，生活方式與風俗習慣自然有別，語言亦有古今乖隔與南北通塞。然綜觀中國歷史，其間雖有分裂的時期，大抵維持大一統的局勢。因此，中國人大抵持有分裂割據只是短暫的扞隔，大一統的長治久安才是社會常態的意識。吉川幸次郎強調以《五經》為生活規範的理念是維繫大一統的中心意識，以古典為生活規範的長處則有三。其一、「天下」是大一統意識的表徵，維繫天下一統而長治久安是傳統的歷史觀，沈潛以《五經》為中心的經典而鍛鍊詩文的讀書人才能實踐佐君輔國經世濟民的理想。故以《五經》為生活規範

21 吉川幸次郎《支那人の古典とその生活》，同注 1，頁 333-335。

而維繫天下一統的歷史意識，是以古典為生活規範的長處之一。

其次，以古典為生活規範，既保有安定的規律性，亦形成高度的文化生活，中世的貴族生活與近世的文人生活即是。經書文字的記誦與詮釋，書籍傳抄的校勘與考證，是積年累月錘鍊營為的結果。古典詩文創作的語言生活也是歷代因革損益的結晶。中世四六駢文是修飾華麗而優美典雅的極致，近世的古文則是去蕪存菁而文質諧調的傑作。書畫的工巧鑑賞與筆墨硯紙的精選風雅，亦為讀書人涵詠古典精華而體得優遊自在之精神生活的象徵。換而言之，讀書人所營為的文化生活是中國古典生活長久存續發展的根源所在。此為以古典為生活規範的長處之二。

再者，尊重經典的理念具有二種意義，其一、尊重經典的語言與經典所記述的事實，其二、致力於探究語言與事實於社會生活中所存在的意義。語言與事實雖是形而下的存在，然形而上的抽象意義輒藉由形而下的具體存在來表現，亦即語言與事實是形上理則的具象性存在。「語言是人類精神的象徵」乃中國人的普遍性意識。訓詁學是以語言的解詁，究明文獻所記述的事實與義涵，形成「言－事－心」詮釋體系的「人間學」。至於語言解詁的極致在於究明經典記述的事實與著述立說的旨趣，則是以先例為典型之尚古精神的象徵。故以《五經》的沈潛精熟，考察經典文字的義涵與記述事實的真象，是經典生活營為的究極意義。此為以古典為生活規範的長處之三。[22]

以《五經》為生活規範雖然有以上三個長處，然亦有以下二個缺陷。第一、中國人的思惟生活由於《五經》的存在而未能完全的

---

22 同上，頁 337-342。

展開。蓋既以《五經》的語言作為表述形而上理則的具象性存在，輒以《五經》的語言作為思索之正確是非的判定基準，其結果則易拘限思惟的開展而難有日新月異的突破創新。如自然科學的發展由於取證於《五經》的語言記述而停滯於萌芽的階段。譬諸《漢書・律曆志》於一月之日數的記載：

> 法、一月之日二十九日八十一分日之四十三。……是故元始有象一也，春秋二也，三統三也，四時四也，合而為十，成五體，以五乘十，大衍之數也。而道據其一，其餘四十九，所當用也，故蓍以為數。以象兩兩之，又以象三三之，又以象四四之，又歸奇象閏十九及所據一加之，因以再扐兩之，是為月法之實。如日法得一，則一月之日數也，而三辰之會交矣，是以能生吉凶。故易曰天一地二，天三地四，天五地六，天七地八，天九地十。天數五，地數五，五位相得而各有合。天數二十有五，地數三十，凡天地之數五十有五，此所以成變化而行鬼神也。并終數為十九，易窮則變，故為閏法。……月法二千三百九十二。推大衍之法。[23]

算定月運行一周的時間為二十九又八十一分之四十三天，乃長期精密觀察天象計算而得的結果，就天文學而言，陰曆一個月的天數為二十九又八十一分之四十三天是頗為正確的數字。所謂「月法二千三百九十二」，乃二十九乘四十三的數字，就算術而言，八十一是分母，二千三百九十二是分子，相除則為二十九又八十一分之四十

23 《漢書》卷二十一，臺北：鼎文書局，1978 年 11 月，頁 976-991。

三，是月球運行周期的天數，符合自然科學觀察計算自然現象的結果。然《漢書・律曆志》卻取合《易》的數字，論證自然現象的道理根源在於《五經》的記述。分母八十一的數字，是《易》九自乘之數。分子二千三百九十二的數字，則是「以五乘十，大衍之數」，而「道據其一，其餘四十九，所當用也，故蓍以為數」，即「五十」取去為道的「一」，以四十九蓍草來演算，「以象兩兩之，又以象三三之，又以象四四之」，「兩」者象徵天地而二倍之而為九十八，「三」者象徵天地人而三倍之而為二百九十四，又四倍加乘為一千一百七十六。然「易曰天一地二，天三地四，天五地六，天七地八，天九地十。天數五，地數五，五位相得而各有合。天數二十有五，地數三十，凡天地之數五十有五，此所以成變化而行鬼神也。并終數為十九」，即天之數有一、三、五、七而終於九，地之數有二、四、六而終於十，合天地之數而得十九。以十九加一千一百七十六為一千一百九十五，再加上「道據其一」的「一」，則為一千一百九十六，「因以再扐兩之」，乘以二倍，即是二千三百九十二的數字。

「一月之日二十九日八十一分日之四十三」是累積觀察天象，精密計算而得的數字，符應天文科學，「月法二千三百九十二」亦有算術的根據，然取證於《易》的象數，推演「大衍之法」，用以說明《五經》語言記述自然的法則，反映自然的現象，雖能以之作為生活的規範，然未能以發展科學的萌芽而精進更新，創造科學文明。此乃過度尊重古典而造成中國古典傳統生活最大的缺點。[24]

第二、社會的進步發展曾不能以一瞬，人類的生活亦歷時而更

---

24 吉川幸次郎《支那人の古典とその生活》，同注 1，頁 342-344。

移，以《五經》為生活規範的思惟未必完全符應時代的變化與社會的轉型。所謂「江河日下」，即意味古今生活方式的變易更革，古典生活的規範未必能順應世界的變革，因而產生對未知的將來抱持悲觀的態度。此乃以《五經》為生活規範之傳統生活最大的缺點。因此，如何思索新的理念，探求新的生活取向，則是中國突破傳統以順應新時代的課題所在。[25]

25　同上，頁 348-350。

《尚書正義》反映中世「天生命定」的思惟

關鍵詞　《尚書孔氏傳》的價值　《尚書正義》的價值　中世人文精神史料　《尚書正義定本》

一、校定譯注《尚書正義》的經緯

朱子說「五經疏中書易最劣」，然吉川幸次郎則強調《五經正義》最善[1]，而於〈尚書正義定本序〉說：

> 唐儒孔君承詔作疏，據二劉之成業，吸六代之菁華，深而不蕪，鈎而能沈。慎步趨於漢苑，義例甚嚴，闚奥窈於孔室，發揮乃勞。難義紛設，類羊腸之宛轉，賓實屢核，辯毫髮於幾微。辭曲折而後通，義上下而彌鍊。匪惟經詁之康莊，實亦名理之佳境。孔疏五經，斯為翹楚。文公譏云最下，恐言

1　吉川幸次郎〈《尚書正義》解題〉，《吉川幸次郎全集》第八卷，東京：筑摩書房，1970年3月，頁22。

之未當。世儒止資涉獵，固淺之乎。

《尚書正義》所選定的《尚書孔氏傳》雖是偽古文經，卻是現存最古的《尚書》注本，也是漢代《尚書》注釋的集大成。孔穎達奉勅撰述《尚書正義》的論證雖煩瑣，卻是六朝以來議論駁辯折衝抗詰而得持平穩定的傳疏，允為科考準據的經典注釋。或有不合經義的所在，卻是探究中國中世人文精神史的史料。[2]乃與東方文化研究所的同事，關西地區經學研究者校定《尚書正義》。昭和 10 年（1935）4 月著手，至昭和 16 年（1941）3 月，費時 6 年而完成，定名為「尚書正義定本」。於昭和 18 年（1943）3 月發行。參與校定的有倉石武四郎、吉川幸次郎、重澤俊郎、平岡武夫、佐藤匡玄、小倉弘毅、高倉正三、市原亨吉、梅原慧運、白木直也、吉田行範、安田二郎、飯田利行等人。[3]

---

2 吉川幸次郎《尚書孔氏傳》的論述，見所著〈尚書孔氏傳解題〉，《吉川幸次郎全集》第七卷，同注 1，頁 265-283。至於《尚書正義》的見解，分論於〈唐篇 I、II、III〉自跋，《吉川幸次郎全集》第八、第九、第十卷。

3 在《尚書正義》的校定中，於昭和 13 年（1938）冬，有和譯《尚書正義》之議，取得所長松本文三郎的認同，並引介岩波書店，應允出版《尚書正義譯注》。於翌年（1939）夏天著手《尚書正義》全文和譯，昭和 15 年（1940）2 月出版《尚書正義譯注》（吉川幸次郎和譯《尚書正義》的書名但為《尚書正義》，標明其以日本國語譯注《尚書正義》，姑名之為《尚書正義譯注》）第一冊《虞書》，昭和 16 年 11 月出版第二冊《夏書》、《商書》（禹貢～微子）和第三冊《周書上》（泰誓～誥洛），昭和 18 年（1943）2 月出版第四冊《周書下》（多士～秦誓）。《吉川幸次郎全集》第八、第九、第十卷亦收載有之。

本文從《尚書孔氏傳》的性質與價值、《五經正義》編定的意義、《尚書正義》的價值等，說明吉川幸次郎於《尚書正義》的見解。

二、《尚書孔氏傳》的性質與價值

孟子、荀子引用《尚書》文句而稍加疏解，是《尚書》注釋的萌芽。秦皇焚書而經學斷絕。前漢文武之際，社會安定，古典復甦而廣求天下遺書，載誦經師博聞強記，古文與今文《尚書》傳世。官學傳授蓋以今文為主，且以經術為政治理論之所資，以天人感應為政治的中心思想，故《尚書》注釋頗有咒術性質的傾向。如〈洪範〉即顯著記述天人感應的思想。確切注釋《尚書》經文蓋始於後漢。帝王將相經典涵養蘊蓄深厚是後漢世風，尊重文化的傾向導致治經態度的改變，[4]經術未必為官學所獨擅，以經書為純粹知識對象而詮釋的學者輩出，《古文尚書》字體古樸而晦澀，衛宏、賈逵、馬融等學者專致鑽研，完成今文書寫的《古文尚書》文本和訓詁。後漢《古文尚書》研究凌駕《今文尚書》，而鄭玄集其大成。吉川幸次郎以為鄭玄雖有哲學思索而長於數學推理，宏壯總合周密理論的科學家。蓋鄭玄統合古文諸經訓解而參酌今文經說，以咒術的解釋導入古文經學，既將今文經說包攝於統合古文經說的解釋之

---

4 兩漢世風的異同，見狩野直喜〈兩漢世風の差違〉，狩野直喜說兩漢「世風」的差異，以致文學風格、經術取向、文化內涵而所有不同。《兩漢學術考》，東京：筑摩書房，1969 年 6 月，頁 85-91。吉川幸次郎說「世風」即今日所謂的時代精神。《支那文學史》解說，東京：みすず書房，1970 年 6 月，頁 470。

中，又對經書語言與禮儀典章綜括幾種法則，而縱橫驅使於經書注釋之中，故可謂之為宏壯總合與周密理論兼備的科學家。

魏晉以來，兩漢統制國家體制崩壞，政治勢力分裂割據，文化勢力伸張，形成權威解放，崇尚理智哲學之批判性思惟而駁斥讖諱咒術之非論理性的時代精神。咒術色彩溶入古文經說的訓解遂遭非難，而出現以極盡常識性和合理性之古文經書解釋是尚的王肅一派所著的《尚書孔氏傳》。就注釋方法、經傳文字、思想陳述而言，《尚書孔氏傳》為魏晉之偽作無疑，孔安國的序文亦然。朱子存疑於前，清儒更精密論證，而日本江戶時代儒者太田錦城《九經談》亦有所論述。蓋《尚書孔氏傳》的解釋極其常識性而非咒術性，與王肅注釋相合者不少，又於天子宗廟之數亦異於鄭玄之說，而與王肅之論相符，故可謂之為王肅一派之作。

(一)《尚書孔氏傳》的性質

雖然《尚書孔氏傳》是偽作，吉川幸次郎強調偽書與注釋價值判然有別，非難偽作聖人經典而否認經傳注釋的價值，是中國傳統思惟方式，歷來學者專致於偽作的究明而無暇顧及《尚書孔氏傳》的持平論斷。實則《尚書孔氏傳》是中世《尚書》注釋僅存於今日的經傳訓詁。《尚書孔氏傳》出現的東晉以迄唐初的四百年間，《尚書孔氏傳》與馬融、鄭玄、王肅三家注並行於世。就注釋內容而言，馬、王的注解是《尚書孔氏傳》最重要的底本，三家的立場大抵相同，而以《尚書孔氏傳》最為完備，或可謂馬、王注釋為《尚書孔氏傳》所綜攝。至於鄭注的傾向則與有殊異，鄭注為當時經學的主流，遵奉《尚書孔氏傳》者與其他注家的繼承者，尤其是尊崇鄭注者展開激烈的論爭。其結果，不但馬、王二注失傳，鄭注也於宋代以後亡佚，《尚書孔氏傳》遂為中世《尚書》注釋的代表，現存最古的《尚書》注解而流傳至今。

至於《尚書孔氏傳》的性質，吉川幸次郎以為《尚書孔氏傳》之常識性注釋的性格不但最符合《尚書》的性質，也最能體現魏晉以迄唐初的世風。由於符應時代精神，故為社會所接受。再者，《尚書》是記載古代帝王的言辭，未必有法則式議論的性質。鄭玄的注釋方法有法則式數理性的傾向，是「非尚書的」注解，《尚書孔氏傳》的常識性注釋較符合《尚書》的性質，是「尚書的」注解。換而言之，《尚書孔氏傳》是最適合魏晉經學的《尚書》注釋。至於《尚書孔氏傳》常識性注釋的所在，吉川幸次郎指出：《尚書孔氏傳》的注釋是以根據《尚書》文句脈絡而逐字訓解為終始，未必顧及與其他經書的關連性，鄭玄注則不然。如《尚書・益稷》的「弼成五服至于五千十有二師」，《尚書孔氏傳》注曰：「五服侯甸綏要荒服也。服五百里，四方相距，為方五百里。治水輔成之。一州用三萬人功，九州二十七萬庸」，平易訓解《尚書》的文義。鄭玄注曰：「輔五服而成之，至于面各五千里，四面相距為方萬里……萬里之界，萬國之封焉，猶用要服之內為九州，州更方七千里，七七四十九，得方千里者四十九，其一以為圻內，餘四十八，八州分而各有六。春秋傳曰，禹朝群臣于會稽，執玉帛者萬國，言執玉帛者，則九州之內諸侯也。其制特置牧，以諸侯賢者為之師。蓋百國一師，州十有二師，則州千二百國也。八州凡九千六百國，其餘四百國在圻內，與王制之法準之。八州通率封公侯百里之國者一，伯七十里之國二，子男五十里之國四，方百里之國者一，封國七十有畸，至于圻內，則子男而已。」則舉證《周禮》《春秋左氏傳》《禮記・王制》，統合經義，建立諸侯封土的禮制法則。雖以禮制法則，將「萬邦黎獻」訓為「萬里之界」，未必符合《尚書》原義，故《尚書正義》批評鄭玄《尚書》注釋頗有「曲碎」之失。

排斥讖諱咒術性的解釋，也可說明《尚書孔氏傳》常識性注釋性格的一端。如〈堯典〉「若曰稽古帝堯」，《尚書孔氏傳》注：「能順考古道而行之者帝堯」，《尚書正義》曰：「若順，釋言文，詩稱考卜惟王，洪範考卜之事，謂之稽疑。是稽為考，經傳常訓也」。意味《尚書孔氏傳》折衷歷來諸家的經傳訓詁，而注釋簡明通曉。然「鄭玄信緯，訓稽為同，訓古為天，言能順天而行之，與之同功．論語稱惟堯則天，詩美文王順帝之則。然則聖人之未知，莫不同天合德，豈待同天之語，然後得同之哉。書為世教，當因之人事，以人繫天，於義無取，且古之為天，經無此訓，高貴鄉公皆以鄭為長，非篤論也。」鄭玄根據緯書讖諱咒術的文獻注釋《尚書》，故有所牽強附會，未必符合經義。吉川幸次郎強調取捨前人經傳訓解，體得「經傳常訓」而平易注釋，是《尚書孔氏傳》形成常識性注解的所在。如〈禹貢〉「至于衡漳」，《尚書孔氏傳》注曰：「漳水橫流入河」，《尚書正義》注曰「衡即古橫字，漳水橫流入河，故曰橫漳也。……鄭玄亦云橫漳，漳水橫流。王肅云衡漳二水名。」是《尚書孔氏傳》從鄭說而不取王注。

《尚書孔氏傳》折衷馬、鄭、王三家注之外，亦有旁徵漢儒訓詁的所在。如〈金縢〉「我之弗辟」，從「釋詁文」，即許慎《說文解字》訓「辟」為「法」，謂周公征伐三叔，而不從鄭玄以「避」注「辟」，謂周公「避居東都」之說。又〈康誥〉「生魄」之「魄」的訓為「明消而魄生」，乃從劉歆《三統曆》之說，而不採馬融、許慎「月明」之解。至於〈堯典〉「克諧以孝，烝烝乂，不格姦。帝曰我其試試」，馬、鄭注本無「帝曰」二字，或從《史記》傳承伏生《尚書大傳》之今文《尚書》的文本。[5]就折衷馬、鄭、王三家注釋，博採漢儒訓詁以進行簡明通曉的注釋而言，《尚書孔氏傳》具有「集注」的性質，乃漢儒《尚書》研究的集大成，以集注取捨而統合前人的訓詁，又符應《尚書》帝王明白宣達政令的性質，成就其得「經傳常訓」之平易注釋的性格。

㈡《尚書孔氏傳》的價值

就經書解讀的立場而言，今日所見的馬融和鄭玄注疏只是斷簡殘篇，《尚書孔氏傳》的注釋雖有不合經意的所在，卻是取捨統合前人訓詁，現存最古的《尚書》注本。至於《尚書孔氏傳》的訓詁之以言語解釋為起點，逐字解釋，甚少附加的言說而進行確實的注釋，則是中世注釋風尚的表徵。再者，不牽強附會而匡正漢儒讖諱咒術的缺失，以致力於符合「經傳常訓」，可謂是最體得《尚書》性質的注本。故段玉裁、王念孫稱《尚書孔氏傳》為「尚書某氏傳」，意味《尚書孔氏傳》與其他中世注疏有同等的地位，若杜預《左氏經傳集解》是最能取得《左傳》原義的注疏，《尚書孔氏傳》則具有明晰解釋《尚書》經意的價值。朱子以至清儒雖論證《尚書》為偽作，然宋代理學或以〈大禹謨〉的「人心惟危，道心惟微」作為立說的根據。〈胤征〉的「威克厥愛，允濟，愛克厥威，允罔功」為《李衛公問對》等兵書所議論。〈周官〉對後世的官制亦有深遠的影響。就此意義而言，《尚書孔氏傳》偽作經書二十五篇未必具有古代史料的價值，但作為中國思想史的文獻價值，

---

5 《史記・五帝本紀》：「能和以孝，烝烝治，不至姦。堯曰我其試試」。

則有重新貞定的必要。[6]

三、《尚書正義》編定的意義及其具現中世人文精神的價值

《尚書孔氏傳》之所以為現存最古的《尚書》注釋而流傳的原因，歷來以為孔穎達奉敕編定《五經正義》之際，揚棄其他《尚書》注本，而採行《尚書孔氏傳》之所致。吉川幸次郎駁斥此論是本末倒置。蓋唐太宗為統一經書解釋之「原理性意圖」和揭示科考經書之標準答案的「實際性意圖」而敕命孔穎達編定《五經正義》。至於《尚書孔氏傳》的採用是取決於《尚書正義》在當時既已形成支配的勢力，即「社會選擇」是先決條件。社會未必認同的注釋，為政者強行選定採行，亦未必能廣布流行，如宋代《三經新義》，清朝《欽定義疏》，雖政治主導而採行，卻未形成支配勢力。由此可知，並非唐太宗敕令，孔穎達採用而《尚書孔氏傳》形成支配的勢力，是當時社會廣披傳流行而選定的。

---

6 吉川幸次郎的《尚書孔氏傳》論述，見其所著〈尚書孔氏傳解題〉，《吉川幸次郎全集》第七卷，東京：筑摩書房，1968 年 4 月，頁 265-282。又於《吉川幸次郎全集》第九卷的〈自跋〉，說明其祖述內藤湖南〈尚書稽疑〉（《內藤湖南全集》第七卷，東京：筑摩書房，1970 年 2 月，頁 10）加上說，以為《尚書孔氏傳》雖是偽作，乃記存中國思想史的重要資料，或視之為《尚書》注釋徑路上的突破性開展，可說是視野宏觀的論述。東京：筑摩書房，1970 年 8 月，頁 483。

(一)《尚書正義》編定的意義

《尚書正義》之所以採用《尚書孔氏傳》，在於《尚書孔氏傳》蓋以古文書寫。[7]魏晉六朝古文字研究風行，魏正始年間，於太學建立古文石經，晉武帝太康年間的汲　埋藏大量的古文字文獻，皆說明尚古風潮。《五經正義》的編定而採用《尚書孔氏傳》，或承襲此一風尚。是時馬、鄭、王的注本雖繼承前漢古文《尚書》的系統，而文字皆改寫為通行的文字，唯有《尚書孔氏傳》是名符其實的古文《尚書》，故收錄而為之義疏。

《尚書孔氏傳》的傳承不無可疑，《尚書正義・虞書疏》指出：「孔注之後，歷及後漢之末，無人傳說，至晉之初猶得存者。雖不列學官，散在民間，事雖久遠，故得猶存。」於《尚書孔氏傳》的傳承曖昧不明或有可疑。雖然如此，吉川幸次郎以為《尚書正義》之所以收錄《尚書孔氏傳》，與時代精神的取向有關。蓋魏晉以迄唐初，著重於形式論理而輕忽真實或穿鑿的考證。如《莊子》《列子》的流行，莊列寓言不符史實，故不為漢人所重視，然魏晉留意其哲學義理而鑽研，佛經的研究亦然。哲理的尊重意味著義理探求取代重視歷史事實的世風。《尚書孔氏傳》的收載或可理解成重視注釋確鑿妥當性的意識形成，至於傳承的曖昧可疑則是其次。《尚書正義》於前人訓詁的取捨，是以得失長短作為判斷的基

7　日本及敦煌發現的六朝寫本或唐寫本皆以古文書寫，可以證明魏晉以迄唐初，《尚書孔氏傳》是以古文書寫的。

準，未必墨守尚古的傳統而左祖《尚書孔氏傳》。[8]

㈡《尚書正義》的價值：具現中世人文精神的特徵

中世經學大抵是鄭玄注的延長，三國六朝四百年間的經書注釋承襲鄭玄統合經說的學風，而致力於折衷經傳義疏矛盾的論證。《五經正義》的編定是集結取捨經義而以合理解釋為歸趨的結晶。因此，《五經正義》不但可以窺知鄭玄以後中世經學的風尚，更顯示致力於經說細微差異與取捨矛盾的解說之中世經傳訓詁的學風。換而言之，《五經正義》是中世經學的代表，也是理解中世思惟方式與人文精神的重要史料。蓋《五經正義》是以合理解釋經義而精細探索經傳文字為前提，綜輯經傳文字的慣用例，考索言說者心理和言說的事實根據，其疏義可謂之為「人間學」（即文化人類學）的成立。如前文所引〈金縢〉「我之弗辟」的「辟」或作「法」，或作「避」而有征伐與避居的不同解釋，則周公的歷史定位就殊異。《五經正義》對某家注解有所駁斥，輒用「非其理也」一詞，探究言語所述存在事實的妥當性，論述是否符合人類生活法則。又以「非文勢也」或「非義勢也」批評某氏的訓詁未必體得言說者的心理情感，亦即「辟」訓為「法」或「避」的文字解釋的差異，則周公的性格與周初歷史的定位就有不同。故吉川幸次郎強調《五經正義》是中世經傳義疏的集成，也是探究中世精神思想史的重要文

---

8 吉川幸次郎論述《尚書正義》採用《尚書孔氏傳》的理由，見其所著〈尚書孔氏傳解題〉，同注 10，頁 271-280。至於《五經正義》的編纂，參野間文史《五經正義の研究》，東京：研文出版，1998 年 10 月。

獻。[9]蓋就訓詁的立場而言，義疏是經傳注釋的古典，為理解經傳而必讀之書。若脫離注疏的立場，《五經正義》是究明中國精神史的重要史料，特別是《尚書正義》所載記的淹博史料，是其他經傳義疏無可匹敵的。因此，吉川幸次郎主張《尚書正義》具有以下的價值。

《尚書正義》注疏的《尚書孔氏傳》是現存最古的《尚書》注本。就經學發展而言，前漢經學以經傳為政治措施的原理為歸趨。後漢則以經傳作為知識的對象，產生經傳古典研究的學問。魏晉之際，經傳訓詁更為風行。《尚書》傳注傳世雖甚多，然僅《尚書孔氏傳》現存於今。六朝以迄唐初，對後漢魏晉的傳注進行分析訓解，經傳義疏相繼問世，《五經正義》即取捨刪定行世的義疏而集成的。《尚書正義》折衷歷來傳注義疏，精細訓解《尚書孔氏傳》，使最古而簡易注釋的《尚書孔氏傳》得以清晰朗暢。宋儒雖排斥中世傳注，以近世思想所表象的理學重新解讀經典，然而古典研究畢竟漢唐注疏的解讀為必要前提。就尚古的意義而言，《尚書正義》記存古典注疏的精義，固有其價值。

《尚書正義》所依據的傳注的主旨是經學傳統的尊重。所謂經學傳統，其一在於以言語訓詁為基本的經書解釋，其二是究明古代的禮制。傳注的年代與經書著述或編纂的時代相隔久遠，經學傳統未必連綿不斷，即使執著於傳統的遵守，或由於社會情勢的變遷，時代精神的浸染，傳注所維繫的傳統是否直承著述編纂經書者的意志，則未可知。雖然如此，言語訓詁的尊重是古典研究最確切的取

9 吉川幸次郎〈支那人の古典とその生活〉，《吉川幸次郎全集》第二卷，東京：筑摩書房，1968 年 2 月，頁 318-322。

向，傳注於古文辭解釋的正確性，由清朝古代言語學的研究得以證實。禮制研究是探索古代文化的門徑，《尚書正義》載記豐富的禮制史料，而說明補足《尚書孔氏傳》的記述。就說明補足禮制史料的意義而言，《尚書正義》自有其價值。

上述的價值，清朝學者既已論述及之，唯此乃就依附傳注和訓詁傳注的立場而論，並未直探《尚書正義》本有價值。若以《尚書正義》為《尚書孔氏傳》的繼承因襲，則《尚書正義》於傳注所記述的禮制的義疏，有未必符合傳注原義的所在。至於古代言語學的知識，《尚書孔氏傳》甚為淺薄，即未必能精細的解釋《尚書》的字義，《尚書正義》雖有疏解，亦僅止於資料的引用附加而已。古文辭的真義至清朝學者的研究乃得以闡明。就此意義而言，依存傳注而說明《尚書正義》的價值未必穩當，甚且《尚書正義》本有的義疏價值也曖昧不明。吉川幸次郎強調《尚書正義》的價值在於顯示中國中世經傳注疏以折衷融合而取得認同，力求合理貼切為歸趨的時代性格。

《尚書正義》雖「孔穎達奉勅撰」[10]，且或謂頗承襲隋朝劉焯、劉炫的義疏。實則六朝以降四百多年，《尚書》講說積累甚富，至唐初孔穎達奉勅刪定而成。六朝經典講釋的方法，採取二人以上質疑問辯的形式，一人講述古人經說，其餘質疑問難，反復論難駁辨的結果，去蕪存菁而經說洗練圓熟。《尚書正義》的刪定訓解亦復如此，討論問答而判別取捨，是議論辨難的有機性融合，殊異於雜然輯錄前人注疏的集注。雖以《尚書孔氏傳》為底本而義疏，或有超脫傳注訓詁的所在，卻是折衷融合而力求合理貼切之義

---

10 《尚書正義・序》。

疏宗尚所使然。蓋反映六朝以迄唐初的注釋風尚，是《尚書正義》作為《尚書》注釋的最大價值。

《尚書正義》的解釋未必有規範性的意思，蓋六朝政治勢力分散，學問的立場也極為自由。六朝經學既排除前漢以經典作為政治原理的宗尚，也未必有宋代經學之道德實踐的嚴密規範。在此時代精神的影響下，《尚書正義》的注釋則以經典的政治倫理觀和傳注訓詁是否妥當的論證是尚。亦即義疏的論證大抵止於經傳注疏是否適切的探究，未有實踐規範人心的意志，與宋代注釋以教化為目的的旨趣殊異。《尚書正義》致力於公正貼切的注疏性格是其作為《尚書》注釋的價值之一。

《尚書正義》作為《尚書》注疏而有以上的價值，然則《尚書正義》更具有意義的是中國思想史的史料價值和中國人思考方式的揭示。關於後者，吉川幸次郎強調中國人嗜好直觀式的表現而不喜詳細記述思考的過程，但是《尚書正義》致力於細密甚至煩瑣的展開論證，是中國經典注疏所罕見的著述。中國人尊崇經典，於經典的注釋極少與經義無關的論述。雖然如此，《尚書正義》煩瑣的論證或有其特殊的意義。其一，《尚書正義》之所以詳細記述義疏的思索過程，乃在於「如何思考」之思惟方式的揭示。中國思想的精彩不是「思想的內容」而是「如何思考」，但是直觀式的表述卻難以考察說明「如何思考」，而《尚書正義》的論證則提示頗多「如何思考」的資料。其二，《尚書正義》探索經傳思考的過程，明確分析言語所表述的心理，即說明如何記述經傳製作或編纂者如何思考之思想和言語的關係。此為中國文化最根本的所在。蓋中國言語與思考有先天和後天性的間隔，中國人雖嗜好直觀式的表現，而思考方式則未必一致，詩文的表現更重視技巧，言語和思想的間隔雖是中國文化的制約，卻是思索中國文化的根本的問題。《尚書正義》深層探究中國文化的根本問題，數百年討論的結果，深入探尋經傳著述心理與其潛在意識。就此意義而言，《尚書正義》不僅對《尚書》研究者有所助益，對中國文化研究者也具有非凡的意義。[11]

《尚書正義》之所以具有意義的是中國思想史的史料價值，吉川幸次郎強調漢代以後的思惟大抵以經典為規範，而甚少超離經義的範疇，然則歷代的經傳訓詁除了經典原義的探究以外，也添加對經典的時代的理解，故具有思想的史料價值。《尚書正義》亦然。唯《尚書正義》之異於其他注疏的是眾議歸結而非個人的專著，以研討論辨的累積，力求符應經傳的原義，即使有未必能與經義一致的所在，卻是折衷融合而認同共識的注疏性格是中世世風的具現。多年議論的累積而取得的認同，又有超越中世的制約，具有普遍性的性格，異於宋代以後，以個人思索主體而歸趨於理想主義的思潮。如對堯舜的評價，《尚書・堯典》「帝曰往欽哉……九載績用弗成」，《尚書孔氏傳》「鯀至用之……載年至退之」的《尚書正義》注疏：

> 馬融云堯以大聖，知時運當然，人力所不能治……水為大災，天之常運……災以運來，時不可距。

《尚書・大禹謨》「負罪引慝」，《尚書孔氏傳》「慝惡至頑父」

11　見〈《尚書正義》譯者の序〉，《吉川幸次郎全集》第八卷，東京：筑摩書房，1970 年 3 月，頁 11-13。

的《尚書正義》注疏：

> 言能以至誠感頑父者，言感使當時暫以順耳，不能使每事信順，變為善人……下愚之性，終不可改。但舜善養之，使不至于姦惡而已。

《尚書正義》綜輯諸說，以為堯舜並非全知全能的存在。堯不能治水，舜對頑父的感化只是一時性的，此皆時運之所致。唯堯舜知己所不能者，與時運不濟，命運使然的定限，故為聖人。此一思惟與視堯舜為絕對性存在的思想有別，而近似於如《三國演義》和《水滸傳》所描述的劉備和宋江的英雄形象，即英雄不能改變命運，只能安之若命而協調順遂的世俗思想。吉川幸次郎稱之為「決定的運命論」（天生命定論），是中世思想的具現。[12]再者，一般以為〈禹貢〉是中國最古記載地理的文獻，為中國古代史學者所重視，然對《尚書正義》的解釋不符〈禹貢〉載記的地理實情而甚有非議。但是吉川幸次郎主張〈禹貢正義〉的主旨不在於地理的考證訓詁，而是中世所展開的論理架構。意即〈禹貢正義〉是經學文獻而非地理

---

12 吉川幸次郎說明《尚書正義》的價值和體現中世思想的論述，見〈《尚書正義》譯者の序〉，《吉川幸次郎全集》第八卷，東京：筑摩書房，1970 年 3 月，頁 4-11。又吉川幸次郎於《吉川幸次郎全集第十卷・自跋》主張中世「決定的運命論」（絕對性命運論）的思想，於〈中國文學に現れた人生觀〉（《吉川幸次郎全集》第一卷，東京：筑摩書房，1968 年 11 月，頁 105-111）強調中國中世文學頗多記述人生的不安限定和人是微小存在的詩文，所呈現的是悲觀傾向的人生觀。蓋能理解吉川幸次郎對中國中世思潮的立場。

文獻，立意於形成論理的完成，比〈禹貢〉經文更能汲取中國人的真實精神。就此意義而言，探究《尚書正義》於中國文明史上的意義是吉川幸次郎考校譯注《尚書正義》的宗尚所在。其於《尚書正義定本・序》說：「難義紛設，類羊腸之宛轉。賓實屢核，辯毫髮於機微。辭曲折而後通，義上下而彌鍊，匪惟經詁之康莊，實名理之佳境。」即《尚書正義》的記述複雜曲折，乃細微分析注疏言語的內在涵義，探究《尚書正義》所演繹的論理世界。又在《全集第八卷・自跋》強調其所尊重的不是《尚書》文本，而是《尚書正義》，故致力於《尚書正義》的校定。不探索孔穎達的演繹究竟是否合於經書的原意，旨在辨彰七世紀中國人言語表達的方法和思考方式。[13]至於《尚書正義》所表述的論理，吉川幸次郎以為是愚者惡人存在，且絕對無法救濟之「決定的運命論」（天生命定論）思惟，而異乎中國傳統人性本善的人性論。亦即《尚書正義》雖是《尚書》經傳的義疏，卻也反映六朝至唐初人為命運所支配，有極多限定的思惟方式。換句話說，《尚書正義》所提示的天生命定論，即人間世界既有絕對善良，全知全能的聖人，也有無救濟可能之絕對愚者惡人的存在。

天生命定的言說，首見於《論語・陽貨》的「子曰，惟上智與下愚不移」，最上的智者與最下的愚者的性格是天生不變的。至於前一章「性相近，習相遠」所指涉的是〈雍也〉「中人以上，可以

---

13 《吉川幸次郎全集》第八卷，東京：筑摩書房，1970 年 3 月，頁 505。有關吉川幸次郎《尚書正義》於中世人性論的主張，張寶三《唐代經學及日本近代京都學派中國學論集》〈日本近代京都學派對注疏之研究〉論述有之。（臺北：里仁書局，1998 年 4 月，頁 224-253。）

語上，中人以下，不可語上也」的「中人」，即「中人」或有變化氣質，人文化成的可能。至於「中人以下」的愚者就無救濟的可能。接續此一思想的是班固。《漢書・古今人表》分先秦人物為九等，上上聖人，上中仁人，上下智人，下下愚人，並引述《論語・季氏》「生而知之者，上也。學而知之者，次也。困而知之者，又其次也。困而不學，民斯為下矣」，說明「可與為善，不可與為惡，是謂上智。……可與為惡，不可與為善，是謂下愚。……可與為善，可與為惡，是謂中人」，即上智與下愚並存於人間世的載記。然而《尚書正義》則徹底的突顯聖愚的性格差異。〈無逸〉「周公作無逸」，《尚書孔氏傳》訓詁為「中人之性好逸豫，故戒以無逸。」《尚書正義》則曰：

> 上智不肯為非，下愚戒之無益。中人之性，可上可下，不能勉強，多好逸豫，故周公作書以戒之，使無逸。此雖指戒成王，以為人之大法。成王以聖賢輔之，當在中人以上，其實本性亦中人耳。

「中人」即一般的凡人，或有變化的可能。上智聖人不胡作非為，不必戒。下愚無可匡濟，天生命定，戒之無益。又〈多方〉「惟聖罔念作狂，惟狂克念作聖」，意謂聖人與狂者以其存心而有墮落或向上的可能。《尚書孔氏傳》訓詁為：

> 惟聖人無念於善則為狂人，惟狂人能念於善則為聖人。言桀紂非實狂愚，以不念善，故滅亡。

平易的說明經義，無論聖愚皆有變化性格的可能。然而《尚書正義》的演繹則異於經傳之義。

> 聖者，上智之名。狂者，下愚之稱。孔子曰惟惟上智與下愚不移。是聖必不可為狂，狂必不能為聖，此事決矣。而此言惟聖人無念於善則為狂人，惟狂人能念於善則為聖人者，方言天須暇於紂，冀其改悔。說有此理爾，不言此事是實也。謂之為聖，寧肯無念於善，已名為狂，豈能念善。中人念與不念，其實少有所移。欲見念善有益，故舉狂聖極善惡者言之。

「聖必不可為狂，狂必不能為聖」是天生命定論，「謂之為聖，寧肯無念於善，已名為狂，豈能念善」，則強調上智聖人與下愚狂者的兩極差異。至於經傳所謂「無念於善」與「狂人能念於善」則有墮落或遷善之可能的論述，是曲解人間存在的實情。就此意義而言，上智與下愚是天賦氣質與習性而不可變易，乃《尚書正義》的哲學。

肯定上智聖賢之絕對善人存在與凡人皆有成聖的可能是中國思想的傳統，聖人是全知全能之神格存在，乃古今不變的通則，愚惡之人亦有遷善向上可能的性善根源。前者如《尚書・大禹謨》載記益贊揚堯的言辭，「都帝德廣運，乃聖乃神，乃武乃文」，即是傳統思惟的言說。後者如《尚書・多方》之「惟狂克念作聖」，即根據《孟子・告子下》「人人皆可以為堯舜」，肯定變化氣質之無限可能性。《尚書正義》卻主張愚者惡人之無法救濟的絕對性。如《尚書・堯典》敘述舜感化父母兄弟而遷善，說「克諧以孝，烝烝乂，不格姦」。《尚書孔氏傳》平易訓詁經文，曰「諧和，烝進也，言能以至孝和諧頑嚚昏傲，使進進以善自治，不至於姦惡」。《尚書正義》的解釋則異於經傳之義。

> 此美舜能養之。言舜能和之以至孝之行，和頑嚚昏傲，使進進於善道，以善自治，不至于姦惡。以下愚難變，化令慕善，是舜之美行，故以此對堯。孟子及史記稱……舜之大孝……三惡尚謀殺舜，為姦之大，莫甚於此。而言不至姦者，此三人性實下愚……久被刑戮，猶有心殺舜，餘事何所不為。舜以權謀自免厄難，使無瞽殺子之愆，象無害兄之罪，不至於姦惡。

舜之父母兄弟皆下愚，即使舜有聖德也不能感化惡人的本性，只能以其知能而避免迫害，令父母兄弟三人不至於犯法，背負殺子害兄的惡名。亦即強調下愚之人無遷善改過的可能。〈大禹謨〉記述益對禹敘述舜的孝行，「帝初于歷山，往于田。日號泣于旻天于父母。負罪引慝，祇載見瞽瞍，夔夔齋慄，瞽亦允若。」意謂舜至孝而感化其父而遷善。《尚書孔氏傳》符應經意，稱舜「初耕于歷山之時，為父母所疾，日號泣于旻天及父母。克己自責，不責於人。……舜負罪引惡，敬以事見于父，悚懼齋莊。父亦信順之，言能以至誠感頑父。」《尚書正義》則不從經傳之義，而演繹為：

> 父亦信順之者，謂當以事見之時，順帝意不悖怒也。言能以至誠感頑父者，言感使當時暫以順耳，不能使每事信順，變為善人。故孟子說舜既被堯徵用，堯妻之二女。瞽瞍猶與象

> 欲謀殺舜，而分其財物。是下愚之性，終不可改。但舜善養之，使不至於姦惡而已。

「下愚之性，終不可改」，即人間世界有無救濟可能的存在。此絕對愚惡存在的思想既有違中國傳統思想的通則，亦不同於宋學所強調儒家「人皆可以為堯舜」的性善傳承。救濟不能之「下愚」存在所指涉的是凡人皆有定限的思想。《尚書正義》進而主張即使是上智聖人亦有不能解決的先天限制。雖〈大禹謨〉所謂「乃聖乃神，乃武乃文」的堯舜禹也未必是全知全能。即聖人上智也未必能使絕對的下愚徹底的改過遷善。〈大禹謨〉雖推崇舜「至諴感神」，但《尚書正義》則主張：

> 天以玄遠難感，瞽以頑愚難感。……天神事與人隔，感天難於感瞽，故舉難者以況之。其實天與瞽俱言難感。

聖人於天所賦與的命運或性格，存在著無可改動的定限。聖人是人的典型的存在，人於天命就存在著無可回天的限制。〈金縢〉「若爾三王，是有丕子之責于天，以旦代某之身」，記載武王疾病，周公禱祝於天，欲以自己的壽命為其兄延命。《尚書孔氏傳》解釋經意，曰「死生有命，不可請代。聖人敘臣子之心，以垂世教。」死生有命固不可請代，周公祈禱蓋順應民意的行為。《尚書正義》衍伸經傳之義，說：

> 今請代者，聖人敘臣子之心，以垂世教耳，非謂可代得也。鄭玄弟子趙商問玄曰若武王未終，疾固當，信命之終，雖請

> 不得，自古已來，何患不為。玄答曰君父疾病方困，忠臣孝子不忍……欲為之請命。周公達於此禮，著在尚書。若君父之病，不為請命，豈忠孝之志也。然則命有定分，非可代死。周公為此者，自申臣子之心，非謂死實可代。自古不廢。亦有其人，但不見爾，未必周公獨為之。

引述鄭玄與趙商師弟的問答，說明臣子為君主乞命延壽是一種禮儀，未有實效。周公上智全能，知人為命運所支配而無可奈何。然中人以下的臣民則未可知，而欲乞命為武王延壽。周公洞察臣民的心情，順應民心而行禮如儀，以與臣民調和，故周公可謂是全能的智者。就此意義而言，《尚書正義》所強調的是聖賢不得延年是既定的事實，乃人存在的定限。此一思惟異乎《尚書》經傳的主張。如〈無逸〉記載周公告誡成王無逸以治國，曰：

> 昔在殷王中宗嚴恭寅，畏天命，自程。治民祇懼，不敢荒寧。肆中宗之享國，七十七年。……自時厥後立王，生則逸。生則逸，不知稼穡之艱難，不聞小人之勞，惟耽樂之從。自時厥後，亦罔或克壽，或十年，或七八年，或五六年，或三四年。

壽命的長短雖天所定，以人的存心安逸與否而有差異。〈召誥〉亦曰：「若生子，罔不在厥初生，自貽哲命。今天其命哲，命吉凶，命歷年。」哲者智也，智愚吉凶與生存年數雖似天定，實則要在人的存心，乃《尚書》經義。《尚書孔氏傳》詳細訓解為：

> 始服行教化，當如子之初生。習為善則善矣。自遺智命，無不在其初生。為政之道亦猶是。今天制此三命，惟人所修。修敬德則有智，則常吉，則歷年。為不敬德，則愚凶不長。雖說之，其實在人。

天制三命而智愚吉凶長短，則取決於人之修德與否。《尚書正義》謂智愚吉凶長短「三者雖以託天說之，其實行之在人。人行之有善惡，天隨以善惡授之耳。此是立教誘人之辭，不可以賢智夭枉為難也」。所謂天制三命的智愚吉凶長短攸關於人之修德的言說，是垂教作訓，其實聖賢上智之夭折則是不可倖免的事實。故〈洪範〉以「凶短折」為「六極」之首。就此意義而言，人間社會存在著定限的思惟是《尚書正義》所反映六朝唐初的時代精神。

綜上所述，《尚書正義》雖是《尚書》經傳的義疏，卻也反映六朝至唐初人為命運所支配，有極多限定的思惟方式。換句話說，《尚書正義》所提示的天生命定論，即人間世界既有絕對善良，全知全能的聖人，也有無救濟可能之絕對愚者惡人的存在。故吉川幸次郎強調《尚書正義》是中國中世人文精神史的重要史料。[14]

四、《尚書正義定本》的定位

吉川幸次郎以為刊本流傳千載，或宋人以下改字解經，或文字

---

[14] 吉川幸次郎強調《尚書正義》反映中國中世人文精神的說明，見於《吉川幸次郎全集第十卷・自跋》，東京：筑摩書房，1970 年 10 月，頁 465-479。

形近而訛，或板刻脫衍誤謬，未必符合經傳注疏的原貌。前賢雖有校定，如清初浦鏜《十三經注疏正字》，山井鼎《七經孟子考文》，盧文弨《尚書注疏校正》，阮元《十三經注疏校勘記》等成果卓著，[15]卻依然有所不備。或資料不足，如阮元所據大抵為宋代以後的刊本，山井鼎則旁徵日本足利學校古寫本而已。二者的校勘亦僅止於刊本異同的羅列，至於文字的校定，也未充分運用清朝小學的成果。[16]乃以「寰宇孤本」即日本僅存的足利古寫本和南宋刊本的「秘閣單疏」為底本，參核唐石經拓本、薛氏季宣書古文訓通志堂經解本兩種單經本，敦煌本、西域本、岩崎本、九條本、神田本、雲窗叢刻本、內野本、神宮本、足利本、觀智院本、古梓堂本、中原康隆手鈔本、余仁仲本、岳本、王朋甫本、纂圖互注本、清原宣賢手鈔本、慶長活字本等十八種經傳本，單疏本一種，八行本、景八行本兩種經注疏本，九行本、十行本、金本、永樂本、閩本、監本、毛本、殿本、阮本等九種經注疏附譯音本，浦鏜《十三經注疏正字》，山井鼎《七經孟子考文》，盧文弨《尚書注疏校正》，江聲《尚書注音疏》、王鳴盛《尚書後案》、段玉裁《古文尚書撰異》、阮元《尚書注疏校勘記》等七種近儒校注本。於昭和 10 年（1935）4 月，與東方文化研究所的同事，關西地區經學研究的共學適道十數人咸集，校定《尚書正義》。「乃其器之既利，復其事之盡善，

---

15 前人校定《尚書》的記載，見於吉川幸次郎〈尚書正義解題〉，同前注，頁 21。

16 吉川幸次郎於〈毛詩正義校定資料解說〉指出阮元《十三經注疏校勘錄》等前人校勘有資料之不備，語言學之知識不足，校訂內容僅止於異同的羅列而已。《吉川幸次郎全集》第十卷，東京：筑摩書房，1970 年 10 月，頁 448-449。

至理無二，必衷一是於參差，獨見恐違，咸騁同僚之討論，剋期開筵，此往而彼復，執經問難，相對而若讐，雖一字之未圓，如恫瘝之在身，苟片義之有滯，輒發憤而忘食，遂使回穴，悉就檃栝，顏曰定本，非誇稱也」[17]，考校諸本的異同，判定最符合孔穎達《尚書正義》原形的所在，至於諸本文字異同難以判別時，則探尋文章脈絡，考究內在涵義，推定孔穎達《尚書正義》的原貌，以作成具有旁搜博引的實證性，且取捨判別正確而最能信賴的文本。吉川幸次郎自負的說：《尚書正義定本》的出版，阮元《十三經注疏校勘記》便成為無用之書。[18]阮元與吉川幸次郎之校勘，於《尚書》經傳注疏或校或不校，各有詳略，茲舉二者於《尚書》經傳注疏皆有校正的所在，以議論其優劣得失，探究《尚書正義定本》如何彌補前人之不備，進而考察《尚書正義定本》於《尚書》校勘的畢竟。

〈序〉

「序者言序述尚書起訖存亡註說之由」（吉川幸次郎）「言序述尚書起」（阮元）

吉川幸次郎（以下簡稱吉川）：記字十行本[19]無，殿本、浦氏[20]改作

---

[17] 吉川幸次郎〈尚書正義定本序〉，《尚書正義定本》第一冊，東洋文化研究所經學文學研究室，東方文化研究所報告第十四冊，昭和 14（1939 年）刊行。《吉川幸次郎全集》第八卷，頁 23-24 亦收錄有之。

[18] 吉川幸次郎〈外國研究の意義と方法〉，《文明のかたち》，東京：講談社，1970 年 7 月，頁 256。

[19] 十行本者，宋刊明修經注疏附釋音本，每半頁十行，吉川幸次郎校勘所用者，一為京都小川氏所藏、一為京都本田氏所藏。

[20] 浦氏者，浦鏜十三經注疏正文，四庫全書珍本初集本。

訖。

阮元：閩本、明監本[21]同，宋本起下有記字，浦鏜云記疑訖字誤。按訖字是也。

筆者案（以下簡稱「案」）：二者標目（吉川稱為「標題」）有異，吉川引日本舊藏本，阮元引中國傳本校正，亦不同，唯引浦鏜之說而論斷則同。

「案左傳止有三墳五典」

吉川：八行本[22]如此，各本止誤上。

阮元：宋本上作止，是也。

案：二者同，唯吉川引日本舊藏本增補阮氏之說。

「案周禮小史職掌」（吉川）「案周禮小史職掌三皇五帝之書」（阮元）

吉川：小當作外，下同。

阮元：浦鏜云外誤小。是也，下同。

案：二者同。吉川蓋從阮氏之說而未注記。

「又云五帝坐」

吉川：坐字下皆從广。

阮元：案坐當作座。

案：二者同。吉川蓋從阮氏之說而未注記。

「此索於左傳亦或謂之素」

---

21 閩本者，明嘉靖中福建刊經注疏附釋音本。明監本者，萬曆十五年國子監刊經注疏附釋音本。

22 八行本者，經注疏本，宋兩浙東路茶鹽司刊本，每半頁八行。足利學校遺蹟圖書館所藏，即山井氏（鼎）考文所謂宋板也。有弘化四年熊本細川氏景刊本，今就原書重校。

吉川：八行本如此，各本素誤作索。

阮元：宋本下索字作素。按素字是也。

案：二者同，唯吉川引日本舊藏本增補阮氏之說。

「穀梁以為魯襄公二十二年冬十二月庚子孔子生」

吉川：阮元氏云浦鏜云十月誤十一月，許宗彥曰公羊釋文云一本作十一月，則穀梁亦有作十一月者。

阮元：浦鏜云十月誤十一月，許宗彥曰公羊釋文云一本作十一月，則穀梁亦有作十一月者。

案：吉川引述阮氏之說。

「別云述之」（吉川）「別云述之以為除九印」（阮元）

吉川：浦氏云之疑者字誤。

阮元：浦鏜云之疑者字誤。

案：二者同引浦氏之說。

「更有書以述之」

吉川：更上，殿本浦氏補非字。

阮元：浦鏜云更上疑脫非字。

案：二者同引浦氏之說。

「悉詣守尉雜燒之」

吉川：八行本如此，與史記合。單疏本、十行本雜誤親。

阮元：宋本、監本親作雜，是也。

案：二者文異而義同，唯吉川引日本舊藏本增補阮氏之說。

「其後兵火起流」

吉川：八行本火作大，流下擠入亡字，亦依史記。

阮元：案流下當有亡字。

案：二者文異而義同，唯吉川引日本舊藏本增補阮氏之說。

「宣帝泰和元年」

吉川：宋本、閩本同，毛本泰和作本始。案所改是也。

阮元：泰和監本改作本始。是也。

案：二者同。

「即詔丞相劉屈氂發三輔兵討之」

吉川：氂王制疏與此同，漢書作犛。

阮元：閩本同，明監本、毛本氂作犛。按氂字非也。

案：二者異。吉川指出經史文字異同，阮元引述各本異同而加論斷。

「奔湖關自殺」

吉川：湖關據證漢書當作湖，阮元云作湖關者，殆因壺關而誤。案王制疏引漢書壺關老人上書，誤作湖關，亦此類。

阮元：宋本、明監本、閩本同，毛本關作遂。山井鼎曰作遂，似是。按湖地名也，作湖關者，殆因壺關而誤。

案：吉川引阮氏說而論斷。

〈堯典〉

「購募遺典」（吉川）「購慕遺典」（阮元）

吉川：募單疏本誤作慕。

阮元：宋本、閩本、明監本慕作募。

案：二者標目有異，又吉川有論斷。

「能順考古道而行之者帝堯」

吉川：內野本、神宮本、足利本[23]能上有言字。

---

23 三本皆經傳本之鈔本，內野本者，舊為東京內野氏所藏，今歸靜嘉堂文

阮元：古本能上有言字，堯下有也字。

案：吉川引日本舊藏本增補阮氏之說。

「敬授人時」

吉川：人內野本、神宮本、足利本作民，注同。

阮元：古本人作民，注同。以前引此句，未有不作民者，疏云敬授下人，以天時之早晚，下人猶下民也。知孔疏所據之本猶作民字，後人因疏作人，并經傳改之。自開成石經以後，沿譌至今。舜典食哉惟時，傳曰惟當敬授民時，此未經改竄者。

案：吉川引日本舊藏本增補阮氏之說，然阮氏詳於校勘。

「世掌天地四時之官」

吉川：內野本、神宮本無四時二字，史記集解引亦無。阮元云案疏意似亦無此二字。

阮元：史記集解無四時二字，案疏意似亦無此二字。

案：吉川引述阮氏之說，又引日本舊藏本增補阮氏之說。

「據世掌之父」

吉川：據八行本作是，恐非。

阮元：宋本據作是。

案：二者同而吉川有論斷。

「皆云火掌為地」

吉川：掌當為當，地當為北，皆字之譌也。詩檜譜正義所引鄭志不

庫，首尾完具，有元亨壬戌沙門素慶跋。神宮本者，神宮文庫所藏，闕卷三、卷四及卷十一周官司徒掌邦教至卷十二，有正和三年清原長隆跋。足利本者，足利學校遺蹟圖書館所藏，輒山井鼎氏考文所謂古本也，首尾完具。

誤。袁氏鈞鄭氏佚書說同。

阮元：按詩檜風正義引鄭志作火當為地。

案：二者異。

「而日從谷之出也」

吉川：之監本改作以。阮元云之字似誤。

阮元：宋本、閩本、纂傳並同，毛本之作以。

案：吉川引阮氏說，然所引文字有異。

「助成物也」

吉川：物上內野本、神宮本、足利本有萬字。

阮元：古本作助成萬物也。宋本、岳本作助成物也。

案：吉川引日本舊藏本增補阮氏之說。

「互者明也」

吉川：者監本作著。

阮元：岳本者作著。案著字是也。閩本亦誤作者。

案：二者同，阮元有論斷。

「毛更生整理」

吉川：毛下內野本、神宮本、足利本有羽字。

阮元：古本毛下有羽。

案：吉川引日本舊藏本增補阮氏之說。

「北稱朔則南稱明」

吉川：則八行本作都，屬上句，與各本不同。案疏云經冬言幽都，夏當云明都，傳不言都者，從可知也。校者或誤讀疏文，謂傳幽下亦當有都字，輒改之。

阮元：宋本則作都，按則字非也。

案：二者同，然吉川詳於校勘。

「有能治者將使之」

吉川：之內野本、神宮本、足利本作治也二字。

阮元：古本作有能治者將使治也。

案：吉川引日本舊藏本增補阮氏之說。

「傳异已，已退也。」

吉川：十行本如此，單疏闕此葉，八行本作异已至乃退，恐非。

阮元：古本作异已也，已退也。宋板、岳本、史記正義俱作异已也，已退也。纂傳與今本同。按今本之誤甚明，纂傳疑後人妄改。

案：二者文雖異而義同，唯阮氏論斷，義比明晰。

「無成乃退」

吉川：內野本、神宮本、足利本成下有功字。

阮元：古本作無成功乃退。

案：吉川引日本舊藏本增補阮氏之說。

「否古今不字」

吉川：浦氏云當否不古今字之誤。

阮元：浦鏜云當作否，不古今字。盧文弨云當作否古文不字。按浦義為長，此釋傳否不也，又前疏云孳字古今同耳，亦此例。

案：二者同，然阮氏詳於校勘。

「孔據古今別卷」

吉川：盧氏云今字當作文。

阮元：按今字當作文。

案：二者同。唯依吉川所述，知阮氏論斷蓋從盧文弨之說。

「故傳倒文以曉人」

吉川：各本人作民，今從單疏。

阮元：浦鏜云民恐明誤，當屬下句。

案：二者異。

〈舜典〉

「吳時王蕃」

吉川：蕃單疏本、八行本、十行本皆作藩，今正。

阮元：毛本藩作蕃。是也。

案：二者同。吉川引日本舊藏本增補阮氏之說。

「今在太史書矣」

吉川：盧氏云書當作署。

阮元：盧文弨云書當作署。按當作臺。

案：二者異。

「各使陳進治理之言」

吉川：理字八行、十行作體，毛氏居正六經正誤曰正義云各使自陳進治化之言，監本作治理之言，誤。興國軍本作治理。案今所見岳本、纂圖互注本[24]皆作治理，與興國軍本合。內野本、神宮本作治化，似亦通。

阮元：古本、閩本、明監本、興國本禮作理，毛本亦作理。案正義各使自陳進治化之言，是作禮者誤也。

案：二者有異，吉川引日本舊藏本增補阮氏之說，而阮氏有論斷。

「每州之名山殊大之」（吉川）「每州之名山殊大者」（阮元）

吉川：下之字，各本作者。今據內野本、神宮本、足利本正。阮氏

---

24 二本皆經傳本，岳本者，宋相臺岳氏荊谿書塾刊本。纂圖互注本者宋刊本，每半頁十行，吳興劉氏嘉業堂所藏。

云疏特舉其名，是殊大之，為是。

阮元：古本者作之。按疏特舉其名，是殊大之也。則作之為是。

案：二者標目有異，吉川或從阮氏說而改標目，又於校正，吉川亦引述阮氏之說。

「流共工于幽州」（吉川）「「流共工于幽洲」（阮元）

吉川：州各本作洲，今正。阮氏云觀孔疏，直以十二州之幽州釋之，則孔氏所據之經作州。

阮元：按說文無洲字，水中之地，本只作州，後人加水，相沿已久，惟此句付加作洲。觀觀孔疏，直以十二州之幽州釋之，則孔氏所據之經作州，與孟子同。若作洲則似別有一地名為幽洲矣。孔傳云水中可居者曰州。此蓋釋洲字之義，顧不於肇有十二州釋之，於此亦不可解。

案：二者標目有異，吉川或從阮氏說而改標目，又於校正，吉川亦引述阮氏之說。

「比鞭為重」（吉川）「此鞭為」（阮元）

吉川：比單疏誤作此。

阮元：毛本作比，為下有重字，是也。

案：二者標目有異，吉川或從阮氏說而改標目，二者於校正無大差異。

「禹代縣為崇伯入為天子司空」（吉川）「禹代縣為宗伯」（阮元）

吉川：神宮本重崇伯二字，內野本不重寫者，偶脫耳。

阮元：岳本宗作崇，是也。閩本亦誤。

案：二者標目異，校正亦有不同。

「帝曰棄」

吉川無校正。

阮元：棄唐石經作弃，後並同。

「言無教之致」（吉川）「言無教所致」（阮元）

吉川：之注疏本作所，與疏標題不合，今據岳本、內野本、神宮本、足利本正。

阮元：古本作無教之致，岳本作無教之致。

案：二者標目異，阮氏但述各本異同，而吉川有論斷。

「士即周禮司寇之屬有士師卿士等」（吉川）「有士師卿士等」（阮元）

吉川：卿殿本浦氏改作鄉，是也。

阮元：浦鏜云鄉誤作卿。

案：二者同引浦氏之說。

「言皋陶能明信五刑」（吉川）「攱傳言皋陶能明信五刑」（阮元）

吉川無校正。

阮元：宋版攱改作故。按攱非也。

案：二者標目異。

「知垂所讓四人皆在元凱之中者」（吉川）「知垂所讓四人」（阮元）

吉川：殿本垂下增益字。

阮元：按垂下脫益字。

案：二者文異而義同。

「謂元子以下至卿大夫子弟」

吉川：內野本、神宮本、足利本謂上有子字，元作天。

阮元：古本上有子字，元作天，弟下有也字。按釋文王云冑子國子也。馬云冑長也，教長天下之子弟。如馬說則教冑二字連文，子字單出，謂教長此子也。如王氏說則教字單出，冑子二字連文，謂教此國子也。……

案：阮元校勘極其詳細，吉川引日本舊藏本增補阮氏之說。

「舜薦禹於天子十七年」

吉川：子十監本改作十有，與大禹謨疏合。

阮元：毛本作十有，是也。閩本亦誤。

案：二者同。

〈大禹謨〉

「天下安」（吉川）「天下安寧」（阮元）

吉川：岳本纂圖互注本、內野本、神宮本如此，注疏本安下衍寧字。

阮元：古本寧下有也字，岳本無寧字。按岳本與疏合。

案：二者標目異而校正所在相同者，其所見無別。

「傳攸所至下安」

吉川：八行本安下衍寧字。

阮元：安下宋板有寧字，山井鼎曰當作攸所至下安寧。按今本正與岳本傳合。

案：二者文異而義同。

「儆戒無虞」

吉川：儆內野本、神宮本作敬。

阮元：按朱子曰儆與警同，古文作敬，開元改今文。

案：二者文異而義無別，吉川引日本舊藏本增補阮氏之說，然阮氏詳細敘述改字原委。

「民皆合於大中之道」（吉川）「民皆命於大中之道」（阮元）

吉川：內野本、神宮本無之道二字。

阮元：毛本命作合，是也。

案：二者標目有異，吉川或從阮氏之說而改標目，又引日本舊藏本增補阮氏之說。

「帝曰來禹」（吉川）「帝曰來禹降水儆予」（阮元）

吉川無校正。

阮元：石經考文提要云坊本作洚水，沿蔡沈傳云洚水洪水也，古文作降，而纂傳引朱子則曰降水洪水也，古文作洚，與蔡傳相反。蓋蔡氏同師說而誤倒其文也。薛氏古文訓正作洚。

案：標目有異，阮氏校正詳細。

「奉行帝之事故」

吉川：浦氏云事故二字誤倒

阮元：浦鏜云故事誤倒。

案：二者同引浦氏之說。

「言民叛天災之」

吉川：叛下敦煌本、內野本、神宮本、足利本有之字。

阮元：古本叛下有之字。

案：吉川引日本舊藏本增補阮氏之說。

「覆動上天」

吉川：阮氏引許氏宗彥云當作覆上動天。

阮元：許宗彥云當作覆上動天。

案：吉川引述阮氏之說。

「佞人亂真」

吉川：真內野本、神宮本、足利本俱作德。注云或本作政。案阮氏云德古作悳，與真相似，今本殆因此而誤。

阮元：古本真作德。按德古作悳，形近之譌。

案：吉川引述阮氏之說，又引日本舊藏本增補阮氏之說。

「亦言其人有德」

吉川：阮氏云唐石經無人字，與史記夏本紀同。案內野本、神宮本亦無。

阮元：唐石經無人字，與史記夏本紀同。按石經元刻有人字元度覆定，乃刪人重刻。今注疏本則沿襲別本也。唐石經摩去重刻者，多同於今，此獨異於今本也。

案：吉川引述阮氏之說，又引日本舊藏本增補阮氏之說。然阮氏詳細敘述改字原委。

「必言其所某事某事以為驗」

吉川：內野本、神宮本上某字作其，下某字作由。案史記集解引孔安國曰言其人有德，必言其所行事，因事以為驗。

阮元：史記集解作言其所行事，因事以為驗。

案：吉川蓋從阮氏之說而未注記。唯吉川引日本舊藏本校勘。

「翕合也」

吉川無校正。

阮元：毛本作合，是也，閩本亦誤。

「自我五禮五庸哉」（吉川）「自我五禮有庸哉」（阮元）

吉川：下五字各本作有，今從內野本、神宮本、足利本。阮氏云案疏云上言五惇，此言五庸，疑孔氏所見本亦作五庸。

阮元：古本有作五。按疏云上言五惇，此言五，疑孔氏所見本亦作五庸，與馬本同。按古本多竊釋文正義為之，此其證也。

案：二者標目有異，吉川或從阮氏之說而改標目，又引日本舊藏本增補阮氏之說。然阮氏阮氏詳細敘述改字原委。

「鄭玄以為并上之禮」

吉川：浦氏云之當典之誤。

阮元：浦鏜云之當典之誤。

案：二者同引浦氏之說。

「徒亦贊奏上古行事而言之」

吉川：八行本脫而字。

阮元：宋板無而字。

案：二者文異而義同。

〈益稷〉

「因皐陶謀九德」（吉川）「因皐陶謨九德」（阮元）

吉川：謀內野本、神宮本、足利本作謨。

阮元：宋板岳本作謀，毛本作謨，纂傳亦是謨。

案：二者標目有異，吉川或從阮氏之說而改標目，又引日本舊藏本增補阮氏之說。阮氏記述各本異同。

「開通道路以治水」（吉川）「開通道路以治水也」（阮元）

吉川：水下各本有也字，與疏標題不合，今刪。

阮元：古本也上有之字。山井鼎曰崇禎本也字細書，與釋文混，非也。案監本誤，同毛本亦然。

案：二者標目有異，吉川或從阮氏之說而改標目，有論斷。阮氏記述各本異同，又作論斷。

「順命以待帝志」

吉川：命上八行本衍天字。

阮元：古本、宋版命上有天字。

案：二者同。

「言神人洽」（吉川）「言神人治」（阮元）

吉川：洽八行本誤作治。

阮元：古本、岳本、宋版治作洽。

案：二者標目有異，吉川或從阮氏之說而改標目。阮氏記述各本異同。

「言天合奉正天命」

吉川：天合二字監本改作人君，是也。

阮元：宋板、閩本同。山井鼎曰不可解。按天合當作人君，明監本得之，毛本正誤政。

案：吉川蓋從阮氏之說而未注記。

檢尋吉川幸次郎與阮元於《尚書》卷一至卷五之經傳注疏皆有校正的所在，於「標目」有標目與校正之所在有異同。

- 標目有異，吉川分為二句，阮氏合而為一。
- 標目有異，阮元引述各本異同，吉川有論斷。
- 標目有異，吉川或從阮氏說而改標目，
- 標目有異，吉川或從阮氏之說而改標目，又引日本舊藏本增補阮氏之說。
- 標目與校正所在有異同。於校正所在同者，吉川引日本舊藏各本異同增補阮氏之說。
- 於校正內容，有二者同。
- 校正所在同者，其所見亦同。
- 校正引述雖異而義同。
- 同引前人，如浦鏜、孫志祖之說。
- 二者異。
- 校正所在不同。

- 校正所在有異有同。
- 校正所在有異同，於校正相同之所在，吉川引日本舊藏各本異同增補阮氏之說。

考察二者之優劣得失，則：

- 阮氏詳於校勘者。
- 阮氏有論斷。
- 阮氏記述各本異同。
- 阮氏記述各本異同，又作論斷。
- 阮氏引舊本與前人之說而敘述改字原委。
- 阮元無校正。
- 吉川無校正。
- 吉川引述阮氏之說。
- 吉川蓋從阮氏之說而未注記。
- 吉川詳於校勘者。
- 吉川引日本舊藏本增補阮氏之說。
- 吉川引日本舊藏各本異同增補阮氏之說。

吉川幸次郎以日本舊藏寰宇孤本之足利古寫本和南宋秘閣單疏本，唐石經拓本，敦煌本，明清刊本，增補阮元的校勘，唯比對二者於《尚書》經傳注疏皆有校訂的所在，其所謂「《尚書正義定本》問世，阮氏之校勘將成為無用之書」與否，則猶待商榷。

結語：吉川幸次郎論述《尚書正義》的觀點

《尚書正義》以《尚書孔氏傳》為底本，朱子以為《五經正義》中，《書》《易》最劣，清儒以《尚書孔氏傳》為偽書而嚴厲批判，但是吉川幸次郎主張《尚書正義》所選定的《尚書孔氏傳》雖是偽古文經，卻是現存最古的《尚書》注本，也是漢代《尚書》注釋的集大成。而具有以下的價值：

1，就經書解讀的立場而言，今日所見的馬融和鄭玄注疏只是斷簡殘篇，《尚書孔氏傳》的注釋雖有不合經意的所在，卻是取捨統合前人訓詁，現存最古的《尚書》注本。

2，至於《尚書孔氏傳》的訓詁之以言語解釋為起點，逐字解釋，甚少附加的言說而進行確實的注釋，則是中世注釋風尚的表徵。

3，再者，不牽強附會而匡正漢儒讖諱咒術的缺失，以致力於符合「經傳常訓」，可謂是最體得《尚書》性質的注本。

4，朱子以至清儒雖論證《尚書》為偽作，然宋代理學或以〈大禹謨〉的「人心惟危，道心惟微」作為立說的根據。〈胤征〉的「威克厥愛，允濟，愛克厥威，允罔功」為《李衛公問對》等兵書所議論。〈周官〉對後世的官制亦有深遠的影響。就此意義而言，《尚書孔氏傳》偽作經書二十五篇未必具有古代史料的價值，但作為中國思想史的文獻價值，則有重新貞定的必要。

至於孔穎達奉勅撰述《尚書正義》的論證雖煩瑣，卻是六朝以來議論駁辯而取得持平的傳疏，允為科考準據的經典注釋，或有不合經義的所在，卻是探究中國中世人文精神史的史料。吉川幸次郎強調《五經正義》是中世經傳義疏的集成，也是探究中世精神思想史的重要文獻。具有以下的價值。

1，《尚書正義》雖「孔穎達奉勅撰」，實則六朝以降四百多年，《尚書》講說積累甚富，至唐初孔穎達奉勅刪定而成。雖以《尚書孔氏傳》為底本，或有超脫傳注訓詁的所在，卻是折衷融合而取得認同，力求合理貼切，反映六朝以迄唐初的注釋風尚。

2，《尚書正義》的解釋未必有規範性的意思，六朝經學既排除前漢以經典作為政治原理的宗尚，也未必有宋代經學之道德實踐的嚴密規範。在此時代精神的影響下，《尚書正義》的注釋則以經典的政治倫理觀和傳注訓詁是否妥當的論證是尚。

3，《尚書正義》論理是愚者惡人存在，且絕對無法救濟之「決定的運命論」思惟，而異乎中國傳統人性本善的人性論。亦即《尚書正義》雖是《尚書》經傳的義疏，卻也反映六朝至唐初人為命運所支配，有極多限定的思惟方式。換句話說，《尚書正義》所提示的天生命定論，即人間世界既有絕對善良，全知全能的聖人，也有無救濟可能之絕對愚者惡人的存在，是中國中世人文精神史的重要史料。

對於《尚書正義》的校訂，檢尋吉川幸次郎與阮元於《尚書》卷一至卷五之經傳注疏皆有校正的所在，吉川幸次郎頗以日本所藏古鈔舊刊增補阮元的校勘，而「阮氏校勘將為無用」之說或有可議。其所謂前人考證有或資料不足，或僅止於刊本異同的羅列，於文字的校定未充分運用語言學的成果等缺失，乃考校諸本的異同，探尋文章脈絡，考究內在涵義，取得最接近《尚書正義》原貌的定本之所在，則必須對《尚書正義定本》進行通篇考察與檢證，乃能究明其所以，尚待今後詳細檢覈。

附錄

尙書正義定本序

尙書孔氏傳者。諒作於漢綱既絕之後。魏晉遞禪之日。覩其訓傳、多可理遣。尋厥旨趣、惟尙辭達。袪祕緯而就人情。寧平近而不曲碎。有望文之訓、無蓋闕之疑。尋彼渾灝。申其詰屈、若厥詁釋之所自。則綜衆流而擇善。既竊馬氏之緒帷。又掇鄭君之芳艸、生魄依國師之解。弗辟、應汝長之讀。字從隸古。義或涉今。周流變勖。罔迪不適。此乃墨守之博徒。濟通之英傑。殆爲漢詁之歸墟。而馴壁經之文理者乎。爾乃風靡江左。聿自枚氏。波及河朔、亦徵鄙生。箸唐代之功令。掩先儒而孤行。察厥本起。稽夫廢興。蓋有解義通暢。饜乎衆心。體例簡易、奪彼舊注者焉。惟其託名安國。同莊子之寓冒、增多僞篇。如優孟之衣冠、冡虎皮於羊質。混魚目於蛇珠、所以朱子疑之於前。閻君證之於後。然實馬與奔川同逝。鄭王共隤日皆沒、竊雅詁之奧義。玩帝王之大訓。非此莫梯。賡斯奚津。又夫僞經雖復贗造、擬千年之耳目。繫後代之懸聳、人心道心、標圭臬於理窟。威克愛克、滋聞對於兵家。周官基明皇之典。胤征聚曆家之訟。斯亦衆說之郛郭。學故之鈐鍵、循玆而談皇古則鄙、舍此而踰近代則漏。君子慍而知其善、愛而知其惡可也。唐儒孔君承詔作疏。據二劉之成業、吸六代之菁華。深而不蕪、鉤而能沈。愼步趨於漢苑、襃例甚嚴。闡奧窔於孔室、發揮乃勞。雖義紛殽、類羊腸之宛轉。賓實臚棖、辯毫氂於幾微、辭曲折而後通。義上下而彌鍊。匪惟經詁之康莊。寔亦名理之佳覽。孔疏五經、斯爲翹楚。文公雖云最下。恐冒之而未嘗。世儒止資涉獵。固淺之乎覩之。乃自永徽之後。晉豕漸寡。端拱之刻。魯魚猶泳。由此數本。彌出彌譌。爰暨近代。校者始盛。皇朝有山井鼎。赤縣有齊召南、浦鏜、盧文弨、阮元等。各勤掃葉。遂有積薪。然齊浦之時。舊本多伏。盧則未中。遏私見而屢失。山井與阮采獲稍備。博乃寡要。列異字而莫斷。欲使後生若爲去就。今者同人。愍其若斯。罄竭庸愚。成此定本。其校勘之例。徵引惟博。祕閣單疏。首邀海內之孤本。足利八行。復涉千里而重校。及乎明清公私之刻。乾嘉近賢之注。凡有異同。莫不畢綜。但以革車方邁。羽檄交流。瞿家金源之刻。尚隔目覩。滑宮九行之本。徒勞神往。罔羅所逮。惟斯爲恨。然皆單疏之裔。十行之倫。則所損益。其可知耳。乃其器之既利。復其事之盡善。至理無二。必衷一是。於參差獨見。恐違。咸將同僚之討論。刻期開筵。此往而彼復。執經問難。相對而若讎。雖一字之未圓。如恫瘝之在身。苟片義之有滯。颯發憤而忘食。遂使同穴。悉就櫽栝。額曰定本。非誇稱也。又今經傳。異孔所見。八行以下。檜兩相併。非合符之復析。詎衲鑿之能容。進退失據。多坐此焉。茲逢會昌之運、大同之世。國朝博士之所讀。李唐經生之所寫。出兩京之櫝。留在泰西之博物。傳眞蹟於工鏡。託副本於使船。雲集鱗比。咸萃精舍。皆近儒所莫覩。實千載之一時也。爰盡參稽。博爲折衷。遠溯長興之前。路復貞觀之舊。庶此疏讀。傅彼經傳。如子應母。似膠投漆。此亦讀疏之新徑。校經之創例者也。但唐時之本。例多古字。未經衛包之刊改。復與薛宣之私定。而於正義殊少符合。既以正義爲據。故所采用者稀。世之覽者。幸無怪焉。凡所銓敘。始於昭和十年四月。四易星霜。始登梨棗。同邦耶之三字。願布國學。非不韋之千金。敢懸市門。其所取校。悉列於左。昭和十四年二月、東方文化研究所經學文學研究室臨序。

（その年七月——一九四三昭和十八年三月東方文化研究所刊その冊、のち一九六〇昭和三十五年八月中央公論社「知非集」）

《元人雜劇》是
近世文學倫理轉換的結晶

關鍵詞　精神史　文學倫理轉換　寫實　愚直　活潑　弛緩

一、元雜劇的意義與日本大正至昭和前期中國文學研究的顯學

吉川幸次郎以為元雜劇於中國文學史的意義，有：

㈠中國文學史上，現存腳本的戲劇，以元雜劇為最早。宋金雖有「雜劇」與「院本」，然二者但存目錄而已。前者記載於周密《武林舊事》卷十，題曰「官本雜劇數段」，後者記載於陶宗儀《輟耕錄》卷二十五。凡作品之傳與不傳，皆有其所以然的因素。宋代「雜劇」與金的「院本」大抵為萌芽期的作品，雖有戲劇的形式，卻未必有流傳其腳本於後世的文學價值。而元雜劇則有充實的形態，故流傳至今。

㈡中國近世的虛構文學，以元雜劇為最早。六朝志怪與唐人傳奇，如胡應麟《二酉綴遺》卷中所說：「凡變異之談，盛於六朝，然多是傳錄舛訛，未必盡設幻語。至唐人乃作意好奇，假小說以寄

筆端。」雖為虛構文學的萌芽，然或「傳錄舛訛」，或介於史傳與小說之間，非純粹的虛構文學。近世以降，庶民階層的勃興，宋的「雜劇」、金的「院本」、講唱筆記與「諸宮調」等虛構文學產生，然大抵殘缺或僅存。元人雜劇之豐富，乃長期潛伏的虛構文學，至元代而如雨後春筍，蓬勃發展，故可以說元雜劇是虛構文學的嚆矢。

㈢中國口語文學，以元雜劇為最早。《景德傳燈錄》與《朱子語錄》等宋代僧侶儒者的語錄，以及民間講唱的底本，大抵以口語為之。唯前者非文學作品，後者甚少流傳，故元雜劇或可說是中國口語文學的開端。

㈣元人雜劇是中國最早且最有價值的戲劇。明萬曆年間息機子《古今雜劇選・序》說：「一代之興，必有鳴其間者，漢以文，唐以詩，宋以理學，元以詞曲」（據鄭振鐸《元明以來雜劇總錄》），臧晉叔《元曲選・序》說：「世稱宋詞元曲」。即元曲與漢文、唐詩、宋詞並稱於中國文學史，又如《史記》之於史書，《杜詩》之於近體詩，最初的結晶即最完美的作品。

㈤元雜劇是「元人的古典」。元末羅宗信《中原音韻・序》說：「世之共稱唐詩、宋詞、大元樂府，誠哉。」明初葉子奇《草木子》說：「世所盛傳，漢以文，晉以字，唐以詩，宋以理學，元可傳者，獨北樂府耳。」即元朝的文學以戲曲為代表。

㈥雜劇大抵成於專家之手，此為中國文學史上，最初的現象。中國傳統文人即詩文的作者，元雜劇初期的作者雖不乏文士騷人，然元代後期，不能為詩詞歌賦者，如俳優之流，亦能創作口語文學的雜劇。非文人階層亦能從事文學創作者，雖有早於元人雜劇，唯其傳世者不多。故中國文學史上，由專門之屬製作文學作品者，以元雜劇為最早。

㈦以庶民為主要觀賞者的文學作品，以元雜劇為最完足。變文、話本及諸宮調雖也以庶民為對象，然體裁之齊備，數量之豐富，則不如元雜劇。

綜觀中國文學史的發展，虛構文學並不發達，口語文學難登大雅之堂，而元雜劇結合虛構與口語的性質而形成，與漢賦、唐詩、宋詞並稱於中國古典文學，象徵中國文學思想史，於元雜劇的時代，產生重大的變革。[1]

吉川幸次郎說元人雜劇於中國文學史上雖有其代表性的意義，然檢證近代以來研究元雜劇的歷史，西方早於東方，日本盛於中國。[2]

日本僧侶於元至元至正年間（1335-1367）渡海中國，賦詩記述觀劇的情景。[3]可見日本南北朝時代（1336-1392）對中國戲曲頗為關心。然江戶時代（1603-1866）的儒者受中國傳統思想的影響，輕視虛構文學，《通俗三國志》《水滸傳》譯本流行於坊間，蓋文言小說，雖夾雜口語而易於理解，至於戲曲用語則難解而未必通行。唯新井白石著述《俳優考》，荻生徂徠《南留別志》的隨筆，伊藤東涯《制度通》於雜劇之事，有所記載。雖然如此，明治時代（1867-1911）以前，日本於元曲的研究，未有清晰可考的傳承。

---

1 吉川幸次郎《元雜劇研究・序說》，收載於《吉川幸次郎全集》第十四卷，東京：筑摩書房，1968年9月，頁6-16。

2 《吉川幸次郎全集第十四卷・自跋》，東京：筑摩書房，1968年9月，頁591-600。

3 古劍妙快〈看戲劇〉：「秋風鼓笛發清狂，哭一場兮笑一場，識得從來無實法，玄沙只是謝三郎」，《了幻集》，《五山文學全集》第三輯。

與江戶時代同時代的中國明清時期，於雜劇亦未必有所關注，明人文集甚少記述雜劇之事，清人以經典研究為宗尚，於雜劇甚少考校。

十八世紀的西方，尤其是法國，抱持以虛構文學為正統的傳教師於元人雜劇的重視猶勝於中國古典詩文。如 Premare 神父於 1736 年翻譯紀君祥的〈趙氏孤兒〉，為 1755 年上演 Voltaire 的 L'Orphelin de la Chine 的底本。其後，College de France 教授 Stanislas Julien 改譯〈趙氏孤兒〉，又翻譯〈灰闌記〉〈西廂記〉。十九世紀中葉，Antoine Bazin 翻譯〈合汗衫〉〈貨郎旦〉〈竇蛾冤〉。Julien 於 1834 年刊行的 L'Orphelin de la Chine 的序文，指出 1829 年，其曾向出遊巴黎的四位中國知識分子請尋元曲難解的語彙，四人皆不屑回答而難以釋懷。

十九世紀末至二十世紀初，或由於輸入西方尊重虛構文學之文學觀念的影響，或受到法國人翻譯雜劇的刺激，或歷來輕視俗文學之反動而產生自覺意識，日本的文學觀產生變革，雜劇的譯注解說萌芽。幸田露伴（1867-1947）是明治期譯注元雜劇的先驅，於《通俗佛教新聞》，先後譯注介紹元雜劇。明治 27 年（1894）2 月，翻譯鄭廷玉〈布袋和尚忍字記〉，28 年（1894）1 月，以「元時代の雜劇」為題，介紹喬夢符〈揚州夢〉〈金錢記〉〈兩世姻緣〉，楊顯之〈瀟湘雨〉〈酷寒亭〉，關漢卿〈望江亭〉〈竇蛾冤〉〈救風塵〉，馬致遠〈漢宮秋〉〈黃粱夢〉等雜劇的梗概。森槐南（1863-1911）《作詩法講話》[4]第五章詳細敘述元代以來，戲曲發展的歷史。

---

4 明治 44 年（1911），在東京：文會堂出版。

狩野直喜（1868-1947）開精密研究元曲之風氣[5]，自明治 41 年（1908），於京都帝國大學「支那語學支那文學講座」教授元曲以來，至昭和 3 年（1928）退休的期間，每年講授二、三曲，其講義筆記，由弟子編輯成《支那小說戲曲史》[6]。大正 3 年（1914）覆刻羅振玉所藏的元曲古本，出版《元刊雜劇三十種》，並進行異本校訂，作〈覆元槧本古今雜劇三十種跋〉[7]。至於元雜劇的論著則有〈琵琶行を材料したる支那戲曲に就いて〉〈水滸傳と支那戲曲〉〈元曲の由來と白仁甫の梧桐雨〉〈支那俗文學史研究の材料〉〈讀曲瑣言〉，皆輯錄於《支那學文藪》。

鹽谷溫（1878-1962）於明治末年，留學德國，傾心於 Johann Wolfgang von Goethe（1749-1832），Johann Christoph Friedrich von Sehiller（1759-1805）的虛構文學作品，又留學中國，向葉德輝請益有關詞曲小說之學。歸國後，於東京大學講授戲曲小說，其口述講義，編輯成《支那文學概論講話》，於大正 8 年（1919）在大日本雄辨社出版。又譯注馬致遠〈漢宮秋〉，收載於大正 8 年國民文庫刊行的《國譯漢文大成》。

5　吉川幸次郎於〈中國文學研究史—明治から昭和のはじめまで　前野直彬氏と共に—〉（收載於《吉川幸次郎全集》第十七卷，東京：筑摩書房，1969 年 3 月，頁 395）一文，說：明治時期東京的學者於元曲的涉獵，未脫譯注介紹之域。蓋東京大學所藏戲曲，僅《西廂記》《笠翁十種曲》而已，不可能從事系統的研究。於新領域的開拓必要有新的研究方法，元曲的新開展，肇始於明治 43 年（1910），狩野直喜於京都帝國大學的「元曲講義」及其於《藝文》發表〈水滸傳と支那戲曲〉等綿密的考證。大正年間，鹽谷溫於東京大學講授元曲，開其端緒。

6　1992 年，於東京：みすず書房出版。

7　收載於《支那學文藪》，東京：みすず書房，1973 年 3 月，頁 467-468。

青木正兒（1887-1964）以元曲為主要研究之一，於明治 44 年（1911），以《元曲の研究》為題，撰述大學畢業論文。大正 9 年（1920）與小島祐馬、本田成之創刊《支那學》，於創刊號發表〈楊顯之《瀟湘雨》雜劇〉一文。其元曲研究的著作，有《元人雜劇序說》《元人雜劇》。又研究明清戲曲，成就《支那近世戲曲史》的不朽名著。[8]

大正（1911-1925）年間重視新分野，尤其是戲曲小說文學的研究，[9]元曲的研究或可謂為大正期，中國文學研究的顯學。大正元年即中華民國元年，民國 6、7 年，胡適提倡白話文，文學價值產生轉換，而《水滸傳》《紅樓夢》等小說風行。雖然如此，戲曲的研究則付諸闕如，僅王國維的《宋元戲曲史》行世而已。王國維作序，曰：

> 壬子歲暮旅居多暇，乃以三月之力，寫為此書。凡諸材料，皆余所蒐集，其所說明，亦余之所創獲也。世之為此學者，自余始。其所貢於此學者，亦以此書為多。非吾輩才力過於古人，實以古人未嘗為此學，故也。

「壬子」是民國元年，於前一年，王國維與羅振玉在狩野直喜、內藤湖南的斡旋下，亡命日本，旅居京都。此書即完成於京都田中萬

8　《元人雜劇序說》於昭和 12 年（1937），在弘文堂出版，《元人雜劇》於昭和 32 年（1957），在春秋社出版，《支那近世戲曲史》於昭和 5 年（1930），在弘文堂出版。

9　吉川幸次郎〈日本の中國文學研究〉，收載於《吉川幸次郎全集》第十七卷，東京：筑摩書房，1969 年 3 月，頁 416-417。

遍知恩寺前的寓所。王德毅《王國維年譜》[10]或根據「世之為此學者，自余始」，謂日本於戲曲的研究，受王國維旅居京都，著述《宋元戲曲史》的影響而興起。其實，狩野直喜於戲曲的研究於王國維來日之前，既有專論發表問世。1916 年，王國維移居上海後，由戲曲轉趨古代史的研究。當時，中國於研究戲曲的代表作，僅吳梅的《顧曲麈談》（1916 年，上海商務印書館）而已。

大正 12 年（1923），吉川幸次郎入學京都大學，師事狩野直喜，傾聽狩野直喜講授秦簡夫〈風光好〉，於偏僻之言辭的詳細解說，於歌辭科白的解析精闢，頗有會心，於元曲之合理性展開的解說，亦有所啟發。吉川幸次郎自稱《元雜劇研究》的〈構成〉一章，乃於二十年後，演繹狩野直喜於元雜劇結構的見解。

二、中國文學史研究是中國精神史研究的一環

吉川幸次郎說《元雜劇研究》是其運用中國文學史方法論的著作，主張「文學史研究是精神史研究的前提」[11]。畢竟文學是社會性的存在，各時代的文學性格與當時的社會精神有密接的關連，故文學可以作為考察精神生活諸相的資料，而時代精神的變遷是文學盛衰的關鍵所在。因此，吉川幸次郎說《元雜劇研究》一書是「綜

10 1967 年，臺灣：中國學術著作獎助委員會。

11 吉川幸次郎《吉川幸次郎全集第十四卷・自跋》，東京：筑摩書房，1968 年 9 月，頁 610。

合性論述中國精神史研究的一環」[12]，因為文學最能顯現社會精神，文學營為的考察是掌握流貫於風土生活法則的過程，這是吉川幸次郎的著述立場。雜劇非傳統文學，其文學性格與中國傳統文學未必一致，而其形成與元代的時代精神息息相關。如黃宗羲《明夷待訪錄》所說：「古今之變，至秦一盡，至元又一盡」，元代是中國歷史動搖最為劇烈的時代，受到蒙古人刺激與漢人意識的動搖，是雜劇文學形成的原因。然則新興的文學於盛行之後，轉趨復古而尊重傳統的傾向，即更革新興的方向受到保守復古方向的制約，元代雜劇乃急速衰頹，故吉川幸次郎強調其《元雜劇研究》是究明中國近世社會精神史的一環。[13]雖然如此，文獻之傳世與否，固有一必然的作用，雜劇的性格雖未必符合中國傳統古典詩文的傳統，卻是現存最古的口語文學，且為中國口語文學的結晶，其與漢賦、唐詩、宋詞並稱，而為元人的古典，要皆說明中國精神史的發展，至元代而形成重大變革的趨勢。

三、雜劇興隆的決定性要因在於文學倫理的轉換

吉川幸次郎說雜劇文學的性格取決於作者與聽眾的設定，雜劇首先以民眾為聽眾，故用語以口語為主，取材大抵以市井生活為背景而描寫庶民的感情，宋代以來講唱文學興起，至金元入主中原，以民眾娛樂的演劇盛行，而雜劇勃興。至於蒙古朝廷沿襲金朝愛好

---

[12] 吉川幸次郎《元雜劇研究・自序》，同前注，頁3。
[13] 吉川幸次郎《元雜劇研究・自序》，同前注，頁3-5。

演劇的風氣，世祖以後熱心於文物制度的整備，設置掌理演劇的儀鳳司、教坊司，亦助益雜劇的勃興。唯雜劇用語雖多為市井的俗語，而文字，尤其歌辭頗為精鍊，或未必有深厚詩文素養的庶民與中國古典涵養不深的蒙古朝廷所能為之，蓋知識分子的參與，或為演劇熱心的聽眾，或撰述雜劇的科白歌辭，以致雜劇具有文學的性格，甚至與漢賦、唐詩、宋詞並稱而千古不朽。至於元代文人於雜劇的創作，《四庫提要》評胡祗遹《紫山大全集》云「闡明道學之人，作媟狎倡優之語，其為白璧之瑕，不止蕭統之譏陶潛者」，而吉川幸次郎則說元初社會風氣特殊，或難為清儒所理解，進而指出元初士人之所以從事雜劇的製作，其直接原因在於士人的不遇，而士人之不遇，如王國維所說[14]，乃科舉廢止之所致。科舉是士人仕宦而實踐經世濟民理想之道，然元初政治以科舉為詩賦之空言而經濟之才難得，又鑑於「金以儒而亡」[15]，乃崇尚以質矯文的素樸主義，遂行以實務為要的政策。科舉廢止後，士人或寄身武將麾下，或屈就胥吏而伺機仕進，至於不適時宜，奔放不羈者，則或「踵金辭賦餘習，以飾章繪句相高」[16]，或以自嘲意識而製作背離詩文傳統之教坊技藝的腳本。辭賦寄情是詩文傳統的繼承，雜劇科白歌辭的指染，則是元初文學倫理轉換的現象。吉川幸次郎強調元初社會風氣導致生活倫理的轉換是文人創作雜劇的決定性要因，蒙古人的強制統治，促使中國人精神變革，形成轉換生活倫理的風氣。吉川

---

14 王國維說：「余則謂元初之廢科目，卻為雜劇發達之因。」《宋元戲曲考　九、元劇之時地》，臺北：里仁書局，1993 年 9 月，頁 97。

15 《元史・張德輝傳》，臺北：鼎文書局，1979 年 3 月，頁 3823。

16 蘇天爵〈耶律神道碑〉，《滋溪文稿》卷七。見引鄭清茂譯吉川幸次郎《元雜劇研究》，臺北：藝文印書館，1960 年 1 月，頁 113。

幸次郎說：

> 蒙古的統治，尤其是世祖以前的統治極為強烈，迫使即便固守傳統的人也於非傳統的生活中，發現其合理性，進而肯定認可，甚至積極支持非傳統生活的取向，如董文忠、楊恭懿之順從科舉的廢止，即是一例。又走向非傳統生活的結果，在生活不受強制的感受下，也形成超越非傳統生活的意識，如李治的新數學，郭守齋的新曆學，新傳朱子學的風行，都是此一意識的產物。要之，蒙古人的強烈統治，造成倫理轉換的風氣，在傳統士人意識中，演劇的腳本非屬文學的範疇而不屑一顧，然元初士人卻指染創作，此為文學倫理轉換的結果。其轉換的最大原因，即在於元初的社會風尚。科舉的廢止，使士人生活陷入物質與精神的困境，從而製作演劇的腳本，是士人創作雜劇的直接原因。至於決定性的原因，則在於形成倫理轉換的社會風氣。[17]

在中國歷史中，社會變革持續發生，而元代，特別是元初社會的變革最為劇烈，故生活倫理的轉換最容易形成。演劇世界的士人成為演劇熱心的聽眾是元初生活倫理轉換的具現。虛構抽象的作品，本非中國傳統倫理的宗尚，然士人傾聽演劇是倫理轉換的顯現，至於士人從事雜劇的創作而成為雜劇的作者，則是文學倫理轉換下的自

---

17 吉川幸次郎《元雜劇研究　上篇　元雜劇の背景　第二章　元雜劇の作者（上）前期の作者》，《吉川幸次郎全集》第十四卷，東京：筑摩書房，1968年9月，頁140。

然推移。元代雜劇的流行是受到元代政治強烈的刺激而形成倫理轉換之社會變革的現象。演劇是以庶民的娛樂而發生，而演劇受到廣大民眾的傾聽，乃蒙古強烈統治而形成倫理轉換之所致。至於蒙古朝廷於雜劇的愛賞與付諸有司的管理，是雜劇勃興的助力。然而吉川幸次郎更強調文學倫理的轉換，沈潛詩文的文人以真摯的文字創作明朗健康，清新靈運而毫無卑屈束縛的雜劇，則是元初積極進取之社會精神的反映。[18]

四、雜劇前後期風格的差異根源於社會風氣的轉變

吉川幸次郎說元人雜劇前期的作品以口語描述市井生活，語彙雅俗並用而有趣生動，科白與歌辭的文字與聲音極其流動，內容寫實靈動，故前期雜劇文章的特徵，可歸於「活潑」二字。[19]然而後期的雜劇則轉趨弛緩沈滯。造成弛緩的直接原因是社會風氣的變遷，亦即形成雜劇的「環境」產生變化。蓋元初社會不受中國傳統的束縛，進而產生脫離傳統，形成活潑而積極進取的社會風氣，文人階層亦從而產生倫理的轉換，營為新興文學的創作。具有活力的社會風氣，以仁宗恢復科舉為分界，元末社會復興中國傳統，安於傳統生活的現象再現，社會風氣由活潑轉趨沈靜。時代活力弛緩，

---

18 同前注，頁 144。

19 吉川幸次郎《元雜劇研究　上篇　元雜劇の背景　第四章　元雜劇の文章（下）》，《吉川幸次郎全集》第十四卷，東京：筑摩書房，1968 年 9 月，頁 347。

導致作者精神的弛緩，作品也失去靈動的活力。換而言之，由於社會環境的變化，促使作者的素質、取向與創作心理產生變化，雜劇乃沈滯衰頹。其顯著的事象為作者素質的低下，作品題材的變化，作者凝視能力的衰退而模倣盛行。

㈠作者素質的轉變

吉川幸次郎將《錄鬼簿》上下卷的人物區別為元人雜劇前後期的作者，並進行考證，說明下卷後期南方作者未必缺乏詩文的素養，然社會地位甚低，即使任官或有門第，其階級亦不高，而且與當時詩文名流亦無交遊。進而論斷白仁甫、侯正卿等前期作者亦以詩文成家，與當時詩文大家有密接往來，而後期作者非以詩文名家，故與當時的詩文家無交涉，乃別出於傳統詩文名家之外的旁支。至於下卷後期作者的社會地位低下，不如前期作者優遊的處境，則與當時的社會狀態有極為密接的關連。吉川幸次郎以為後期雜劇作者之社會地位低下的直接原因是科舉的復興，以詩文應舉仕進之途再開，一時之選的文人不再傾注心力於雜劇的製作，以抒發其鬱憤之情，故雜劇的創作大抵出自於「門第卑微」或「職位不振」者之所為。鍾嗣成自身也是「累試有司，命不克遇」的落第書生。然而雜劇作者地位低下的決定性因素則是社會風氣的變遷。《錄鬼簿》上卷記錄元初北方作者背後的社會與下卷記載元末南方作者背後的社會風氣有所殊異，從而士人對演劇的觀感亦大有逕庭。蓋元初北方的士大夫積極參與演劇的活動，雖非雜劇劇的作者，也是熱心的聽眾，記述演劇或演藝的詩文傳世者甚多，如與元遺山並稱的李治有〈贈絕藝杜生〉〈杜生絕藝〉詩，贊佩教坊的技藝。元代中葉以後，文壇中心轉移南方，除楊維楨《東維子文集》

以外，有關演劇或演藝的記事付諸闕如。足見元末南方士人對演劇極為冷淡。

南北士風的差異，於金朝與南宋既見其機兆。金朝，尤其是章宗之時，士人對演劇頗為關注，元好問、李治對演劇極有好感。南宋之際，演劇依然流行於坊間，然文人，如張炎《詞源》、周密《齊東野語》對世俗的演劇極為厭惡，與李治對「才人」的關注，其差異有天壤之別。萌芽於宋金南北不同的士風，於入元之後，由於蒙古征服統治的強烈與緩和，而助長南北士風的差異。

蒙古征服金人以後，對北方的統治極為強烈，嚴厲破壞漢族的傳統，強行促成倫理的轉換，接受新興的事物。在此風氣下，士人於詩文的創作之外，亦能傾聽新興戲劇的演出，甚且加入製作戲劇腳本的行列。然而元人平定南宋以後，世祖尊重漢族規制，對漢族的統治轉趨緩和，即使科舉廢止，仕宦之途斷阻，依然優遊於詩文創作之傳統生活的營為。換而言之，世祖之際，持續南宋的社會風尚，待仁宗恢復科舉，傳統倫理再生，文人乃埋首經典，鍛鍊詩文以應制度舉，對俚俗的雜劇極其蔑視，既以雜劇的製作難登大雅之堂，又以雜劇無入聲與平仄通押，是背離詩詞傳統的「不純」。再者，當時雜劇的作者大抵為落第書生而恥與為伍。故《錄鬼簿》下卷後期南方的作者與當時的詩文家了無關涉。要之，前後期雜劇作者素質的差異，乃根源於元初與元末政治統治和社會風氣的不同。元初蒙古強烈的統治，導致倫理的轉換，而成宗以後，蒙古政治弛緩，長期受到蒙古壓抑而潛伏的漢人勢力猛然抬頭，傳統的倫理復甦。社會風氣的轉變也導致雜劇地位的轉變，士大夫遠離雜劇的觀賞與創作，即使坊間雜劇依然流行，而其製作大抵出自落第書生等不為世用的文人之手，作品的結構與內容也有所變質，此為後期雜劇作者地位低下的所在。[20]

(二)題材與結構的變化

雜劇作者素質低下，於作品也有所反映。後期雜劇多為落第書生的口吻，專事模倣，而缺乏前期活潑靈動的風格。如宮天挺的〈范張鷄黍〉、〈七里灘〉，鄭德輝的〈王粲登樓〉，皆抒發落第書生鬱憤之情。鄭德輝的〈周公攝政〉，則多引述經書文句，補綴成篇。蓋元初蒙古強烈政治統治，促成倫理的轉換，士人不但創作雜劇，取材亦多以民間市井生活為素材，描寫庶民的情感。仁宗恢復科舉以來，傳統倫理復興，不為世用的文人所作的雜劇，則以記述傳統讀書人的生活感受為中心。吉川幸次郎強調雜劇取材的變化，乃起因於社會風氣的變遷。元末社會傳統倫理復活，偏離中國文學正統的雜劇，未若元初社會受到廣泛的支持，加以作者素質的低下，雜劇既不能取得社會的肯定與鼓舞，作品也缺乏生氣蓬勃的氣象。再者，社會復歸於以士大夫為中心的體制，故後期雜劇製作的取向，則不在於市井生活的描寫，而回歸於士人世界的宗尚。[21]

前後期雜劇的結構的取向亦有所不同。吉川幸次郎指出雜劇構成的特徵固然在於異乎日常生活常情的奇特，故一名「傳奇」，但是情節的發展則力求合理，而保有人生的真實。換而言之，情節的

---

[20] 吉川幸次郎《元雜劇研究　上篇　元雜劇の背景　第三章　元雜劇の作者（下）後期の作者》，《吉川幸次郎全集》第十四卷，東京：筑摩書房，1968年9月，頁175-184。

[21] 吉川幸次郎《元雜劇研究　上篇　元雜劇の背景　第三章　元雜劇の作者（下）後期の作者》，《吉川幸次郎全集》第十四卷，東京：筑摩書房，1968年9月，頁183-186。

發展，一方面是異於尋常而製造高潮的營為，一方面是解消異常高潮的過程而極盡合理真實。故奇異與真實並存具在是雜劇的必要條件，尤其是情節合理推移的傾向是雜劇結構的特徵。至於作者力求情節發展的合理性，與其說是作者致力於人生真實的刻畫，不如說是描寫人生真實的能力是天賦本有的存在。奇異緊張的高潮與合理真實而感人之並存具有，並非作者一旦脫離人生的真實而後回復真實的努力，是作者以不違真實之「愚直」的本性而敷陳雜劇奇異與合理並存的結構。亦即以「愚直」而構成的真實合理是雜劇生動感人的根本所在，雜劇的情節發展固然有異常的成分，卻以不失真實為常理，奇異與真實並存，乃得以圓滿。引發讀者聽眾情緒的躍動，雖起因於情節的異常緊張與高潮迭起，而不違人間社會的真實描寫，則是感動長存擴張的穩固基礎。尤其是當雜劇是「好奇心的對象」的意識形成，又與「愚直」而曲盡合理真實的意識結合，乃能產生最奇異而最真實的作品。《西廂記》於崔鶯鶯的心理描寫是最佳的傑作，而〈老生兒〉第三折敷陳頑固老妻悔過的情節，其悔過雖異常，然墳前的感傷則是合理而真實，故為以不違真實之「愚直」而架構奇異與合理並存的佳作。[22]

不違真實的「愚直」是雜劇作者創作傑作精品的動力，此為吉川幸次郎探求作者心理而究明雜劇結構特質的主張所在。其比較雜劇情節頗不合理的〈合汗衫〉和力求合理的〈老生兒〉，說明二種劇本展開的方向雖然殊異，而作者的「愚直」真實的創作心理則是

---

22 吉川幸次郎《元雜劇研究　下篇　元雜劇の文學　第二章　元雜劇の構成（下），《吉川幸次郎全集》第十四卷，東京：筑摩書房，1968 年 9 月，頁 232-243。又參採鄭清茂的譯文。

一致，皆為生動感人的佳作。〈老生兒〉於「楔子」敘述正末劉從善渴望生子，是中國人的常情，老妻李氏偏愛親生女兒而袒護女婿張郎，亦是婦人常態。第一折營造小梅失蹤的異常事件，讓正末由幻想陶醉的頂峰，陷入悲哀的谷底。第三折安排頑固老妻悔過的事件，李氏於女兒墳墓前泣淚，深切感受到晚境涼悲哀，雖異常而合理。第四折失蹤的小梅平安返回，失蹤與再現皆屬偶然，不甚合理。然雜劇原是好奇心的對象，讀者或聽眾大抵期待異常情節的發生，作者巧妙掌握讀者聽眾的心理，於緊張高潮之後，以團圓作結，而滿足讀者聽眾的期待。〈老生兒〉的作者以不違真實的「愚直」架構雜劇情節，始終保持合理發展的伏筆，如第三折為營造老妻悔過的結局，不僅敷陳正末曉以大義的說理，又添加張郎掃墓的傍因，張郎先祭掃張家祖墳，後掃劉家祖墳，後到的掃墓者敲鑼打鼓的來到劉家墳前。張郎先祭掃張家祖墳，以示敬祖，頗為合理，用以賦予李氏的悔過，更深層的合理性。就此意義而言，〈老生兒〉的情節雖有異常的所在，然以「愚直」而產生的合理，又有不違真實的一面。奇異與真實並存而構成最奇異而最真實的作品。

〈合汗衫〉的情節是不合理的連續，第四折所有人物團聚的場面尤甚。趙興孫的存在便是不合理，即使第一折沒有趙興孫而只有無賴陳虎一人，就足以陷全家於不幸的地步，第四折，只要孫子考中武狀元，也足以使全家團圓。趙興孫的出現，無論在張員外的門口，或赴金沙院的途中，皆不合情理，有畫蛇添足之嫌。雖然如此，〈合汗衫〉亦有近於真實的文字，如第一折趙興孫受張員外布施，走出門時，被無賴陳虎侮辱的賓白，將小人的心理表現的淋漓盡致，極為生動。故作者營造趙興孫的存在，或意在描寫此一場景，製造高潮的伏筆。至於第三折，在相國寺布施的賓白，也極有真實性。換而言之，〈合汗衫〉的對話生動而真實，其對話的生動是由不違真實的「愚直」而產生，而非刻意寫實，即使情節有不合理展開的成分，亦具現雜劇最顯著特徵的合理性。蓋〈合汗衫〉之不合理雖隨處可見，然不合理的動機是極其率直，故未必引發讀者的不快。畢竟不合理的發生，乃根源於雜劇是好奇心對象的意識。唯作者未必在意不合理的展開是否為讀者的好奇心所容許或滿足，僅基於情節的需要而作不合理的展開。此愚直率真的創作心理，引發讀者更深層的好感。如第三折於濟貧的場面，「半壁汗衫兒」是搜尋張員外的極為重要的依據，小末卻送給乞食老漢補衣，可謂不合情理，然情節發展勢必如此，故作者順勢展開不合理的情節。作者以愚直率真的表現，恰是博得讀者好感的所在，此為雜劇奇異與真實並存的典型之一。吉川幸次郎強調雜劇結構的合理與真實是由不違真實之「愚直」而生，而「愚直」與必要敷陳不合理的情節遭遇，則展開毫無造作的不合理的情節。由於「愚直」具有率真的活力，其表現亦有深厚的內涵，故施之於合理的方向，則徹底的寫實，若發生於必須作不合理的展開時，則形成極其不合理的結構。前者具有障礙為真實嚼碎的快感，後者則有飛躍障礙的快感。二種快感縱橫錯綜而流行呈現，此為元人雜劇活潑靈動而趣味盈溢的所在。〈老生兒〉傾向保持合理的方向，以緻密的思惟，表現深厚涵養的趣味。〈合汗衫〉傾向容許不合理的方向，以跳躍的思惟，表現素樸率直的趣味。換而言之作者的思惟與素養雖不同，表現的形式也有差異，然具有「愚直」的精神，則是一致的。故或依循合理而發展，或呈現不合理的跳躍，要皆具現雜劇以「愚直」素樸的精神，表現結構活潑靈動的精彩妙趣。[23]

雜劇結構之所以活潑生動，蓋起因於元初社會充滿活力的風氣。吉川幸次郎說元初社會超離中國傳統生活倫理而呈現清新活躍的氣氛，非傳統文學之雜劇的結實，即在反傳統的社會風氣與文學生活營為的取向下形成的。社會的活力不但促進雜劇的創作，也充實劇作者的精神，而作品也呈現活潑精彩的結構。換而言之，社會活力流向新奇的方向，雜劇作品也有徹底新奇的表象，若流向真實的方向，則有徹底寫實的表象。特別是後者旺盛的寫實性，受社會風氣的影響更大。亦即元初社會形成凝視人間萬象的寫實主義，蓋既存思惟無法體應社會現狀時，則有重新凝視細察社會諸相的必要，又生活營為不能以固有形式作為媒介時，則產生直接審視社會實相而探索新生活樣式的動力。雜劇之所以重視言辭迫真，描寫社會現實的表述，即寫實精神的具現。此寫實的精神又是不違人生真實之「愚直」的呈現。然吉川幸次郎強調以「愚直」而描寫人生真實的精神，固然是雜劇作者天生所具有，更受到元初社會脫離傳統束縛之清新風氣的感染，而敷陳活潑靈動的結構，創造雜劇的傑作。[24]然而後期的雜劇結構雖也追求合理性的展開，卻是理性分析的結果，而非不違真實之「愚直」率真的直接表述。如後期雜劇〈兒女團圓〉乃改編自前期〈老生兒〉雜劇而情節複雜且奇異。〈老生兒〉描寫一家的故事，敘述正末劉從善的心理，感動較能集中。〈兒女團圓〉寫韓弘道與俞循禮兩家的悲歡離合，然而結構散漫，且俞循禮之子添添的身世秘密被揭發，是緊張的高潮，宜安排

---

23 同前注，頁 250-252。

24 同前注，頁 254-255。

在第三折，但作者在第二折即全盤托出，第三折則添加無關緊要的院公為「正末」，不免有蛇足之嫌。又春梅分娩時，巧遇王獸醫，已屬偶然，王獸醫的姐姐也同時分娩，更是偶然。換而言之，〈兒女團圓〉或以偶然為契機而成立，然過度奇異而遠離人生的真實。此為後期雜劇普遍的現象。鄭德輝〈倩女離魂〉取材於唐人傳奇〈離魂記〉而記述倩女死而復生，喬夢符〈兩世姻緣〉與〈金錢記〉，前者是再生的故事，後者寫正末以分文的金錢而戀愛、失戀，最後團圓的故事，二者的情結過分奇異，有違人生的真實。吉川幸次郎以為理性分析而作合理性的展開，固然是雜劇發展的必然結果，也是後期雜劇異於前期的象徵所在。但是前期作者以「愚直」的直覺作為雜劇成立的條件，後期作者則以分析的態度創作雜劇，因而容易產生畸形的作品。蓋過度奇異的作品，是作者著重奇異而刻意營造奇異的產物，企圖將奇異論證成真實，反而產生畸形離奇矛盾的作品。[25]

隨文化政策的轉變，即仁宗恢復科舉而回歸傳統的倫理復甦，元代社會又回復以士大夫為中心的傳統體制，文人唯以詩文應舉仕進是尚。然文學傳統雖復甦，卻也受到傳統的束縛而拘泥保守，社會風氣與文人精神亦隨之轉趨弛緩沈滯。元代後期雜劇的取材走回以讀書人生活為題材的傳統，盛行模倣前人作品的風氣，即是元代後期社會尊重傳統，雜劇作者精神弛緩的反映。雜劇文學之模倣的現象既已存在於前期的作品，然吉川幸次郎強調作者精神充實，模倣前人作品的行為，未必削減作品的活力。前期雜劇，如張壽卿的〈紅梨花〉與石子章〈竹塢聽琴〉的結構相似，〈抱粧盒〉與〈趙

25　同前注，頁 264-269。

氏孤兒〉情節雷同，雖有相互模倣之跡，而致力於情節細節的斟酌，內容充實而趣味横生。然而一旦模倣成習，又墨守傳統，缺乏審視社會人間事象的用心，則了無創意而趣味索然。後期的雜劇即有此弊端。換而言之，雜劇由結構活潑靈動而轉趨弛緩沈滯，乃元代社會與文人意識變遷之所致。至於雜劇結構的變遷，也反映了中國文學發展的必然趨勢與中國精神史推移的軌跡。後期雜劇作者之模倣行為的盛行，是尊重雜劇傳統的執著，蓋新興文學由萌芽發展而完成後，繼起者大抵以模倣為能事，而未必有突破發展，是中國文學傳統的趨勢。雜劇雖是異乎傳統詩文的體制，卻也被尊重傳統之固有精神所支配，雜劇結構由活潑靈動而弛緩沈滯，終不免於衰頹不振，既是中國傳統文學的歸結，也是中國精神史的課題。[26]

㈢內容風格的變化

吉川幸次郎強調中國文學的傳統是如何歌詠記述猶勝於歌詠記述的內容，雜劇的世界亦然。故究明雜劇的文學特質，語言表現的分析是重要的所在。[27]又說元雜劇文學的特徵在於「活潑」二字。活潑的特徵既於語言文字，尤其是聲韻，表現活潑的流動，又於內容具現活潑寫實的效果。至於文章活潑靈動的主要原因是口語的使用，而流動的第一條件是文句的長度。如「是甚麼物件絆我這一交」（〈殺狗勸夫〉）比文言「何物絆我」，不但文句較長，而且節

---

26 同前注，頁 268-272。

27 吉川幸次郎《元雜劇研究　下篇　元雜劇の文學　第三章　元雜劇の文章（上），《吉川幸次郎全集》第十四卷，東京：筑摩書房，1968 年 9 月，頁 274。

奏輕快。蓋口語的表達以輕快為要，雜劇的賓白歌辭以具備口語的輕快而產生活潑的流動。流動的第二條件文字聲韻的波動。「是甚麼物件絆我這一交」比「何物絆我」既具有聲調的波動，又隨著聲調的波動而反映心理高低起伏的波動。流動的第三條件是文句長短不一。雜劇使用口語，又無詩詞之固定格式，賓白不拘文句的長短而自由驅使，故產生流動活潑的效果。至於歌辭的流動則在於「襯字」的使用與平仄通押，「黑黯黯」、「疎剌剌」（〈殺狗勸夫〉）等三音連語之襯字的使用，極度發揮口語本有的流動性。平仄通押的變調，不拘四聲的聲調而自由變化，既增添押韻的快感，也促使雜劇歌辭更形活潑生動。換而言之，由於文句長短交錯，平仄通押的變革，而形成雜劇語言之外在修辭方面的活潑性。[28]至於內在的活潑則具現於高度的寫實性。雜劇文章的活潑寫實與以口語行文，有密切的關連。文言簡潔鍛鍊而口語委曲婉轉，故口語比較便於委婉記述事情發展的原委。而口語於寫實性的具現，則在於語彙的豐富與自由使用，既使用具有歷史的語言，即前人慣用而有前例的語言，也創造新的語彙而記述傳統文學所未描寫的新事象，亦即雅俗兼容並包，新舊自由運用。再者，雜劇中多數新的語彙，皆具有寫實的性格，而顯現人間社會的真實面相。如〈殺狗勸夫〉之「黑黯黯凍雲垂，疎剌剌寒風起」的「黑黯黯」描寫嚴冬層雲的「暗淡」，「疎剌剌」形容寒風中的「栗烈」，皆以語言為媒介，寫實表述人間世界所見的景象。至於具有歷史之語言的借用，即兼具安

28　吉川幸次郎《元雜劇研究　下篇　元雜劇の文學　第四章　元雜劇の文章（下），《吉川幸次郎全集第》第十四卷，東京：筑摩書房，1968 年 9 月，頁 304-325。

定寫實與有趣生動的效果。如關漢卿《玉鏡台》之〈賺煞尾〉：

> 恰纔立一朵海棠嬌，捧一盞梨花釀，把我雙送入愁鄉，我這裏下得階基，無箇頓放，畫堂中別是風光，恰纔則掛垂楊，一抹斜陽，改變了黯黯陰雲蔽上蒼，眼見得人倚綠窗，又則怕燈昏羅帳，天那休添上畫檐間疎雨滴愁腸。

「恰纔」「改變了」「眼見得」是助詞性的口語，而「海棠嬌」「梨花釀」「倚綠窗」「昏羅帳」「畫檐間疎雨滴愁腸」，則是傳統詩詞文字的借用。然而其歌辭既記述人生的真實感受，也描寫出傳統文學未有的意趣。至於雜劇之成語成句的借用，也是使用有歷史語言的一端。如關漢卿《蝴蝶夢》的〈油葫蘆〉：

> 昨朝怎曉今朝死，今日不知來日事，血模糊污了一身，軟答剌冷了四肢，黃甘甘面色如金紙，乾叫了一炊時。

「今日不知來日事」出自宋邵伯溫《邵氏見聞錄》卷十六，所引李殿丞詩「今日不知來日事，人情反覆似車輪，我今自是飄萍客，更向長亭作主人」，然其歌辭則寫實而有新鮮的趣味。換而言之，雜劇作者雖使用有來源的文字，而與所欲表現的事物相吻合。有歷史的文辭具有安定性，作者再注入新詞寫實，則有生動感人的效果。故雜劇作者的活潑的寫實，乃超越其所借用的素材，既以深厚的文學涵養自由揮灑典雅的文言，於口語又能運用自如，新詞舊句左右逢源，脫胎於有歷史來源之文辭的敘述而安定寫實，至於換骨慣用的成語而製作的新詞，則有新鮮感人的趣味。遣詞歌詠皆生動寫實，具現雜劇「活潑」的特徵。[29]

吉川幸次郎強調雜劇文章的生動活潑與結構的靈動，皆起因於社會蓬勃的風氣，口語的靈活表現與新語彙的創造，皆反映積極進取之時代精神。社會蓬勃的活力促進雜劇的成立，而歌辭之頻繁押韻與平仄通押之突破傳統詩詞的規律，更是積極更新之時代精神的表述。換而言之，雜劇文章內容與結構之靈動活潑，是時代所賦予的結晶。蓋於傳統束縛薄弱的時代，審視人間社會的精神運應而生，由於貫徹凝視事物萬象的精神，乃形成寫實的能力。雜劇高度的寫實表述，即發用凝視精神的結實。雜劇作者既審視描寫的對象，又斟酌吟味表述的賓白歌辭，故能以適切的文辭，表現事象的真實。至於口語的使用，乃由於口語的流動與寫實性，最適合於作者生動活潑的描寫人生的真實。再者，口語靈活運用所形成的協調性，則是作者自由發揮的最大助力。雜劇前期的作者既有古典的素養，又能驅使口語的流動性與協調性，故作品雅俗並蓄，融合而圓滿。此為雜劇前期作品的精彩所在。然而後期雜劇轉趨弛緩，缺乏積極的性格，文辭語彙的表述皆偏重詩詞的文字或前人的文句的借用。如喬夢符的《揚州夢》，多用詩詞雅語，宮天挺的《周公攝政》，綴合經書文句而成篇。賈仲明的《對玉疏》，偏用雜劇的成語。要皆偏重有歷史來源的語言，於新語彙的創作則有所躊躇。使用的語彙有所拘限，一味模倣，則事象情景的描述亦難逼真寫實。蓋詩詞的雅語與雜劇的成語，雖文字優雅，聲調和諧，然側重文辭的外在形式而缺乏審視市井底層生活的情趣，不免流於美辭麗句的空泛，而無靈動充實的內涵。如喬夢符《混江龍》，但借用范蠡

---

29 同前注，頁 344-377。

船、邵平瓜、步兵廚等典故，堆砌「勾宴瓊林飲御酒插宮花」，「軒車駟馬，大纛高牙」等辭藻，於正末韓飛卿的心理波動則無描寫。歌辭聲調雖有流動，內容則缺乏寫實的靈動。

雜劇後期文章之弛緩空泛，與社會風氣的變化有極大的關連。社會風氣由積極進取而活潑轉趨消極保守而沈靜，導致雜劇文章失去活力，又元代後期的社會與文人鄙視雜劇，雜劇作者素質的低下，加速雜劇的衰微。偏重有歷史來源的語言，意味著凝視世間事物之精神的衰退，襲用前人的成語成句，造成模倣盛行的潮流。以語彙之歷史的有無，作為雜劇語言選用的標準，表示對傳統的執著。社會回歸尊重傳統的保守，作者因循安易而精神弛緩，於文學作品的製作之際，或未必致力於內容構成的巧拙，僅留意於文辭的優美與否而已。換而言之，雜劇的作者側重文章語言聲調的和諧，而不在意內容靈動寫實的本有特質，雜劇遂逐漸衰微。

中國古典文學以文言雅語與聲調和諧為傳統，元代前期雜劇雖以為口語表述，甚且平仄通押，皆異乎傳統，然文辭生動活潑，以「愚直」描寫市井庶民人生的真實，故與漢賦唐詩宋詞並稱而為「元人的古典」。後期雜劇於復歸古代倫理的社會風氣的影響下，取向傳統文學的營為，多用有歷史典故的文辭，以模倣前人作品，留意歌辭的優雅，曲盡結構展開的合理性。但是，內容空泛而缺乏真實靈動，未必能博得讀者聽眾的共感，終盛極而衰。[30]

---

30 同前注，頁 349-355。

結語：青木正兒的評價與吉川幸次郎的轉向

吉川幸次郎自言受青木正兒的影響而選考京都帝國大學中國文學科，受教於狩野直喜。昭和 3 年（1928），與倉石武四郎留學北京大學，三年後歸國，任職於東方文化學院京都研究所經學文學研究室。昭和 14 年（1939），與青木正兒、入谷義高、田中謙二等人編輯《元人百種曲辭典》，以〈讀元曲選記〉為題，自昭和 15 年（1940）4 月起，連載於《東方學報京都》。戰後，以〈元曲選釋〉為題，於昭和 26 年（1951）3 月，在京都大學人文科學研究所出版第一集《漢宮秋》《金錢記》《殺狗勸夫》，27 年（192）3 月，出版第二集《瀟湘雨》《虎頭牌》《金線池》。其間，吉川幸次郎譯註〈元曲金錢記〉〈元曲酷寒〉等，又參採王國維《宋元戲曲史》、青木正兒《支那近世戲曲》、鹽谷溫《支那文學概論講話》及狩野直喜元曲講義，著作〈元雜劇の聽眾〉、〈元雜劇の作者〉〈元雜劇の構成〉〈元雜劇の意義〉〈元雜劇の文章〉〈元雜劇の用語〉等論著，蒐集成《元雜劇研究》，於昭和 22 年（1947）取得京都大學文學博士，昭和 23 年（1948）於岩波書店出版。[31]小川環樹說吉川幸次郎學問的根柢是經學，亦即古典文獻解釋學的方法，所有的研究論著都建立於精密訓詁的基礎上，畢生的學問是從經學研究轉向文學研究的歷程。《尚書正義定本》與《國譯尚書正義》是前者的結晶，昭和 14 年（1939）以來的《元曲》共同研究，是以經學方法應用於文學研究的起點。《元雜劇研究》充分展開「以語

31　《吉川幸次郎全集第十四・自跋》，東京：筑摩書房，1968 年 9 月，頁 600-605。

言為資料之人間學」的論述，又精密檢尋元曲文字的意義，檢證語言背後的事實與作者創作的心理，進而說明元雜劇曲辭的藝術性，創見卓著，成就超越前人論著。[32]興膳宏也說：吉川幸次郎的《元雜劇研究》從歷史背景與文學性兩方面考究元曲，是具有記念碑意義的研究成果，為日本中國文學研究史上值得特別推崇的論文。[33]至於此書的內容，青木正兒詳細的品評其優劣，指陳吉川幸次郎論述深邃周密，有發前人未發之精到所在。於雜劇作者的考證，元代傳記資料闕如，吉川幸次郎拾集補綴隱微不顯之作者的事蹟，究明雜劇初期作者的才學，論斷初期作者非市井無學之徒，發千古之幽微。又詳說雜劇為元人的古典而具有文學價值之所以，強調雜劇盛衰的主要原因在於元代初期與末期社會風氣變遷，論述嶄新且合理，眼界博洽，考察透徹，足以解頤。至於元人雜劇的妙趣在於口語的靈活運用與以「愚直」為描述人生真實的論考，精詳妥當而痛快。青木正兒評價的主要內容為

㈠作者教養與社會地位的考證。歷來於雜劇作者的論述，輒稱其教養與社會地位低下。然吉川幸次郎蒐集近年發現的新資料與歷來未涉及的史料，強調雜劇初期的作者，有不少社會地位甚高，且有文名者。又檢證《天一閣本錄鬼簿》，社會地位不低者亦有數人，並考證關漢卿、馬致遠的事蹟，論斷關、馬皆為當時的名士。

㈡深厚教養之名士創作雜劇因由的考證。舊說以名士營為雜劇

32　小川環樹〈吉川幸次郎博士の學問の特色〉，《小川環樹著作集》第五卷，東京：筑摩書房，1997年5月，頁315-319。

33　興膳宏〈吉川幸次郎〉，礪波護・藤井讓編《京大東洋學の百年》，京都：京都大學學術出版會，2002年5月，頁279。

的製作，主要原因在於科舉廢止而士人不遇。然吉川幸次郎主張文士脫離傳統優雅詩文的領域而執筆新興通俗文學，乃在於蒙古入主中原，徹底破壞中國傳統文化，形成倫理轉換的社會風氣。文人因循社會風氣而形成文學倫理的轉換，脫離崇尚詩文而輕視市井遊藝之演劇的傳統觀念，肯定雜劇文學的價值，進而從事雜劇的創作。

㈢雜劇前後期作者素質與作品變化的論述。舊說雜劇的中心由北方的大都轉移至南方的杭州，以故南方作者漸多，作品卻比前期弛緩，其原因在於科舉復興，有才之士中舉仕進，雜劇作者大抵為落第書生。然吉川幸次郎主張雜劇作者的低下固然與科舉復興有關，但是雜劇前後期作者素質變化的主要原因，在於導致傳統思惟復興之社會風氣的變遷與南方士人崇尚傳統詩文的文學價值而蔑視通俗雜劇之「士人氣質」的再興。故雜劇作者大抵為「門第卑微」或「職位不振」者，作品也失去前期活潑靈動的氣象。

㈣雜劇結構特徵的論述。吉川幸次郎以為與明代以後戲曲相比，前期雜劇結構最顯著的特徵在於情節發展的合理性與不違人生真實的描寫，此乃前期雜劇作者愚直與活潑精神的表徵。至於作品結構的活潑靈動，則是元初清新社會風氣的反映。然而後期南方的作品，受到傳統倫理復興的影響，作品的生動活潑的特質消失而轉趨弛緩，雜劇的題材也由市井庶民生活的描寫轉換為讀書人生活的敘述。至於前人作品的模倣盛行，則是直接審視人生事象的用心減退，雜劇的結構也轉趨弛緩沈滯。

㈤雜劇文章特徵的論述。吉川幸次郎從雜劇的用語與內容之內外面相，強調雜劇文章的特徵，在於「活潑」二字。文章外在的流動活潑，乃由於雜劇主要用語是口語，口語比文言的字數多，而且節奏快速，容易產生流動活潑之致。加之，助詞的頻繁使用，襯字的附加，增添口語的波動。尤其是句首三音語襯字的多用，促使語調急促，也是流動的要素。再者，押韻頻繁，尤其是平仄通押，更增加文章的活潑靈動。至於雜劇內在的特徵是高度的寫實性，雜劇雖脫離傳統文學的範疇，以市井庶民生活為主要題材，記述歌詠，雅俗並用，而以活潑生動為用語，描述人生的真實。故文章的流動非止於言辭聲韻的流動，更有深奧靈動的底蘊。然而後期雜劇則顯著弛緩，文言雅辭的多用，前人作品的因襲，內容空泛而失去寫實的作用。

至於吉川幸次郎論著的不足之處，青木正兒以為可議者有二。其一、吉川幸次郎以明臧晉叔《元曲選》作為元曲研究的主要資料，比對《元曲選》以前，雜劇叢書所收的異本，指出臧氏改訂舊本的所在，說明其改訂的理由，探索其改訂的法則，論斷臧氏的改訂改善之功多而改惡之罪少，辨明臧氏《元曲選》是足資依據的元曲選本資料。青木正兒強調臧氏所受到的非難，不止於文法，於曲律的責難尤多。吉川幸次郎專論文法而未及於曲律，是不足的所在。雖然如此，「當今能辨元曲之曲律者，求之中華，殆不可得其人，況於我邦也」。吉川幸次郎的論考雖有不周，證明臧氏《元曲選》為可供參考之書，其功厥偉。其二、雜劇文章的妙趣的闡發，吉川幸次郎主於語言學的探究而疏於文藝學的論述，不能無失去文學論重心的缺憾。[34]

---

[34] 青木正兒〈吉川幸次郎學位請求論文審查要旨〉，《吉川幸次郎全集第十四卷．自跋》，《吉川幸次郎全集第十四卷》，東京：筑摩書房，1968年9月，頁605-610。論文審查委員有青木正兒（支那語學支那文學第一講座教授）、倉石武四郎（支那語學支那文學第一講座教授）、那波利貞（東洋史學第一講座教授）。主審是中國近世戲曲研究的青木正兒。

針對青木正兒的批評，吉川幸次郎敘述其考證雜劇作者的人數不多與中國古典文學研究宗尚的轉向。前者，於關雜劇作者的考證，吉川幸次郎詳考前期作者白仁甫、侯正卿、史九散人、趙天賜等四人的生平事蹟。雖不如孫楷第《元曲家考略》一書，考證雜劇作者凡四十八人傳記之多，然於元雜劇作者非皆為無學之士的結論，則是一致的。[35]至於後者，吉川幸次郎於昭和 43 年（1968）的《吉川幸次郎全集第十四卷元篇上・自跋》一文中，自覺反省的說：

> 現在我未必滿意《元雜劇研究》的論旨，未考慮雜劇上演時的效果，是最大的缺點。急於說明元雜劇的歷史意義，而未論及「超越歷史意義的意義」，也是缺點之一。更揚棄所謂「文學史研究是精神史研究的前提」的觀點，而主張「文學的尊嚴」。[36]

吉川幸次郎於昭和 35 年（1960）1 月，在《經濟人》發表〈日本の中國文學研究〉[37]指出：

---

[35] 吉川幸次郎〈《元雜劇研究》第二版の序〉，《吉川幸次郎全集第十四卷・自跋》，東京：筑摩書房，1998 年 11 月，頁 356。孫楷第先於 1949 年，在《燕京學報》，發表〈元曲家考略〉，考證雜劇作者二十三人，又於 1951 年，發表〈元曲家考略〉續篇，考證雜劇作者二十五人。1953 年出版《元曲家考略》，收載於《中國戲曲理論叢書》。

[36] 《吉川幸次郎全集》第十四卷，東京：筑摩書房，1968 年 9 月，頁 610。

[37] 《吉川幸次郎全集》第十七卷，東京：筑摩書房，1969 年 3 月，頁 605-610。

> 明治前期是中國文學的受容時期，明治後期是評釋時期，大正至昭和初年則是翻譯時期。再就研究的取向而言，明治時代大抵以西洋的方法論進行分析性的研究，大正年間則重視新領域、新資料與目錄學的研究。所謂「新領域」是指戲曲小說文學，新資料是敦煌文物而目錄學則是日本宮內省、內閣及藩府、寺院、私人文庫之書物的研究。昭和初期則重視語學與現代文學的研究。綜觀明治以來的中國文學的研究，大抵有偏重戲曲小說、現代文學與資料萬能、語學萬能主義的缺失。若欲彌補此一缺失而取得均衡的發展，則宜重視文學內容本質的研究與修辭藝術的鑑賞。

文藝作品的內容與修辭藝術的研究乃是戰後日本於中國文學研究的新取向。而由「文學史研究是精神研究的一環」轉向「文學內涵的探究」，是其自身中國古典文學研究取向轉換的宣言。因此，以中國文人典型的杜甫與中國詩歌結晶的杜詩為例，而展開文學內容的解說、修辭藝術的鑑賞與理論性的分析，架構中國文學研究與文藝作品賞析的方法[38]，既成就「杜甫是我的古典」[39]，為杜甫千年之後的異國知己，又樹立其為日本近代中國文學研究泰斗的地位。

---

38 吉川幸次郎以為杜甫詩論性的研究，即理論架構性的文學批評研究是中國文學研究的新途徑。〈杜甫の詩論と詩〉，1967 年 2 月 1 日京都大學最終講義，先後刊載於《展望》，朝日新聞社「清虛の事」，其後收入《杜詩論集》，1980 年 12 月，東京：筑摩叢書，《吉川幸次郎全集》第十二卷，東京：筑摩書房，1968 年 6 月，頁 627-628。

39 吉川幸次郎〈わたしの古典〉，《吉川幸次郎全集》第十二卷，東京：筑摩書房，1968 年 6 月，頁 706-707。

下篇　中國文學內涵探究

《陶淵明傳》：體得文人創作詩文的心境

關鍵詞　自傳文學　渾沌圓融（khaos）　格律調和（kosmos）
向內集中（intensive）　外部擴張（extensive）

一、探究文人創作詩文的心境

吉川幸次郎的《陶淵明傳》於昭和 33 年（1958）五月，在東京新潮社出版，全書共十四章，其特色，如其弟子一海知義所說：發想特異，傳記從死說起，作品的記述由絕筆的〈自祭文〉引述開始。寫作方式，既採取向內集中（intensive）的方式，將自己投入對象中，經由作品的解讀分析，讓陶淵明敘述自己出生的土地、人生經歷及所創作詩文的心境。又通過外部擴張（extensive）的方式，詳細且如實的再現陶淵明生存的時代背景與政治舞台更迭交替的諸相。是近代日本最初採用的記傳方式。以「矛盾」的「誠實」把握陶淵明的形象與文學，如〈第二章〉所說：哲學的達觀與哲學而無法拂拭的不安，都是陶淵明的真實，矛盾而如實的表白即是陶淵明的文學。又如〈第四章〉所說：陶淵明的詩語雖平靜，卻是高密度的平靜，平靜的內裏沈潛著複雜且濃厚的意涵。雖然如此，卻不過度的分析，希求格律與字義的協調（kosmos）而分解古典文辭所含有的「渾沌」（khaos）。亦即以「渾沌」而接近陶淵明「真實」的性格。畢竟解釋醉人之語並不容易，覺醒者佯裝醉人而抒發的言語，就更不容易解釋，故對陶淵明詩文進行煩瑣的分析卻又無可避免。[1]

起筆奇拔，結語空靈的發想，兼具向內集中與外部擴張的寫作方式，體得詩人心境的自傳文學，敘述居處環境的風土文學，覺醒者之醉語的平靜與沈痛，矛盾與真實交錯的詩文意境，又定位中國道家生死觀的思想系譜而逼顯陶淵明肖像，是吉川幸次郎以「舌人意識」而心領神會陶淵明真實人生的「心得」。「舌人意義」之「舌人」語出龔自珍〈工部尚書高郵王文簡公墓表銘〉，說明王引之的學問宗尚在於「為三代之舌人」。武內義雄於古希（七十）祝壽宴會，講演「高郵王氏の學問」，說明戴段二王之細密實證的乾嘉學風，正確詮釋古代語言的「舌人意識」是其學問宗尚的所在。吉川幸次郎致力於陶淵明詩文意涵的詮釋，或可謂其亦有「舌人意義」。至於「心得」，則是吉川幸次郎說明其師狩野直喜學問宗尚的所在。吉川幸次郎說：沈潛於中國的古典文學的蘊涵，主張「儒

1　一海知義〈解說〉，見吉川幸次郎《陶淵明傳》，東京：新潮社，1958年5月，頁189-197。

雅」與「文雅」的融貫是中國文明異於其他文明的特質所在，此為狩野直喜的「心得」之學。亦即探究中國文學的本質，以沈潛洗練的工夫，體得「儒雅」的內涵，進而成就精通文章經術的通儒之學為究極的「心得興到」之學。吉川幸次郎體得陶淵明創作詩文的心境，或可說是「心得」之學的表現。

二、起筆奇拔：以〈自祭文〉為敘傳的開端

吉川幸次郎於《陶淵明傳》開端說：

> 陶淵明死於東晉宋文帝元嘉四年秋九月，西元四二七年，乃《古事記》真福寺本所記大雀之命，即仁德天皇崩殂之年，是聖人孔子死後九百年，而早於杜甫之死三百五十年，距今（1956）一千五百二十九年。詩人自作悼祭的〈自祭文〉，收載於百餘篇詩文的最後一首，是其「絕筆」之作[2]。

敘述中國詩人傳記而起筆於死年，是吉川幸次郎別出新裁的獨見，也是日本中國學者首出的創舉。其詳細敘述陶淵明死年的中日相關

2　蘇東坡曰：「讀淵明自祭文，出妙語於纊息之餘，豈渡死生之流也。」（元陳秀明編《東坡文談錄》）元李公煥《箋陶淵明集》卷八：「此文乃靖節之絕筆也」。袁行霈〈自祭文解題〉：「臨終留有遺言者，檢《左傳》已可見。惟死前自作祭文，設想自己已死而祭弔之者，實自淵明也。文中語氣沈痛，感情惘然，乃逝世前不久自忖將永歸於后土時所作，與中年所作《擬挽歌辭》之詼諧不同。」（《陶淵明集箋注》，北京：中華書局，2003 年 4 月，頁 557。）

年代，是《陶淵明傳》先於新潮社連載數十次，為使日本社會一般讀者能了解陶淵明生存年代相當於日本的何時，故記載日本的年代。又日本亦知孔子為聖人，而吉川幸次郎個人「以杜甫為古典」[3]，故記述陶淵明的卒年在「孔子死後九百年，而早於杜甫之死三百五十年，距今一千五百二十九年」。至於起筆於死年，或許有關陶淵明享年，由於生年的推論，歷來眾說紛紜[4]，而於死年大抵甚少異議，其根據則是陶淵明〈自祭文〉所說的「歲惟丁卯，律中無射，天寒夜長，風氣蕭索，陶子將辭逆旅之館，永歸於本宅」。

「歲惟丁卯」，即元嘉四年，「律中無射」即陰曆九月，臨近長江的江西平野正是「天寒夜長，風氣蕭索」的時節，陶淵明將永辭寄旅暫居的人間世界而回歸死後真實的世界。其以人生為「逆旅」，以死去為「永歸於本宅」，與「茫茫大塊，悠悠高旻，是生萬物，余得為人」的氣化論，「余今斯化，可以無恨，壽涉百齡，身慕肥遁，從老得終，奚復所戀」之以生老病死為自然常道的敘述，蓋窺知陶淵明的生死觀是繼承莊列道家氣化流行，視死生如晝夜四時之常而安之若命的哲學。至於「自余為人，逢運之貧。簞瓢屢罄，絺綌冬陳。含歡谷汲，行歌負薪。翳翳柴門，事我宵晨。春秋代謝，有務中園。載耘載耔，迺育迺繁，欣以素牘，和以七絃。……樂天委分，以至百年。……寵非己榮，涅豈吾緇。捽兀窮廬，酣飲賦詩」，則是陶淵明自述其生平與人物性格的寫照，家貧

---

3 吉川幸次郎「以杜甫為古典」之說，見於所作〈私の古典〉，收載於《吉川幸次郎全集》第十二卷，東京：筑摩書房，1968 年 6 月，頁 706-707。

4 有關陶淵明享年的議論，詳參袁行霈〈陶淵明享年考辨〉〈陶淵明年譜匯考〉，收載於《陶淵明研究》，北京：北京大學出版社，2009 年 1 月，頁 205-350。

固窮[5]而安貧樂道，嘗仕宦途於「文化國家的時代」[6]，然生不逢時，吾道不行，乃歸隱田園而務農，飲酒賦詩以自娛。陶淵明田居生活，以詩文、管絃、飲酒為樂，而安時處順，即農夫、文人、哲學家、音樂家的寫照，乃縮影於〈自祭文〉，是掌握陶淵明形象最真實的作品，故吉川幸次郎敘述陶淵明傳記，即以〈自祭文〉而開宗明義。

「人生實難，死如之何，嗚呼哀哉」是〈自祭文〉的結尾，吉川幸次郎以為「人生實難，死如之何」二句難解。蓋陶淵明在〈自祭文〉所表述的是自由人的逍遙自得，雖「逢運之貧」，生活貧窮困乏，而「欣以素牘，和以七絃。冬曝其日，夏濯其泉」，乃是以詩文、音樂而優遊的幸福人生。即便「寵非己榮，涅豈吾緇」，人世所有的寵辱，以哲學的達觀而超越，「酣飲賦詩」「壽涉百齡」也由於去世而了無眷戀。雖然如此，結尾卻說人世難渡，死將如何。究其原因，或許是感嘆人世的無情與身亡而終究為人所遺忘的無奈。而更深層的原因則是陶淵明的一生看似悠然自在，其實是充滿苦惱。雖然隱居田園，身體遠離現實，耳目卻不得不經常凝視人間的現實，鄉野田園固然素樸真實而世俗社會卻錯綜複雜，故感嘆「人生實難」。至於「死如之何」是對死後世界的懷疑，與〈自祭

---

5 岡村繁以為「固窮節」只是陶淵明不遇在野生活的強調而已，且所謂晚年家貧，或清貧之說，也有可議。其仕宦未必是家貧，「公田悉令吏種秫稻，妻子固請種，乃使二頃五十畝種秫，五十畝種秫」，（《宋書・隱逸傳》）既欲以釀酒，又有食糧，故未必貧窮。《陶淵明　世俗と超俗》，東京：日本放送協會，1974 年 12 月，頁 198、138。）或存為一說。

6 吉川幸次郎以「文化國家的時代」解釋「天下有道」，蓋從陶淵明與桓玄、劉牢之、劉裕的關係，說明陶淵明出仕於壯志可伸的時代。

文〉開端「陶子將辭逆旅之館，永歸於本宅」之以生為虛妄，以死為真實而安於死後真實世界的歌頌，前後矛盾。何以陶淵明在最後一句說死後世界為不可知，吉川幸次郎說：「詩人心中似有秘密」，而結束《陶淵明研究》的第一章，然後更端，於第二章探究陶淵明的生死觀。就文章結構而言，以矛盾作結，而欲探究詩人的心境，敘述陶淵明對生死難關的哲學思考，解析其心中秘密，故「詩人心中似有秘密」是承上啟下的關鍵文字。

三、生死觀的思想系譜

吉川幸次郎疏解陶淵明〈自祭文〉「茫茫大塊，悠悠高旻，是生萬物，余得為人」，以「おのれ」（「己」）行文，即以主（作者陶淵明）客（筆者吉川幸次郎）合一的口吻，敘說陶淵明的心境：

> 根據《列子》《淮南子》的哲學，天地之間大氣流行，氣聚而生萬物，我之所以生，如《淮南子・精神訓》所說：「煩氣為蟲，精氣為人」，是氣聚而生為人。至於生而為人，雖貧而得以終天年，則如榮啟期所說：「吾樂甚多，天生萬物唯人為貴，而吾得為人，是一樂也。……吾既已行年九十矣，是三樂也。貧者士之常也，死者人之終也，處常得終，當何憂哉。」（《列子・天瑞》）人之生乃聚集天地的精氣而成，安時處順，得自然之常。至於人之死，也是道家，尤其是《莊子》、《列子》、《淮南子》所關注的人生哲學。

吉川幸次郎強調〈自祭文〉敘述氣聚為人，人處常得終，「將辭逆旅之館，永歸於本宅」之生死觀的「思想系譜」可上溯道家諸子的哲學。[7]

吉川幸次郎說：人的一生是時間推移無數線上，某一期間的存在，至於生死則如晝夜的交替，既是連續的存在，也只是相對的差異而非斷絕性的絕對差異，樂生哀死只是人的執著與錯覺，此為莊子的生死觀。如〈齊物論〉：

> 予惡乎知說生之非惑耶，予惡乎知惡死之非弱喪而不知歸者耶。麗之姬，艾封人之子也，晉國之始得之，涕泣沾襟。及至王所，與王同筐牀，食芻豢，而後悔其泣也。予惡乎知夫死者不悔其始之蘄生乎。

人對於生的執著是錯覺，對死的恐懼則如早歲離鄉背井而迷途忘歸的浪子。以麗姬後悔其泣的寓言，引伸死為解脫而曉悟汲汲求生之為非。又〈大宗師〉「子桑戶、孟子反、子琴張三人相與友……相忘以生，無所終窮」的寓言，是超越生死的哲學，其以生為虛妄，以死為真實的思想，即陶淵明〈自祭文〉「陶子將辭逆旅之館，永歸於本宅」的思想根源。超越生死的哲學，於《莊子・外篇》隨處可見，如〈刻意〉「其生若浮，其死若休」，是〈大宗師〉「夫大塊載我以形，勞我以生，佚我以老，息我以死」的敷衍。〈知北遊〉「人之生，氣之聚也，聚則為生，散則為死」，則以氣為物質構成的要素，流行於宇宙之間，氣凝集成形而人生，離散而人亡，

7　見吉川幸次郎《陶淵明傳》，新潮文庫，東京：新潮社，1958 年 5 月，頁 28。

即以物理說明為生死的問題。又〈至樂〉「莊子死妻」的寓言，「是其始死也，我獨何能無概然。察其始而本無生，非徒無生也，而本無形，非徒無形也，而本無氣，雜乎芒芴之間。變而有氣，氣變而有形，形變而有生，今又變而之死，是相與為春秋夏冬，四時行也」。既說明氣為人體構成的要素，以氣的聚散而人生人死，又指出人的生老病死如四時的運行，是自然的常理，無需哀傷死亡。因此〈至樂〉的「莊子之楚，見空髑髏」的寓言，陳述死之為樂的思想。「死無君於上，無臣於下，亦無四時之事，從然以天地為春秋，雖南面王，樂不過也。……吾安能棄南面王樂而復為人間之勞」，則敷衍〈大宗師〉「勞我以生，佚我以老，息我以死」之義，而以死為樂。郭象注此章曰：「舊說云莊子樂死惡生，斯說謬矣，若然，何謂齊乎。所謂齊者，生時安生，死時安死，生死之情既齊，則無為當生而憂死耳，此莊子之旨也」，即以生死同一，安時而處順，乃莊子的生死觀，然吉川幸次郎以為《莊子》此章佚文有「生寄也，死歸也」二句，而主張《莊子》有以生為虛妄，以死為真實的傾向，陶淵明即受《莊子》思想的影響而自述：「陶子將辭逆旅之館，永歸於本宅」。[8]

吉川幸次郎說祖述《莊子》生死觀的是《淮南子》，〈精神訓〉的「生寄也，死歸也」，記存《莊子》佚文，〈俶真訓〉「始吾未生之時，焉知生之樂也，今吾未死，又焉知死之不樂」，說明死之為樂。先於陶淵明而展開《莊子》哲學的是《列子》。列子其人雖先於莊周，而其書，根據柿村重松《列子疏證》的考證或晚於《淮南子》。生死問題是《列子》思想的主題之一，如〈天瑞〉：

---

8 同前注，頁 30-31。

> 古者謂死人為歸人。夫言死人為歸人，則生人為行人矣。行而不知歸，失家者也。

敷衍〈齊物論〉「弱喪而不知歸者」之義。又〈楊朱〉：

> 太古之人知生之暫來，知死之暫往。……萬物所異，生也，所同者，死也。生則有賢愚貴賤，是所異也，死則有臭腐消滅，是所同也。……生則堯舜，死則腐骨，生則桀紂，死則腐骨，孰知其異。

人生如寄，生之時，雖有賢愚貴賤殊相，死亡氣散則同歸塵土。東晉是《莊》《列》思想興盛的時代，陶淵明思索生死問題而說「將辭逆旅之館，永歸於本宅」，固祖述《莊》《列》的哲學，以生死為自虛妄現世而回歸於本來世界的歷程。雖然如此，〈自祭文〉結尾「人生實難，死如之何」與開端「將辭逆旅之館，永歸於本宅」之哲學的達觀，則有所矛盾。對〈自祭文〉以達觀起筆而以不安作結的矛盾，吉川幸次郎展開其獨見。吉川幸次郎以為：矛盾正顯現陶淵明文學的高貴，哲學的達觀既是陶淵明的真實，哲學思考而無法拂拭的不安也是陶淵明的真實，二者固然矛盾而將矛盾如實的表白，正是陶淵明的文學。人生本來就存在著各種的矛盾，只有「誠實的文學」才能如實表述人生無數的矛盾。陶淵明雖是逍遙於田園生活的隱遁者，卻未能完全割捨對政治社會的關心，身體脫離現實而耳目卻依然凝視著政局的變化。因此，〈挽歌〉三首既有「有生必有死，早終非命促」的達觀，也有「但恨在世時，飲酒不得足」的遺憾，更有「向來相送人，各自還其家，親戚或餘悲，他人亦已歌，死去何所道，託體同山阿」，既感歎人世的無情，也有人世的無情與諸般矛盾的存在未嘗不是人間現實的覺醒，畢竟精神散離的肉體終究與時俱滅而化為山阿的塵土。[9]

吉川幸次郎對陶淵明生死觀的論述，起於〈自祭文〉而終於〈挽歌〉三首，前後呼應。然後由死而生，第三章則以〈五柳先生傳〉展開「自傳文學」的記述。

四、〈五柳先生傳〉的自傳文學與陶詩的風土文學

吉川幸次郎強調最早敘述陶淵明的傳記是陶淵明自述的〈五柳先生傳〉[10]，陶淵明生活、躬耕、吟詩、飲酒而老死的風土民情，

---

9 同前注，頁 35-42。

10 沈約《宋書・隱逸傳》：「潛少有高趣，嘗著五柳先生傳以自況。……其自序如此，時人謂之實錄。」一海知義說：〈五柳先生傳〉是架空人物的肖像畫，唯此肖像畫極類似陶淵明的實像。分析〈五柳先生傳〉的結構為「出自・姓名、性格、讀書、飲酒、衣食住、文章、死」，並引證陶淵明的詩文，探究〈五柳先生傳〉的真實性與虛構性的所在，說明五柳先生的人物雖是虛構而其形象則接近陶淵明的「自畫像」。（〈五柳先生傳——架空の自傳〉，見載《陶淵明——虛構の詩人》，岩波新書，東京：岩波書店，1997 年 5 月。其後，《陶淵明——虛構の詩人》收入《一海知義著作集 2　陶淵明を語る》，東京：藤原書店，2008 年 5 月。頁 7-188。〈五柳先生傳——架空の自傳〉於此書頁 42-104）。吉川幸次郎的再傳弟子川合康三說：陶淵明的〈五柳先生傳〉是中國獨特自傳形式的創始，並引證袁粲〈妙德先生傳〉，王績〈五斗先生傳〉，白居易〈醉吟先生傳〉，陸龜蒙〈甫里先生傳〉，歐陽修〈六一居士傳〉，說明陶淵明〈五柳先生傳〉之為其後的中國古典文學所繼承。（《中國の自傳文學》，東

由陶淵明自身來敘述，此為其記述陶淵明傳記的主軸。吉川幸次郎說：史書載記陶淵明的傳記首見於其死後百年或二百年的《晉書・隱逸傳》和《南史・隱逸傳》，梁昭明太子推崇陶淵明文學的〈陶淵明傳〉及〈陶淵明集序〉寫於五世紀，而有關陶淵明生平的記述，最早的是陶淵明自述的〈五柳先生傳〉。至於潯陽柴桑的風土，陶淵明有〈時運〉、〈停雲〉、〈飲酒〉等詩歌來記述，又由於陶淵明的故里與文學為後人所流連親慕，遷客騷人頗多書寫潯陽一帶的風土文學。[11]

〈五柳先生傳〉所描繪的陶淵明形象是好讀書而「不求甚解」，嗜好飲酒而有進退出處的心得，又創作詩文以自娛，家貧而晏然自處，安貧樂道而得失兩忘。吉川幸次郎於陶淵明讀書飲酒賦詩的解釋，有其獨特的見解。吉川幸次郎根據清人方宗誠《陶詩真詮》所說：「嫌漢儒章句訓詁之多穿鑿附會，失孔子之旨也」，[12]指出魏晉以來三玄盛行，經疏講義，議論煩瑣，而陶淵明異於流俗，不以過度細微的訓詁，希求字義通達的協調性而分解古典言語的渾沌圓融性，但於有會心處，反復熟讀，樂在其中而忘食。嗜好與人飲酒而知進退出處，以每飲輒醉，醉則退為心得。至於日常居

京：創文社，1996年1月，頁67-156）

11 田曉菲《塵几錄》引述有關「醉石」文獻的記載，提出「場所與空間」，說明中國文人的文化想像版圖。北京：中華書局，2007年8月，頁181-208。和辻哲郎（1889-1960）《風土》說：「風土」是某一土地的氣候、氣象、地質、地形、景觀的總稱。風土的現象可以從人類的文藝、美術、宗教、風俗習慣等所有的生活表現中窺察而知，因此風土可以說是人類自我理解的表現。（岩波文庫，東京：岩波書店，1979年5月，頁17-20。）詩文描寫地域的自然景觀，民情風俗，或可謂之為風土文學。

12 見引《陶淵明詩文彙評》，臺北：世界書局，1998年5月二版，頁366。

處，雖「環堵蕭然」，且「瓢簞屢空」，卻能晏然自處。讀書飲酒之外，又以創作詩文自娛，體悟宇宙自然的「真意」，洞察人間社會的「秩序」，安貧樂道，得失兩忘，無以貧賤為憂戚，汲求富貴而自苦。

〈五柳先生傳〉所記：「五柳先生不知何許人也，亦不詳其姓字」是虛構，根據歷史記載，陶淵明是潯陽柴桑人。潯陽者，今江西省九江市，位在長江之南，鄱陽湖的入口處。九江市南二十里，有廬山名勝，廬山南麓有星子縣，縣西為柴桑縣，柴桑縣內有栗里村。陶淵明在此飲酒賦詩，躬耕起居而終老。有關潯陽柴桑一帶的形勝與風土民情，吉川幸次郎以為廬山勝景的描寫，雖有陶淵明摯友僧慧遠〈廬山略記〉與李白〈望廬山瀑布〉的詩文存在，至於潯陽柴桑的文學，白居易左遷江州司馬，於元和十一年（816）寫〈訪陶公舊宅〉記存九世紀初期九江的風土民情，十二世紀朱熹赴任南康軍，即今星子縣，作〈廬山雜詠〉、〈顏魯公栗里詩跋〉、〈與呂伯恭書〉[13]分別記載陶淵明醉眠的「醉石」，又於其側築「歸去來館」，此為南宋淳熙年間的情況。十六世紀明李夢陽知事九江重修陶淵明墓，作〈晉代徵士陶靖節墓〉，二十世紀初，諸橋轍次探訪栗里，感嘆說：不似風流人物之鄉里，少無風致，五柳館、歸去來館不存，田中巨石或曰醉石，唯村人懇切相迎[14]。十二世紀末，朱子歌詠「醉石」而記述的「風煙、喬木、飛泉」既已無存，醉石亦以田中之巨石而尚存，陶淵明〈形影神〉雖說「天地長不沒，山

---

13 分別收載於《朱文公文集》7、81、34。

14 諸橋轍次〈栗里より陶淵明の墓を訪ふ〉，《遊支雜筆》，東京：目黒書店，昭和 13（1938）年 10 月，頁 156-158。

川無改時」，然以人口增加，農地的開墾，物換星移，山川亦改變其姿態，唯人情的淳厚素樸，則與白居易所述：「每逢姓陶人，使我心依然」（〈訪陶公舊宅〉），有相同的感受。實則陶淵明亦嘗敘述：「昔欲居南村，非為卜其宅，聞多素心人，樂與數晨夕」（〈移居二首〉），「時復墟曲中，披草共來往，相見無雜言，但道桑麻長」（〈歸園田居其二〉），潯陽的景觀與柴桑栗里純樸敦厚的風土民情，陶淵明的詩文既有極為適切的記述。[15]綜輯陶詩所記，潯陽柴桑是水鄉澤國的多雨地帶，阡陌縱橫而物阜民豐，廬山亦悠然可見，百姓皆怡然自得。〈時運〉第一首，記述栗里村春季雨後的風光：

> 邁邁時運，穆穆良朝。襲我春服，薄言東郊。山滌餘靄，宇曖微霄。有風自南，翼彼新苗。

春雨洗滌，山靄餘存，天宇薄雲微遮，南風吹拂新苗，描寫延伸於廬山西南麓寧靜安和的平原的景象。陶淵明出生前的二、三百年，潯陽一帶是中國的邊境，陶淵明的先祖篳路藍縷而開拓成農作的耕地。潯陽柴桑是接近鄱陽湖的水鄉，便於灌溉，農產富足，〈時運〉第二首，「洋洋平津，乃漱乃濯。邈邈遐景，載欣載矚。人亦有言，稱心易足。揮茲一觴，陶然自樂」，描述百姓怡然自得的情景。〈停雲〉寫昏濛雨景，「靄靄停雲，濛濛時雨。八表同昏，平路伊阻。……良朋悠邈，搔首延佇。……願言懷人，舟車無從」。

---

[15] 見吉川幸次郎《陶淵明傳》，新潮文庫，東京：新潮社，1958 年 5 月，頁 46-53。

唯雨過天晴，村人彈琴吹簫而盡平日之歡娛。〈諸人共遊周家墓柏下〉寄寓人生無常的覺醒而飲酒行樂，「今日天氣佳，清吹與鳴彈。感彼泉下人，安得不為歡。清歌散新聲，綠酒開芳顏。未知明日事，余襟良以殫」。把酒當歌，解消人生困惑而物我兩忘的是悠然聳立的廬山。〈飲酒〉第五首：

> 結廬在人境，而無車馬喧。問君何能爾，心遠地自偏。采菊東籬下，悠然見南山。山氣日夕佳，飛鳥相與還。此中有真意，欲辨已忘言。

體得宇宙的真意與自然的美善（khaos），不必汲汲於言筌辨證的調和（kosmos），在渾沌圓融中，與自然冥合，得意忘言而悠然自得。

吉川幸次郎以陶淵明渾融自得而欲辨忘言的體悟，乃得於莊子「得魚忘筌，得意忘言」的要旨，而結束第三章的論述。唯賦詩詠志是詩人的宿命，陶淵明如何韜晦詩語，吉川幸次郎乃在第四章分析陶淵明詩語，說明「高密度的平靜」是陶詩的美學，平靜而沈痛，矛盾而真實是陶淵明作詩的心境。

五、平靜與沈痛，矛盾與真實：陶淵明詩語心境的體得

吉川幸次郎說：陶淵明詩語具有高密度的平靜，表面看似平靜，而字裏行間卻含藏複雜且濃厚的深層意涵，如深淵之水，表面雖碧綠沈靜，而水中暗流迴旋，由於水流相互牽引而保持靜謐的表

面張力。陶淵明輒以「但恨多謬誤，君當恕醉人」（〈飲酒〉第十一首）為遮撥，解釋醉人之語本不易，覺醒人之醉語的疏理更難，於詩文的言外之意則不免要稍加煩瑣的分析。如〈飲酒〉第五首「采菊東籬下，悠然見南山」與第八首「凝霜殄異類，卓然見高枝」，陶淵明悠然超卓而南山亦悠然，松枝亦卓然，是主客合一，渾然圓融境界的表述。中國文字渾沌多義，最適於作詩，陶詩之高密度的平靜是古典漢語的結晶，而其具現則在「此中有真意」與飛鳥的意象。一海知義檢尋陶詩一百二十餘首，用「真」字的詩有六首，除「此中有真意」外，尚有：

> 羲農去我久，舉世少復真。（〈飲酒〉第二十首）

> 悠悠上古，厥初生民。傲然自足，抱樸含真。（〈勸農〉）

以上古純樸真實的生活為理想極致。

> 投冠旋舊墟，不為好爵縈。養真衡茅下，庶以善自名。
> （〈辛丑歲七月赴假還江陵夜行塗口〉）

欲歸隱蔽廬而逍遙自得於真實純樸。

> 望雲慚高鳥，臨水愧游魚。真想初在襟，誰謂形跡拘。
> （〈始作鎮軍參軍經曲阿〉）

思慕真實自在的生活。

天豈去此哉，任真無所先。雲鶴有奇翼，八表須臾還。（〈連雨獨飲〉）

此詩「真」字最隱微，「真」是世界成立的核心，天既不去，人亦賴之以生，故為真理真實。綜括陶詩的「真」義，「舉世少復真」的「復真」是真理的回復，「悠悠上古，抱樸含真」的「含真」是真理的保有，「養真衡茅下」的「養真」是真理的涵養，「真想初在襟」的「真想」是真理的思慕，故於和平平靜謐而悠然的夕靄暮嵐，飛鳥歸巢的風景中，體悟蘊含於天地自然中的世界真實，人間美善的「真意」。蓋「真意」如「雨意」之義，乃天地自然的徵兆，真實的端緒。南山的悠然，高松的卓然與飛鳥的自在皆暗示人間真實存在的機微。陶淵明「結廬在人境」而輒歌詠飛鳥之姿，既寫「山氣日夕佳，飛鳥相與還」，以鳥為自由和平與幸福的象徵，說「雲鶴有奇翼，八表須臾還」之精神自由的飛翔，又以「望雲慚高鳥，臨水愧游魚」之飛鳥遊魚的優遊逍遙反襯人間制約於世間規範的束縛。至於「雲無心以出岫，鳥倦飛而知還」〈歸去來辭〉，以行雲飛鳥皆體得宇宙的真意而心嚮往，乃借物諷託，觸景寄意。然而天地自然氣象萬千品物林種，陶詩的飛鳥意象未必全然是和諧幸福的寄寓。畢竟天候既有風和日麗天朗氣清之時，亦有陰鬱風高激洌嚴寒之日，故飛鳥既有遨翔於和風朗暢的悠然，亦有飄搖於強風驟雨而急切歸巢的焦憂，甚且不知所歸或無所歸向的悲哀。如〈歲暮和張常侍〉：

向夕長風起，寒雲沒西山。厲厲氣遂嚴，紛紛飛鳥還。

日暮風起天寒，飛鳥紛紛歸巢，心情雖不免焦急，而尚有歸還的所在，堪稱幸運。至於不知所歸的飛鳥：

> 翼翼歸鳥，晨去於林。遠之八表，近憩雲岑。和風弗洽，翻翮求心。顧儔相鳴，景庇清陰。翼翼歸鳥，相林徘徊。豈思天路，欣及舊栖。雖無昔侶，眾聲每諧。（〈歸鳥〉）

遠飛八表之外的雲霄，將何所之，世間未必永久和平，何不眾鳥相約而庇護於涼蔭之下。蓋政局陰惡，斡旋於權勢顯貴之間，頓失真實純樸的所在，不如歸返素樸調和且富有真情實感之「情話」的鄉野田園，乃借迷途而不知返之飛鳥以寄興。更有甚者，則是無巢可歸之孤鳥，乃世間最大的不幸。

> 栖栖失群鳥，日暮猶獨飛。徘徊無定止，夜夜聲轉悲。厲響思清遠，去來何依依。（〈飲酒〉第四首）

失群孤鳥之無巢可歸的沈痛悲鳴，或陶淵明離鄉求仕而徘徊岐路的自況。以飛鳥寫其心境，詩語未必激烈，而心中的苦惱與矛盾則隱約浮現於字裏行間。陶淵明借物抒情的飛鳥意象，既有「山氣日夕佳，飛鳥相與還」之幸福真實的寄興，也有「日暮猶獨飛，徘徊無定止」之孤獨悲鳴的沈痛，詩語雖簡潔而心境則複雜糾結，故〈飲酒〉第七首「泛此忘憂物，遠我遺世情，一觴雖獨進，杯盡壺自傾，日入群動息，歸鳥趣林鳴，嘯傲東軒下，聊復得此生」，欲以「忘憂」之酒解消世間之無情，隱居田園而託林鳥之嘯傲東窗，復得人生的素樸真實，則曠達與頓挫的詩韻共響，寬闊與沈痛的心境並存而可感。蘇東坡評此詩曰：「靖節以無事自適為得此生，則凡役於物者，非失此生耶」（《東坡題跋》卷二〈題淵明詩〉），此詩固有曠達適得的超越，而未嘗無日落寂寥，獨酌聽鳥啼的孤獨感傷，飲忘憂之酒而遠離世間的隱痛，溢於言表。遠飛八表而欲以抒發猛志是陶淵明前半生的寫照，然當時政局的推移，赴任彭澤縣令，苦於物役，乃以倦鳥自喻而決意歸隱田園，終老天年。陶淵明心境的浮沈既以飛鳥為諷喻，而人生進退抉擇的契機則取決於其與左右時勢之政治人物的關係以及「潔癖」性格。[16]

六、猛志高飛與歸林自適：時代人物的交錯與潔癖的性格

飛鳥「晨去於林，遠之八表」或是陶淵明前半生仕宦而欲用於有道的寫照，入幕出仕的生涯雖非處於政治的中樞要津，而與當時的權勢亦有所接觸。陶淵明長桓玄四歲，少劉裕二歲，乃同時代之人，當時權勢的傾軋與陶淵明的傳記有不可解的交錯。陶淵明前半生的政治局勢是以桓玄為中心，政局的推移亦波及陶淵明的進退。至於同在劉牢之幕下的劉裕的顯赫騰達，或為陶淵明出仕歸田矛盾複雜心境的肇因之一。

晉安帝隆安五年（401）八月，孫恩圍建康，桓玄欲出兵解圍，朝廷不許。陶淵明於桓玄宣告出兵前一月，作詩〈辛丑歲七月赴假還江陵夜行塗口〉，「懷役不遑寐，中宵尚孤征」，其旅行的意圖

16 吉川幸次郎《陶淵明傳》，新潮文庫，東京：新潮社，1958 年 5 月，頁 60-82。

雖不明確，卻暗示時局情勢頗為緊急。[17]翌年，情勢加速急迫，正月，朝廷命劉牢之征討桓玄，唯劉牢之優柔寡斷，又多疑猜忌，雖受命於朝廷，反降服於桓玄，桓玄乃揮軍直入建康，自任宰相，殺攝政王父子。其後，劉牢之叛變桓玄，失敗而於亡命北方的途中自殺。元興二年（403）十一月，桓玄纂位，國號楚，時陶淵明三十九歲。前年，劉牢之自殺，陶淵明歸返潯陽柴桑故里，凝視時局的動亂，於元興二年，作〈癸卯歲始春懷古田舍〉詩二首：

> 先師有遺訓，憂道不憂貧。瞻望邈難逮，轉欲志長勤。秉耒歡時務，解顏勸農人。……長吟掩柴門，聊為隴畝民。

「憂道不憂貧」是孔顏樂處，「瞻望邈難逮，轉欲志長勤」，天下有道則仕，無道則隱，是夫子之教，而勤勞不懈，乃人生的本分，若無所可用則「長吟掩柴門，聊為隴畝民」，耕讀於田園，而恬然適得，是進退之節。又同年十二月，作〈癸酉歲十二月中作與從弟敬遠〉：

> 寢跡衡門下，邈與世相絕。顧盼莫誰知，荊扉晝常閉。淒淒歲暮風，翳翳經日雪。傾耳無希聲，在目皓已潔。……高操非所攀，謬得固窮節。平津茍不由，栖遲為拙。寄意一言

---

17 古直謂陶淵明受命朝廷出使勸阻勸出兵，然李長之從葉夢得之說，謂陶淵明此時已在桓玄幕中，龔斌從朱自清之說，謂陶淵明此時為桓玄僚佐，（《陶淵明集校箋》，臺北：里仁書局，2007 年 8 月，頁 196。）袁行霈亦謂陶淵明此時在桓玄幕中無疑。（《陶淵明集箋注》，北京：中華書局，2003 年 4 月，頁 195）

> 外，茲契誰能別。

歲暮田居，風雪蕭瑟，詩韻沈鬱。蓋桓玄纂位，幽禁東晉天子於潯陽，陶淵明感同身受，既傷痛九五之尊竟淪落於故里鄉野而「邈與世相絕」，當下的自身也僅能「固窮」自守，棲栖於簡陋僻野而潔淨的世界。然而桓玄短祚，陶淵明於元興三年（404）四月，再度出仕。

吉川幸次郎以為桓玄在位僅「三日天下」的原因在於時代風尚與桓玄風雅的性格。東晉世風重視門閥流品，貴族富豪生活奢侈，崇尚華麗洗練的文化，然而過度追求奢華的結果，天下人心終有空疏而不得永續的憂患與不安。但是桓玄尚文，其文翰之美，世有高名，雖纂奪王位而無治理天下安頓百姓的政策措施。改易富麗文明生活的浮華，則需要素樸強韌的精神與確實施行的政治能力，匡正時勢而崛起的是劉裕。劉裕長陶淵明二歲，二人曾同為劉牢之的幕佐，劉裕雖無文才而俊敏果斷，三十九歲以軍功而受封建威將軍，任命下邳太守。此時，陶淵明亦在劉牢之幕下，二人或有識面。元興三年二月，劉裕率兵攻京口，三月攻建康，五月斬桓玄。四年二月迎天子至於建康，挾天子以令諸侯而肅正綱紀。劉裕的「義舉」，陶淵明或暗自稱許。此年前後，劉牢之之子劉敬宣奉派潯陽，陶淵明任其參謀。義熙元年（405）暮春，陶淵明奉命出使建康，途經安徽錢谿，作〈乙巳三月為建威參軍使都經錢谿〉：

> 我不踐斯境，歲月好已積。晨夕看山川，事事悉如昔。微雨洗高林，清飆矯雲翮。眷彼品物存，義風都未隔。伊余何為者，勉勵從茲役。一形似有制，素襟不可易。園田日夢想，

安得久離析。終懷在歸舟，諒哉宜霜柏。

「晨夕看山川，事事悉如昔」，桓玄墜落，天子還都，晉王朝山川再現，景物依舊的欣喜之情隱微可察。「微雨洗高林，清飆矯雲翮，眷彼品物存，義風都未隔」則直寫暮春清涼，萬物向榮的景緻，萬般存在皆順應宇宙自然的理則，春雨洗滌的修竹，遨翔優遊的飛鳥，皆適得其所，而體現自然的美善，是理想的歸趨。萬物既各得其所，陶淵明乃率直的表述「勉勵從茲役」。然而世事複雜多變，又難免有一抹不安的憂慮，一旦有形為物役，束縛於世間制約的感受，終將歸隱田園。歸田的決意即在就任彭澤縣令之時。赴任縣令的理由，或因昔任參謀，今就任一縣之長，革命之後，諸事待興，又以戰後生活貧苦，得俸祿以供給家用。然則就任彭澤，卻成為陶淵明確認其與世俗風尚矛盾難合的契機。在任三月，便掛官求去，〈歸去來辭〉是陶淵明致仕歸田的宣言。以後二十二年而至老死的歲月，完全隱居於柴桑栗里。

〈歸去來辭〉全文三百四十字，「田園將蕪」直述歸園的動機，「既自以心為形役，奚惆悵而獨悲」是「覺今是而昨非」的體悟。憶昔少壯之時，雖有「猛志逸四海，騫翮思遠翥」（〈雜詩〉）的懷抱，終以形為物役而苦楚難耐，雖「身在魏闕之下而心存江海之上」，乃辭去世俗的職務，以心為主宰，解消苦惱的陰鬱而歸趨於精神自由的田園。鄉野居處雖僅容膝，而引觴自酌，寄傲南窗，以琴書為樂而忘憂消愁。時而涉園成趣，以親戚之情話為悅樂。又扶杖遠遊而逍遙，見草木之向榮，聽泉水之涓流，萬物既得其所在，吾生亦能享無疆之休。甚且登高長嘯，臨流賦詩，「聊乘化以歸盡」，樂天命而行休。吉川幸次郎強調素樸表現體得自然秩序的平靜是陶淵明文學的特色，而〈歸去來辭〉完美表述詩文高密度的平靜，是陶詩的代表作之一。唯回顧陶淵明的前半生，〈歸去來辭〉又有特殊的含意。何以陶淵明歷任軍閥的參謀幕僚，赴任窮鄉的縣令，陶淵明自稱是家貧和有道則仕的儒家傳統思想之所致。〈歸去來辭序〉說：「耕植不足以自給」，〈飲酒〉第十九首亦云：「疇昔苦長飢，投耒去學仕」，晚年〈與子儼等疏〉述懷曰：「少而窮苦，每以家弊，東西遊走」，蓋以家貧，「會四方有事」而遊走東西。至於〈雜詩〉第五首「憶我少壯時，無樂自欣豫，猛志逸四海，騫翮思遠翥」，以心有大志，為求世用，故為劉牢之的幕佐。然環顧時勢，「自余為人，逢運之貧」（〈自祭文〉），當時「政爭、奸智、陰謀、暗殺充斥，就有性格潔癖之人而言，乃是貧乏的時代」[18]，雖有用於世間的希望，終究鮮能得償宿願，即便就任彭澤縣令，亦在職三月而辭官，〈歸去來辭〉是遠離貧乏不潔之政治舞台的「絕緣書」，末二句「聊乘化以歸盡，樂乎天命復奚疑」更是超越死生窮達而因任自然，回歸素樸真實的世界，安貧樂道而逍遙自得的宣言。

然則陶淵明歸隱田園的晚年心境未必始終清朗透澈，吉川幸次郎說「清澈結晶的精神更透顯其對人間世界的深層憂慮」，此為陶淵明詩語平靜而詩情沈痛迴盪的所在，與〈歸去來辭〉同時所作的〈歸園田居〉五首即有此一傾向。〈歸園田居〉的詩語未必全如〈歸去來辭〉之平靜，第一首：

---

18 陶淵明性格「潔癖」，充滿政爭之險惡的時代，乃是「貧乏」時代的解釋，見吉川幸次郎《陶淵明傳》，新潮文庫，東京：新潮社，1958 年 5 月，頁 10。

> 少無適俗韻，性本愛丘山。誤落塵網中，一去三十年。……開荒南野際，守拙歸園田。方宅十餘畝，草屋八九間。……曖曖遠人村，依依墟里煙。狗吠深巷中，鷄鳴桑樹顛。……久在籠裏，復得返自然。

率直的歌詠自世俗官場解放而安居於和平靜謐的田園，其與自然冥合的透明平靜之心境與〈歸去來辭〉歸返鄉里的悅樂有相同的表述。但是第二首：

> 野外罕人事，窮巷寡輪鞅。白日掩荊扉，虛室絕塵想。時復墟曲中，披草共來往。相見無雜言，但道桑麻長。桑麻日已長，我土日已廣。常恐霜霰至，零落同草莽。

居處於僻野，既甚少與世俗應酬往來，顯貴官僚亦幾近絕跡，塵雜斷絕而一心躬耕務農，桑麻日長，農田漸廣，自適於一介草民素樸優遊的生活。雖然如此，「常恐霜霰至，零落同草莽」，憂心於農作難耐風霜而凋落，又不免傷感。至於第三首，「晨興理荒穢，帶月荷鋤歸，道狹草木長，夕露沾我衣，衣沾不足惜，但使願無違」，帶月荷鋤是寧靜平和心境的寫照，而雜草礙路，夕露沾衣或為昔時官場陰謀奸智的之隱喻，此不悅的幻影亦時而浮現，又不免有陰鬱而暗然神傷。故第四首，「徘徊丘隴間，依依昔人居，井竈有遺處，桑竹殘朽株，……人生似幻化，終當歸空無」，潯陽一帶幾經戰亂災荒之後，農村凋敝，舊地重遊，觸景生情而感慨人世的變遷，人生的無常，唯歸隱田園，或能安居於素樸真實的優遊境地。第五首：

> 悵恨獨策還，崎嶇歷榛曲。山澗清且淺，遇以濯吾足。漉我新熟酒，隻鷄招近局。日入室中闇，荊薪代明燭。歡來苦夕短，已復至天旭。

農村生活簡素，鄉間風俗淳厚，村野農夫素樸親切的會話，把酒暢飲通宵達旦，則是快慰人生的所在。務農、讀書、飲酒、賦詩是陶淵明歸田之後二十二年的寫照，〈讀山海經十三首〉的第一首：

> 孟夏草木長，繞屋樹扶疏。眾鳥欣有託，吾亦愛吾廬。既耕亦已種，時還讀我書。窮巷隔深轍，頗迴故人車。歡然酌春酒，摘我園中蔬。微雨從東來，好風與之俱。汎覽周王傳，流觀山海圖。俯仰終宇宙，不樂復何如。

寫農事、讀書、飲酒而自得之樂。又〈飲酒二十首并序〉「余閑居寡歡，兼比夜已長。偶有名酒，無夕不飲。顧影獨盡，忽焉復醉。既醉之後，輒題數句自娛。紙墨遂多，辭無詮次。聊命故人書之，以為歡笑爾」，則記述飲酒賦詩之歡娛。畢竟「衰榮無定在，彼此更共之。……寒暑有代謝，人道每如茲。達人解其會，逝將不復疑。忽與一觴酒，日夕歡相持」（〈飲酒〉第一首），萬物榮枯流轉，寒暑交替循環與人之有生老病死皆是自然的常道，「達人」固能體得會意而達觀，至於一般世俗之凡人則如何。引觴獨飲，感悟自然循環運行的常道，依然不免有時間流逝的無奈，陶淵明雖完全的隱者亦有徹夜不眠之時。〈雜詩十二首〉的第二首：

> 白日淪西川，素月出東嶺。遙遙萬里輝，蕩蕩空中景。風來

> 入房戶，夜中枕席冷。氣變悟時易，不眠知夕永。欲言無予和，揮杯勸孤影。日月擲人去，有志不獲騁。念此懷悲悽，終曉不能靜。

日月循環，寒暑交替，青春遠去而猛志不得馳騁的孤寂，舉杯邀獨影的沈痛，暗然而生，雖斷絕塵雜，卻未必完全超脫曠達。〈雜詩十二首〉的第三首：

> 榮華難久居，盛衰不可量。昔為三春蕖，今作秋蓮房。嚴霜結野草，枯悴未遽央。日月有環周，我去不再陽。眷眷往昔時，憶此斷人腸。

自然循環不已而人生的逆旅僅一回而已，「我去不再陽」，憶昔斷腸的無常感傷的詩語，與歸園田居後平靜澄澈的日常心境，形成矛盾的對映，其感嘆人世無常的沈痛益發顯著。〈歸去來辭〉之「聊乘化以歸盡，樂乎天命復奚疑」是達觀的哲學，時間流逝固然無情，生老病死的有限是人生的宿命，皆天地自然與人間社會的普遍性存在，但是「揮杯勸孤影」而「顧影獨盡」則是隱者孤獨落寞而暗然神傷的身影也依稀可見。陶詩表面張力的牽引而形成平靜的詩語，然「逢運之貧」，以固窮守拙的「潔癖」性格而人生的進退浮沈，故詩文的深處奧裏始終蘊含著迴流暗潮，而有孤寂沈痛的詩意。尤其是歸田之後「情隨萬化遺」（〈於王撫軍座送客〉）的晚年心境，吉川幸次郎說：陶淵明已非官場之人，即使昔日仕宦只是政治舞台的「配角」，如今則是舞台下的觀眾，閑居田園的隱者看似「冷徹」的觀眾，而有時依然凝視同僚登台演出，則不免無情冷酷。故顏延之〈陶徵士誄〉所述「在眾不失其寡，處言愈見其默」誠要約陶淵明「平靜而複雜，矛盾而真實」的性格，至於陶淵明畫像之「眉上揚而目澄徹」的寫照，亦得其孤高潔癖的神韻。[19]

結語：融合向內集中（*intensive*）與外部擴張（*extensive*）的記述模式

吉川幸次郎的《陶淵明傳》引述陶淵明三分之一的詩文敘述陶淵明的傳記，強調「淵明的土地，讓淵明自身來說」，吉川幸次郎的弟子一海知義說：「陶淵明其人以及文學，讓陶淵明自身來說，此由內面貼切作品，為此書的目的」[20]，即以「舌人意識」，分析陶淵明詩文的內在涵義，進而體得陶淵明創作詩文的心境為極致。其敘傳，以〈自祭文〉為開端，第二章論述陶淵明的生死觀而以〈挽歌〉作結，頗為奇拔，行文亦有起承轉合的用心。第一章以「陶子將辭逆旅之館，永歸於本宅」，超越樂生哀死的生死觀，與「茫茫大塊，悠悠高旻，是生萬物，余得為人」之氣化流行論的達觀哲學起筆，而以「人生實難，死如之何」之中國中世對人生抱持著懷疑不安的普遍人生觀[21]為伏筆而作結。第二章接續陶淵明生死

19　吉川幸次郎《陶淵明傳》，新潮文庫，東京：新潮社，1958 年 5 月，頁 186-188。

20　吉川幸次郎之說，見於吉川幸次郎《陶淵明傳》，新潮文庫，東京：新潮社，1958 年 5 月，頁 53。一海知義之說，見〈吉川幸次郎《陶淵明傳》解說〉，吉川幸次郎《陶淵明傳》，新潮文庫，東京：新潮社，1958 年 5 月，頁 194。

21　吉川幸次郎〈中國文學における希望と絕望〉，〈中國文學に現れた人生

觀的論述，既探究陶淵明生死觀的思想系譜乃《莊子》視死生如四時晝夜運行之超越生死的哲學，《淮南子》、《列子》生死如寄，暫時往來，萬物生異死同之氣化論的祖述，又解釋陶淵明何以有「人生實難，死如之何」與「將辭逆旅之館，永歸於本宅」矛盾的「心中似有秘密」，轉而展開哲學的達觀既是陶淵明的真實，哲學思考而無法拂拭的不安也是陶淵明的真實，二者固然矛盾而將矛盾如實的表白，正是陶淵明文學之所以為「誠實的文學」所在的敘述。然後以〈挽歌〉作結，既有「有生必有死，早終非命促」的達觀，也有「向來相送人，各自還其家，親戚或餘悲，他人亦已歌，死去何所道，託體同山阿」之人世無情的感嘆和人世無情與諸般矛盾的存在亦是人間現實的覺醒，而以生死與時俱滅，結束對陶淵明生死觀的論述。[22]

吉川幸次郎於陶淵明生平行誼的記述，乃以「舌人意識」為基調，以陶淵明的詩語描寫陶淵明的處境與心境，或主客合一而直透詩意，或藉物抒情而物我融合。後者以飛鳥的意象寄寓其心境，至於前者則全篇隨處可見主客合一，尤以第十章〈歸去來辭〉的分

觀〉，《中國文學入門》，東京：講談社學術文庫，1976 年 6 月，頁 122-151，《吉川幸次郎全集》第一卷，東京：筑摩書房，1968 年 11 月，頁 88-111。

22 如此文章起承轉合之前後呼應的敘述方式，亦見於長篇詩文的結構分析，如〈歸去來辭〉，即有「問征夫以前路，恨晨光之熹微。……以上第一段，以下第二段，轉換韻腳，敘述歸返家園欣喜的日常。（頁 128）……景翳翳以將入，撫孤松而盤桓。……以上第二段，第三段又以「歸去來兮」為起。（頁 133）……寓形宇內復幾時，曷不委心任去留。……以上第三段，至以下第四段，更作思想的展開。（頁 138）……聊乘化以歸盡，樂乎天命復奚疑。……〈歸去來辭〉終於此（頁 140）」的解說。

析，通篇以「おれ」（「俺」）或「おのれ」（「己」），即吉川幸次郎（筆者・客）＝陶淵明（作者・主）之主客合一的筆調，通過詩賦的語言，致力於體得陶淵明辭官返鄉與歸園田居的心境。至於陶淵明如實表述內心衝突矛盾是陶淵明「真實」性格的表現，也是其文學之所以為「誠實文學」的所在。再者，保有古典文辭的「渾沌」（khaos）而不希求詩語的協調（kosmos），是陶淵明文學的特色，由於真實與矛盾的並存，所以陶淵明的詩語雖平靜，卻是高密度的平靜，平靜的內裏沈潛著複雜且濃厚的意涵，是醉人之語不易解，覺醒者佯裝的醉語益發難曉的論述，皆吉川幸次郎以向內集中（intensive）的方法，融入陶淵明的詩文世界，緻密詮釋陶淵明詩語的內在含意，貼切體得陶淵明創作詩文的心境。至於「時勢人物與陶淵明傳記有不可解之交錯」的論述，是吉川幸次郎以外部擴張（extensive）的方法，論述陶淵明生存的時代背景，政治舞台的錯綜複雜，既如實的再現，而時局的變化與陶淵明傳記的交錯，乃形成陶淵明詩語雖平靜而沈痛，內心複雜矛盾而真實表述的文學特質。一海知義說：如何統合向內集中（intensive）與外部擴張（extensive），是古典文學深度研究的重要問題，吉川幸次郎《陶淵明傳》的記述，內外融合而詳密分析詩文的涵義，既體得作詩的心境，又細察時代動向與詩人進退的處境，是中國古典文學深層研究的範例。[23]雖師弟傳承的稱揚，洵非溢美之辭。

23　一海知義之說，見〈吉川幸次郎《陶淵明傳》解說〉，吉川幸次郎《陶淵明傳》，新潮文庫，東京：新潮社，1958 年 5 月，頁 194-195。

《杜甫詩注》：
杜甫千年之後的異國知己

關鍵詞 杜甫知己 「詩義」 杜甫詩論 杜詩方向 緻密與飛躍 《杜甫詩注》

一、研究杜甫的動機

吉川幸次郎是研究杜甫的權威，這是周所皆知的事，然而具有通古今之變的史觀，運用清朝考證學與歐洲東方學術研究的方法論，分析東西方於中國文學研究的優劣長短，以嚴密的考證與細緻的賞析，重新評述既有的研究成果，開拓新的研究領域，則是其成就一家之言，為日本近代以來研究中國文學的大家的所在。

吉川幸次郎之所以研究杜甫，除了世稱杜甫為詩聖，杜詩於中國文學史上有重要地位以外，以杜甫及其詩歌的注釋與賞析，提示日本戰後中國文學研究的新取向，也是其研究杜甫的原因之一。

吉川幸次郎於〈中國文學研究史——明治から昭和のはじめま

で、前野直彬氏と共に〉與〈日本の中國文學研究〉[1]指出：明治前期是中國文學的受容時期，明治後期是評釋時期，大正至昭和初年則是翻譯時期。再就研究的取向而言，明治時代大抵以西洋的方法論進行分析性的研究，大正年間則重視新領域、新資料與目錄學的研究。所謂「新領域」是指戲曲小說文學，新資料是敦煌文物而目錄學則是日本宮內省、內閣及藩府、寺院、私人文庫之書物的研究。昭和初期則重視語學與現代文學的研究。綜觀明治以來的中國文學的研究，大抵有偏重戲曲小說、現代文學與資料萬能、語學萬能主義的缺失。若欲彌補此一缺失而取得均衡的發展，則宜重視文學內容本質的研究與修辭藝術的鑑賞。換句話說吉川幸次郎以為文藝作品的內容與修辭藝術的研究乃是戰後日本於中國文學研究的新取向。因此以中國文人典型的杜甫與中國詩歌結晶的杜詩為例，而展開文學內容的解說、修辭藝術的鑑賞與理論性的分析，架構中國文學研究與文藝作品賞析的方法[2]。其弟子興膳宏說：賞析辭彙所具有的功能是「吉川中國學」的主軸。吉川先生終身抱持著辭彙不僅是為了傳達事實，而是在如何表達事實，表現事實是文學的使命，而洞見文學的表現形式則是文學研究之任務的觀念。至於吉川先生之所以對中國產生深刻的共感是在於中國所擁有的優雅的一面

---

1 收入《吉川幸次郎全集》第十七卷，東京：筑摩書房，1969 年 3 月，頁 389-420。

2 吉川幸次郎以為杜甫詩論性的研究，即理論架構性的文學批評研究是中國文學研究的新途徑。〈杜甫の詩論と詩〉一文是 1967 年 2 月 1 日於京都大學的最終講義，先後刊載於《展望》，朝日新聞社「清虛の事」，其後收入《杜詩論集》，1980 年 12 月，東京：筑摩叢書，《吉川幸次郎全集》第十二卷，東京：筑摩書房，1968 年 6 月，頁 627-628。

而不在於莊嚴的一面，其所以深深地愛好中國的詩文是在於中國詩文所具備的纖細之美，擁有纖細之美的詩人的典型是杜甫。這是吉川先生深入研究杜甫的原因所在。[3]

吉川幸次郎在所作〈私の杜甫研究〉[4]一文中指出其杜甫的研究方法是凝視杜詩而審思其詩意，並通過比較的方式，將杜詩放置於中國文學史中，以凸顯其特殊性。由於杜詩語意的凝視與杜詩於中國文學史之地位的考察，吉川幸次郎以為抒情與寫實是中國文學的特質，圓滿具足之抒情文學的完成者，全幅表現寫實主義的是杜甫。文學表現的重點由外形的感動轉換為題材的感動是唐代文學的特徵。至於詩體韻律的完成而得以自由奔放或細密凝結的表現，詩歌內容的積極性與個性的全面凸顯則是唐詩的精神。在唐代詩人當中，完成近體詩的格律，豐富詩歌的題材，深化詩歌的內容，纖細描寫景物心象，而庶幾達到空前絕後之境界的是杜甫。換句話說吉川幸次郎以為杜詩不但是中國詩人最誠摯真實的藝術結晶，由於其體現人類的誠摯真實，故歷久而彌新，而且又融合詩歌的藝術性與現實性，故為後世詩人在創作古典詩歌上的典範。再者，杜詩的形式與風格又由於杜甫個人的遭遇與唐代時代的變動而有所變遷，杜詩形式與風格的轉變又象徵著中國古典詩歌由中世轉型為近世的軌跡。茲分杜詩的分期、杜甫的詩論、杜甫評價、杜甫詩注，探討吉川幸次郎於杜甫研究的究竟，說明其為杜甫千年之後異國知己之所以。

---

3 興膳宏〈吉川幸次郎先生の人と學問〉，《異域の眼——中國文化散策》，東京：筑摩書房，1995 年 7 月，頁 192-203。

4 《吉川幸次郎講演集》，東京：筑摩書房，1996 年 4 月，頁 405-421。

二、杜詩分期

吉川幸次郎說：杜詩的體裁、題材、風格隨著杜甫一生的波瀾而有顯著的變化，至晚年而達於圓熟。中國古典詩人，即使是蘇東坡、陸游所吟詠的事物雖有變化，其詩風大抵是不變的。因此，詩風隨人生的遭遇與時代的變動而不斷成長的詩人在中國文學史上是極罕見的。就此意義而言，以傳記的形式解讀賞析杜詩，掌握杜甫創作詩歌的生活空間與時代背景，才能正確理解杜詩題材、體裁、風格變遷的具體所在及其變遷的究竟。如〈畫鷹〉等詠物詩不但體物工巧，用語既忠實於文學的傳統而有典故來歷，又賦予「再生」的意義而有古典新義的表現。故杜甫詠物詩的體物之工與六朝同，然兼具忠實於文學傳統的普遍性與「再生」古典新義的創造性則是杜詩異於六朝的所在。又如〈夜宴左氏莊〉〈遊何將軍山林〉等宴會冶遊之作，不但自然與人事並敘，以情景交融而構成杜甫個人新的自然意象，又豐富五言律詩的韻律，極盡變化既有的傳統詩體而呈現感情抒發的新境界。〈自京赴奉先縣詠懷五百字〉則以賦入詩，結合詩的「緣情」與賦的「體物」而豐富詩的題材，開拓詩的新領域。至於〈臘月〉是杜詩成長歷史的關鍵之作，杜甫早期的七律如「春酒盃濃琥珀薄，氷漿碗碧瑪瑙寒」（〈鄭駙馬宅宴洞中〉）的詩句，大抵與初唐無異，皆用心於文句的裝飾，而〈臘月〉詩則表現出與鄭虔相會之錯綜複雜的感情，是杜甫一生創作七律傑作的開端。〈喜達行在所〉在內容上，適切地表現出異常的經驗，在形式上則發揮五律之簡短而具有裝飾的特徵，到達充實新穎的藝術境界，象徵著律詩的完成。〈秦州雜詩〉是反映杜甫一生極盡苦寒的詩作。〈倦夜〉的詩境呈現出自然秩序的和平，而景物刻畫緻密，用語對仗平穩工整，自然的善意的圓滿是杜甫生命的源泉，緻密工整則是杜詩的基調。因此〈倦夜〉一詩不但是反映其成都草堂的快意人生，而此自然善意的體悟也是其漂泊江南卻能超越的思想根源。吉川幸次郎又以為秦州的苦寒與對人生的懷疑是晚年圓熟與對人間社會信賴的必經途徑。就杜詩凝視細微之妙而言，壯年的詠物詩表現出體物細微的創作藝術，秦州時期的詩作於體物緻密之外又有緣情之綺靡，唯帶有苦寒的憂愁，成都草堂以後的詩作則是體物與緣情兼具，又以自然的善意觀照人間世界，轉化個人的困頓為普遍存在於人間社會的共通憂愁苦楚。如果秦州時期的憂愁隨時間的推移而累加，則草堂以後的憂愁已化作永遠的持續而淡然自處。因此放浪長安的詠物之作是超越六朝初唐外形修飾的象徵，秦州尖銳苦寒是過渡，成都草堂之自然善意的感得是超越江南漂泊無奈的動力，詩境趨向圓熟，格律刻畫皆到達完成的境界。

綜括杜甫的遭遇與杜詩的內容風格，大抵可將杜詩分別為旅食長安、長安監禁至秦州落魄、成都草堂、漂泊江南等四個時期。壯年求仕的詩作雖幾近完成，卻多少有習作的性質，雖體物細密，用語工巧而感情外放。此一時期的代表詩體是七言歌行，如〈兵車行〉〈渼陂行〉。安史之亂不但是唐代由榮華轉趨暗澹的歷史事件，也是影響杜甫一生運命的關鍵。賊軍監禁、人生唯一的宮廷生活、攜妻帶子覓食而生的落魄，使杜甫經歷了人生的苦樂憂患，詩歌盈溢著無盡的憂愁。此一時期代表的詩體則是五言律詩，如〈月夜〉〈喜達行在所〉〈秦州雜詩〉。草堂的生活是杜甫一生最幸福的時期，詩歌體現出自然的善意，詩語則充滿著回復古典樂觀的圓熟。其後放浪於長江雄壯的風景中，杜詩達到最後的完成，人生的漂泊雖有憂愁，然此憂愁既已不是個人的憂愁而是化作人類共通的感情而歌詠。草堂以後的代表詩體則是七言律詩，如〈賓至〉〈秋興八首〉即是。

就詩歌體裁與詩風表現的關係而言，吉川幸次郎以為杜詩有離心發散和向心凝集的兩個不同的方向，前者主要是以七言歌行來抒發，後者則用五、七言律詩來表現。七言歌行的用語自由，感情外放激發，詩作的視線是通向世界而無遠弗屆。杜詩發散的表現雖未必勝於李白，然杜甫的用語豐富自由，感情誠摯，較諸前代詩歌則有由男女戀情的抒發而真摯寫實的轉換。五、七言律詩的用語適切，情感內斂，詩作的視線凝聚於世界最微小的部分而緻密細微。如果七言歌行是杜甫早年即興之作，則五、七言律詩是壯年自覺性鍛鍊凝集而發揮頓挫沈鬱的結晶。二者雖然都是杜甫追求真實之寫實精神下的產物，也經常是並行發用，但是就杜詩的特徵而言，後者才是杜詩的代表。杜甫詩體之由七言歌行而與五、七言律詩，詩風之由極度的發散而轉趨審視內斂的轉變，未嘗不能說是杜詩成長的軌跡。

杜詩題材的豐富，詩境的開展大抵隨著杜甫生涯的遭遇而轉換圓熟。吉川幸次郎以為旅食長安時期，杜甫自覺地以寫實主義為出發點而抒發周遭景物的真實。長安幽禁時期則有以自身憂愁為媒介而理解人類普遍存在著憂愁的自覺，唯秦州的苦寒，飽嘗人生的窮困艱屈，又陷入懷疑絕望的深淵。成都草堂時期短暫的快意幸福，體悟自然的善意，即使漂泊江南，也是人生的無奈，窮途的困頓也超越為人類共有憂愁的普遍現象，至此，杜詩的意境也到達沈鬱悲壯的圓熟。[5]

5　參〈杜甫私記〉（《吉川幸次郎全集》第十二卷，東京：筑摩書房，1968

三、杜甫詩論

吉川幸次郎於〈杜甫の詩論と詩〉[6]指出：歷來以〈戲為六絕句〉為杜甫論詩的作品而詳細分析，然「戲為」乃即興之作，雖品評齊梁、初唐詩人的詩作，提出「不薄今人愛古人，轉益多師亦汝師」的持平之論，而杜甫論詩的主要詩作，則別有他在，尤其是〈敬贈鄭諫議十韻〉與〈夜聽許十一誦詩愛而有作〉是其論詩的代表詩篇。

㈠「詩義」的提出

〈敬贈鄭諫議十韻〉的「諫官非不達，詩義早知名」，稱譽鄭虔文辭通達，早歲即以詩論之詩作而聞名。「詩義」一詞，〈詩序〉有「詩有六義」之說，謂詩有六個原則存在，杜甫據以造「詩義」的新詞，敘述其根據原則而創作詩賦的意識。至於「破的由來事，先鋒孰敢爭，思飄雲物外，律中鬼神驚，毫髮無遺恨，波瀾獨老成」與〈夜聽許十一誦詩愛而有作〉的「應手看捶鉤，清心聽鳴鏑，精微穿溟涬，飛動摧霹靂，陶謝賦枝梧，風騷共推激，紫鸞自超詣，翠駮誰剪剔」則是分析性的敷陳詩作的方式。吉川幸次郎訓解「詩義」的「義」為「みち」，即詩作的「道」「路」，亦即創

年 6 月，頁 3-205），〈杜甫と鄭虔〉（同上，頁 402-431），〈秦州の杜甫〉（同上，頁 437-4569，〈杜甫について〉（同上，頁 560-580）。

6 〈杜甫の詩論と詩〉一文是 1967 年 2 月 1 日於京都大學的最終講義，先後刊載於《展望》，朝日新聞社「清虛の事」，其後收入《杜詩論集》（東京：筑摩叢書，1980 年 12 月），《吉川幸次郎全集》第十二卷（東京：筑摩書房，1968 年 6 月，頁 593-628）。

作詩賦的方向，進而主張杜詩有明晰「緻密」與超越「飛躍」的兩個方向，「緻密」是體察客觀存在事物的方向，「飛躍」則是抒發主觀內在意象的方向，「緻密」所刻畫的是輪廓清晰的具象世界，「飛躍」所指涉的是起興超越的抽象世界，二者雖非同一方向，即「緻密」是橫向觀照人間社會與自然景象的視線，「飛躍」是縱向起興超越的「冥搜」昇華，而二者並存互補相互完成，是詩歌成立的條件。此為杜甫的自覺意識所架構的文學創作論。

陸機〈文賦〉說：「詩緣情而綺靡，賦體物而瀏亮」，詩是內在感情心志的幽微曲盡，賦則是清晰描寫外在事物現象。吉川幸次郎演繹《文選・李善注》「以詩言志，故曰緣情，以賦陳事，故曰體物，綺靡者精妙之言，瀏亮者清明之稱」，而強調短篇凝聚剎那衝動觸發的感情意象是詩的任務，審視人間社會與自然萬象而詳密確實的長文敷衍則是賦的任務。[7]換而言之，賦是明晰緻密的描寫，詩是感情超越飛躍的意象，此為漢魏六朝以來的傳統文學觀。然而杜甫的詩作兼具賦之緻密與詩之飛躍的兩個方向，以賦入詩，且主觀感受與客觀描寫的融合而形成體物緣情並蓄的詩歌新義，此為杜甫「自覺性」的改革傳統的文學觀。至於緻密與飛躍的相輔相成，起興勾勒論理邏輯所未能涉獵的幽玄無垠的世界，則是杜甫的詩論及其創作詩歌的究極所在。

㈡杜詩的方向：「緻密」與「飛躍」

吉川幸次郎強調杜甫詩的方向，第一是緻密。詩以題材而產生

---

7 同上，《吉川幸次郎全集》第十二卷，東京：筑摩書房，1968 年 6 月，頁 607。

感動，而題材之所以產生感動，是詩人清晰緻密且正確刻劃題材的輪廓。杜詩的緻密性乃在於杜甫細微凝視人間社會與自然景象，進而在心中咀嚼熟慮，然後以緻密的文辭表現於詩作。杜詩的緻密曲盡於對句修辭，藉以細密描寫人間事實與自然真象。如其表述人生哲學的「易識浮生理，難教一物違」（〈秋野五首〉），「易－難、識－教、浮生－一物、理－違」是文辭相對的疊架營為。至於人生雖有起浮而其道理則不難理解，即便是微小事物皆未脫離其所在為的浮生道理，意味世間的所有存在皆得其所在而調和幸福，是杜甫的理想世界，一生執著於理想世界的實現，則是杜甫思想的底據。再者，詩作並非依據邏輯論理說明其人生理想，而是以感動體現其理想而取得認同，是詩的任務，也是杜詩卓絕千古的所在。至於杜甫如何完成詩歌的任務，成就其偉大詩作，則從明晰緻密與超越飛躍兩個方向來架構營為。[8]

人間社會的所有事象皆可入詩，是杜詩的特色之一，細微描寫人間社會真實的詩作亦不勝枚舉，而〈北征〉之以賦入詩，是杜甫的創新，蓋《文選》以「征」為名，敷陳遠行旅次所見景物經過的長賦，如班彪〈北征賦〉敘述長安旅行甘肅之經過，曹大家〈東征賦〉描寫洛陽至陳留之旅行，潘岳〈西征賦〉則敘述洛陽至於長安的所見之景象。換而言之，歌詠遠行經歷是東漢魏晉「征賦」題材的文學傳統。然杜甫作七百字之〈北征〉，敘述自行在往鄜州，於途中及到家之事，「杜子將北征，蒼茫問家室，……瘦妻面復光，……曉妝隨手抹，移時施朱鉛，狼籍畫眉闊。生還對童稚，似欲忘饑渴，問事競挽鬚，誰能即瞋喝」，乃描寫「歸家悲喜」，詳

---

8 同上，頁 596-598。

細敘述妻子生活的情景，極「盡室家曲折之狀」[9]，是漢魏六朝詩賦所未見的內容，而杜甫之後，亦罕見如此細密審視生活環境而付諸文字的詩作。故杜甫〈北征〉堪稱劃時代的題材與詩作。[10]至於〈寫懷二首〉之「夜深坐南軒，明月照我膝」的視線既細微又嶄新。蓋明月的吟詠是中國詩歌傳統題材之一，如〈古詩十九首〉，曹植等詩人皆有述懷，大抵為「皎皎明月」之明月普照廣闊的意象。然杜甫倚坐南軒，明月照膝，是細微觀察的「新視線」。又有視線由人間社會的凝視轉移至審察自然景象的描寫，如〈倦夜〉「竹涼侵臥內，野月滿庭隅，重露成涓滴，稀星乍有無」，「風雲月露」是中國傳統詩賦的固有題材，然「重露成涓滴」之露水凝集成涓滴的細微風景，則是杜甫凝視熟慮而緻密勾勒的獨特寫照。[11]

---

9 仇兆鰲《杜少陵集詳註》，臺北：文史哲出版社，1973年4月，頁75。

10 吉川幸次郎於〈唐代文學考〉一文的「文學改革」一節中（收載於《吉川幸次郎遺稿集》第二卷，東京：筑摩書房，1996年2月，頁262-282），強調六朝未有如〈北征〉如此巨篇的詩歌，亦無緻密描寫人間細微之家庭生活的詩作。至於〈北征〉「菊垂今秋花，石戴古車轍，青雲動高興，幽事亦可悅，山果多瑣細，羅生雜橡栗，或紅如丹砂，或黑如點漆，雨露之所濡，甘苦齊結實」之精密的自然描寫，也是六朝詩歌所未見。
〈唐代文學考〉是吉川幸次郎於昭和24（1950）年度在京都大學文學部的講義，由前野直彬筆錄。（筧文生《吉川幸次郎遺稿集第二・解說》，頁573。）

11 吉川幸次郎於〈唐代文學考〉一文比較杜甫〈初月〉〈月〉與庾信〈舟中望月〉〈望月〉，強調杜甫雖以月題材，卻以月作為其精神的象徵，二首詩作的結尾皆超離「月」的描寫而表白其內心的感受。至於庾信的詩作只是巧妙的安排有關月的故事，尤其二人皆有「獨輪斜」的詩語，庾信則無杜甫起興心象風景之自覺意識。至於對句的營為，庾信只是二句並列，杜甫則上下二句相互呼應而形成對句。尤其巧妙驅使助詞的效用，以曲盡隱再者，〈曲江三章章五句〉的詩名取法於《詩經》〈關雎五章章四句〉，〈卷耳五章章四句〉的體例。吉川幸次郎說第一章「曲江蕭條秋氣高，菱荷枯折隨風濤，遊子空嗟垂二毛，白石素沙亦相蕩，哀鴻獨叫求其曹」所描寫的風景雖未必緻密，然探究杜甫創作的心境，則是緻密的結果。蓋杜甫所凝視關照的景象，非如〈麗人行〉所記述的春日曲江佳時勝景，而是秋風蕭瑟，菱荷枯折的凋殘景象，遊子流離失所，感時而孤獨寂寥的心境。此為杜甫著眼於特殊風景的「新視線」。畢竟以謝靈運為代表之六朝詩人的山水詩賦，大抵以自然為美的典型，「文學倫理」的所在，故致力於山清水秀之風景的描寫，而甚少歌詠哀愁的景象，此為六朝詩賦的慣習常規。然杜甫〈曲江〉詩則超越六朝以來的文學傳統，「秋氣高」「菱荷」「白石素沙」「二毛」「哀鴻」是縱目大千世界的廣闊視野，而「蕭條」「枯折」「空嗟」「獨哀」的陰鬱頓挫，則是前代所無的新風景，要皆杜甫熟慮而緻密表現的結果。至於「白石」一詞出自《詩經・唐風・揚之水》，說明杜詩「無一字無來歷」，亦是緻密的一端。吉川幸次郎強調杜詩文字頗多援引《文選》的語彙，然「白石」一詞，《文選》未見，或〈揚之水〉所起興的「憂鬱」的意象，千百年以來，詩人所遺忘，至杜甫而再現，亦可謂杜甫緻密細察的用心所在。[12]

杜詩的第二方向是超越飛躍。清晰確實描述所見事物景象是緻

微心理屈折的感受，如〈月〉「只益丹心苦，能添白髮明」之「只」「能」的用法，是杜甫的創新，六朝詩歌未見。以緻密的外在描寫而起興內在心理婉轉屈折的寫實自覺（realism）至杜甫而完成，亦反映唐代文學異於六朝的時代精神。（同上，頁 267-270。）

12 〈杜甫の詩論と詩〉，同上，頁 604-605。

密的方向，起興所見景物的意象而物我冥合是飛躍的方向。凝視熟慮而明晰緻密的描寫，若稱之為「風景」，以比喻象徵而起興意象的飛躍，則是「心象」。橫向緻密的風景描繪與縱向飛躍的心象起興，是杜甫用以架構詩歌世界，表述創作心境的所在。

吉川幸次郎強調〈曲江〉「遊子空嗟垂二毛，哀鴻獨叫求其曹」之詠歎失所不遇的中年如孤鴻哀號求友，是杜甫的自喻。〈倦夜〉「重露成涓滴」之露水集聚而成水滴的風景，意味時間的推移，乃論理的說明，其實，於風景的描繪中，暗寓隱晦幽玄的心象世界。故接續的「稀星乍有無」，則以稀星隱現而起興浩瀚遼遠的飄渺虛無。至於〈寫懷二首〉之「明月照我膝」亦非止於自然與自我景象的描述，有起興人間真實，此中有真意的暗喻。故起興邏輯論理未探索的幽玄心象世界，是文學的任務。論理世界的真實是事理輪廓清晰的真實，輪廓清晰背後之幽微隱晦的真實，或輪廓隱晦所以真實的探究，則是文學的任務。杜甫所描述的風景人事非止於風景人事的表象，是含藏廣衍義蘊而描繪的景物，此乃杜甫的文學自覺。[13]至於其中的真意，杜甫偶有點描提示。如〈秋興八首〉第二首的「請看石上藤蘿月，已映洲前蘆荻花」的「請看」二字，是所見之景而興隱喻世界的指引，亦即近處石上藤蘿的月光，映照遠方沙洲盛開的蘆花，遠近相映的特殊美景在前，是否觸景生情而感悟景象之外的境界。第三首「千家山郭靜朝暉，日日江樓坐翠微，信宿漁人還泛舟，清秋燕子故飛飛」，靜坐於山郭江樓，在朝暉翠

13　吉川幸次郎的「文學任務說」，見〈杜甫の詩論と詩〉，同上，頁609。

微中，但見漁人如常的泛舟江上，燕子則無意又似有意[14]的輕飛於秋空，乃杜甫見景生情，物我冥合，於無意識中導入自覺意識而完成詩作，寄寓現象之外延伸的無窮幽玄的世界。

至於隱寓幽微無垠的心象境界，杜甫輒以「蒼茫」「冥搜」來表述。如〈渼陂行〉「咫尺但愁雷雨至，蒼茫不曉神靈意」，於幻想神仙世界之後，突然雷雨交加，如此激烈的天象幻化，或為超自然之神靈的意志，唯驚奇茫然而不能知曉。又〈樂遊園歌〉「此身飲罷無歸處，獨立蒼茫自詠詩」，「蒼茫」雖是天色灰暗的景象，然杜甫野宴飲罷而無所歸之處，則「蒼茫」意味無限茫然不可知的世界，於幽玄廣闊的天地之間，竟無容身所在，含藏寂寥落默的詠歎。至於「冥搜」則是無垠遼闊之神秘世界的探索，如〈同諸公登慈恩寺塔〉「方知象教力，足可追冥搜」，「冥搜」一詞出自孫綽〈天台山賦〉「遠寄冥搜，篤信通神」。杜甫登塔而感悟佛力神通，以探索幽玄的世界，賦詩寄寓其感悟。吉川幸次郎強調探尋杜甫創作的心境，蓋有搜索現象背後之幽微世界的所在，是詩歌任務的主張。杜詩之所以卓絕，是杜甫的視線非止於細微的凝視而緻密描寫，更延伸其視野至無垠幽玄的世界，起興其中越飛躍的心象境地。亦即明晰緻密的方向與超越飛躍並存輔成，是杜甫作詩的理論。[15]

---

14 吉川幸次郎不訓「故」為如常，而訓解為「ことさら」，即「故意」「特意」。見〈杜甫の詩論と詩〉，同上，頁 611。

15 〈杜甫の詩論と詩〉，同上，頁 612-614。

㈢杜甫的詩論：「緻密」與「飛躍」兼容並蓄

吉川幸次郎強調明晰緻密與超越飛躍是詩歌成立的條件，緻密是橫向凝視，觀照客觀存在的現象世界，即陸機所謂「體物而瀏亮」的風景描寫，飛躍是縱向昇華，架構主觀感受的心象世界，即「緣情而綺靡」的意象表述。唯陸機分別二者為辭賦與詩歌的風格，而杜詩則心象與風景二者相互並存，相互補完，緻密兼具超越而更明晰，飛躍蘊蓄緻密而更飛躍。此為杜甫創作詩歌的自覺。蓋緻密凝視映照於感覺的事象，乃能敷衍心象幽玄的境界，起興現象蘊涵高遠存在的超絕意象，乃能明晰緻密描述感覺事象的真實存在。換而言之，主觀緣情的「能動」兼具客觀體物的「受動」，「受動」的體物含藏「能動」的緣情，詩作才能周衍圓融。亦即杜甫不僅以賦入詩，將辭賦「體物而瀏亮」的特質引入詩歌的世界，進而提出「體物」並蓄「受動」與「能動」，主觀與客觀融合之文學創作的新義。杜甫之緻密與飛躍融合的詩論，體現於〈敬贈鄭諫議十韻〉與〈夜聽許十一誦詩愛而有作〉的詩作。

〈敬贈鄭諫議十韻〉之「破的由來事，先鋒孰敢爭」，上句以弓術比喻詩作，射的要中心是作詩的本事，意謂詩作的明晰緻密。下句以先遣突擊之先鋒作比，意謂詩作下筆如有神助之快速，非他人所能比，是詩作的飛躍超越。「思飄雲物外」謂詩作意涵在雲物之外，飄渺而高遠，是心象的飛躍。「律中鬼神驚」之「律中」是詩作合律中節的緻密而巧奪天工，超自然存在之鬼神亦為之驚歎。二句暗示緻密與飛躍相互補完，詩作明晰緻密而起興飛躍心象境界。「毫髮無遺恨」謂詩作之字句緻密確實而曲盡事物之理，故了無遺憾。「波瀾獨老成」謂通篇結構縱橫周衍而形成浩瀚波瀾的意境，意謂緻密與飛躍並存而完成動天地感鬼神的詩作。吉川幸次郎強調「詩義」之所以定義為作詩的理論，主張緻密與飛躍為詩歌成立的條件，可以杜甫特意營為「對句」的自覺用心來演繹。所謂「對句」是詩人對感受的某一事物現象，先從兩個方向來歌詠，然後統一融合兩個方向而完成詩作的手法。換而言之，從兩個方向吟詠所見所感，是對句的營為。解析〈敬贈鄭諫議十韻〉一詩，「破的由來事，先鋒孰敢爭」是「詩義」的兩個方向的分別描述，前者緻密，後者飛躍。其後的詩句則是兩個方向相互補足，二者融合而完成，「律中鬼神驚」是緻密而生超越，「波瀾獨老成」是緻密而完成超越圓熟境界。[16]至於與〈敬贈鄭諫議十韻〉大抵同時期之作的〈夜聽許十一誦詩愛而有作〉，於敘述二人交遊經過之後，杜甫演繹詩作理論的「詩義」。

「誦詩渾遊衍，四座皆辟易」，謂許十一詠誦所作之詩，從容渾然，而四座皆驚歎，蓋「應手看捶鉤，清心聽鳴鏑」，「捶鉤」語出《莊子・知北遊》，杜甫取義郭象注，以測定重量之技術熟練，不失毫芒，比喻許生詩作緻密純熟，得之於心而應之於手，故能悠遊從容，進而起興飛躍，謂許生下筆如鳴矢飛逝之迅捷。換而言之，二句意謂許生詩作兼具如「捶鉤」之緻密熟練與如「鳴鏑」之快捷飛躍。「精微穿溟涬，飛動摧霹靂」則意謂緻密與飛躍相互關涉，「精微」即「緻密」，詩作緻密周衍，故能貫通四海溟涬，亦即詩作精微緻密而神思通達幽微之造化。又由於詩之超越飛躍，優遊寬闊而勢壓雷霆，二句清晰具陳其緻密與飛躍融合感性的論旨。「陶謝賦枝梧，風騷共推激」，意謂詩作得以比美陶淵明、謝

---

16 同上，頁 617-618。

靈運之精微熟慮的明晰緻密，合致於《詩》《騷》之緣情綺靡的起興飛躍。至於何以能匹配於六朝前賢與古典詩騷，則以「紫鸞自超詣，翠駮誰剪剔」而取譬補綴。「紫鸞」鳳凰之遨飛超絕，以譬詩意飛躍超詣，「翠駮」名馬之文理斐燦可觀，以明詩句緻密清晰，二者融合圓足而完成超絕之詩作。然「君意人莫知，人間夜寥闃」，無奈不遇知音，故清夜寂寥而遺憾頓挫。

杜甫夜聽許十一誦詩而起興與贈詩鄭虔而詠歎，要皆具陳緻密與飛躍是詩作的方向，而且二者圓融重純熟而成篇的「詩義」。吉川幸次郎強調「即事非今亦非古」一句，既是杜甫提出「詩義」的自覺意識，也是其超絕於古今的自負之言。再者，明晰緻密與超越飛躍之互補並存是詩作的條件，也是文學創作的條件。[17]

四、杜甫評價

吉川幸次郎以為杜詩最大的特徵在於藝術性與現實性的融合[18]。杜甫一生的遭遇與其生存的背景促成杜詩不斷成長，由離心發散而向心凝集之詩作的方向轉移，由體物工微而至人生體悟之圓熟的意境完成，正足以說明杜詩特徵的所在。至於吉川幸次郎指稱杜詩是「思索者的抒情」[19]或杜詩「具有抒發人民性或社會性共同體

---

17 同上，頁 620-625。

18 〈我我所最喜歡的中國詩人〉，《吉川幸次郎全集》第一卷，東京：筑摩書房，1968 年 11 月，頁 147。

19 〈中國文明と中國文學〉，《吉川幸次郎講演集》，東京：筑摩書房，1996 年 4 月，頁 94。

之責任的意識」[20]皆在強調杜詩具有現實性的特質。關於杜詩的藝術性，吉川幸次郎則說「杜甫是語言再生的魔術師」[21]，探究其立言的意義，則在指涉杜詩的語言具有古典新義，或通過既有言語的整合而產生新的意義，或以舊題材而創造新的意象。前者如「側目似愁胡」，後者如「月」的吟詠。「愁胡」一語雖見於晉孫楚〈鷹賦〉，然「深目蛾眉，狀似愁胡」的「愁胡」不過用以比喻鷹的眉目形狀，而「側目似愁胡」則把鷹的神情全幅呈現，雖是描寫畫鷹，卻栩栩如生，有振翼擒物之勢。杜詩語句雖有來歷，但是通過杜甫的創意，便產生新的意象[22]。以「月」為題材的吟詠，古來有之，六朝的詩人把「月」當作美的象徵，杜甫〈月夜〉〈月夜憶舍弟〉的詩則將人的感情投入自然之中，進而創造自身所感受的新的自然，亦即以移情作用，將情景交融，既歌詠自然的秩序，也寄寓自身沈鬱的感情。因此在六朝，自然是美的典型，而在杜詩的世界中，「月」固然有自然之美，也有寄託人間事物之人文自然的意義。[23]換句話說由於杜甫凝視人間世界和自然萬物而產生新的自然

---

20 〈私の杜甫研究〉，同上，頁 413。

21 〈杜甫私記・胡馬　畫鷹〉，《吉川幸次郎全集》第十二卷，東京：筑摩書房，1968 年 6 月，頁 147。

22 同上，頁 145-146。

23 吉川幸次郎論述杜詩之「月」的意象，見所著〈中國文明と中國文學〉（《吉川幸次郎講演集》，東京：筑摩書房，1996 年 4 月，頁 94-124），〈唐詩の精神〉（《吉川幸次郎全集》第十一卷，東京：筑摩書房，1968 年 8 月，頁 9），〈東洋文學における杜甫の意義〉（《吉川幸次郎全集》第十二卷，東京：筑摩書房，1968 年 6 月，頁 590），〈杜甫の詩論と詩〉（《吉川幸次郎全集》第十二卷，東京：筑摩書房，1968 年 6 月，頁 600-603）等文章。

觀，也由於其細密地刻畫描繪而形成以賦入詩之詩作意識的自覺性改革。換而言之，吉川幸次郎從杜詩於中國文學史的意義與杜詩有「創新」的所在，說明杜甫既是詩聖，也是中國古今第一詩人。

㈠從杜詩於中國文學史的意義說杜甫之所以為詩聖

吉川幸次郎說：究明「杜甫於中國文學史上的意義」與說明「杜甫所給予的感動」[24]是其講述杜詩的目標。換句話說從杜詩在中國文學史上的意義說杜甫之所以為詩聖，是其尊崇杜甫為古今第一詩人而終生鍾愛的所在。吉川幸次郎強調著重抒情而表現「人本主義」是中國古典文學的特質，具體而完足地體現中國抒情詩歌的內容是杜甫，因此杜詩是中國抒情詩歌的典型。杜詩隨著杜甫的人生遭遇與生存時代的變動而不斷成長，而杜詩由七言歌行而五七律詩，由離心發散而向心凝集，由客觀緻密的體物而主客觀融合的圓熟體物之變遷的軌跡正是中國古典詩歌歷史發展的縮影。再者杜詩不但是人類最圓滿完足的詩歌，具體呈現了詩歌的道理，而且其詩歌題材的豐富多樣，用語的精確老練，格律的細密工巧，感情的真實摯烈，因此規定其後一千年中國詩歌創作的模式。故如《新唐書・杜甫傳贊》所說：杜甫「貫通古今，渾涵汪洋，千彙萬狀，兼古今而有之」，是集中國古典詩歌的大成而為圓滿足具的詩人。

---

24 〈杜詩序說〉，《吉川幸次郎遺稿集》第二卷，東京：筑摩書房，1996年2月，頁289-298。吉川幸次郎以為杜詩之所以受感動的是題材豐富、用語正確、音律完成、人格偉大，至於杜詩在中國文學史上的意義則是詩歌形式的增加、抒發中國文人淑世窮愁的普遍現象，建立詩歌的新風格，為劃時代的關鍵性存在。

㈡杜甫詩作有「創新」的所在，為中國古今第一詩人

吉川幸次郎強調杜甫沈潛經典而創造新詞，如根據〈詩序〉之「詩有六義」而造「詩義」一詞，說明作詩的原則方向，進而提出明晰緻密與超越飛躍是詩歌創作的必要条件，二者圓融輔成而成就詩篇的理論。至於「詩緣情而綺靡，賦體物而瀏亮」是漢魏六朝以來的傳統文學觀，然而杜甫的詩作兼具賦之緻密與詩之飛躍的兩個方向，以賦入詩，如〈北征〉，將辭賦「體物而瀏亮」的特質引入詩歌的世界，進而提出「體物」並蓄「受動」與「能動」，主觀感受與客觀描寫的融合而形成體物緣情並蓄的新義，則是創新。再者，觀照人間社會與自然景象的細微嶄新視線，如「夜深坐南軒，明月照我膝」（〈寫懷二首〉），「重露成涓滴」（〈倦夜〉）是杜甫凝視熟慮而緻密勾勒之獨特寫照的「新視線」，「曉妝隨手抹，移時施朱鉛，狼籍畫眉闊。生還對童稚，似欲忘饑渴，問事競挽鬚，誰能即瞋喝」（〈北征〉）描寫「歸家悲喜」，極「盡室家曲折之狀」，是漢魏六朝詩賦所未見的內容，而杜甫之後，亦罕見如此細密審視生活環境而付諸文字的詩作。「曲江蕭條秋氣高，菱荷枯折隨風濤」（〈曲江三章〉），描寫秋風蕭瑟，菱荷枯折的凋殘景象，而起興遊子流離失所，感時而孤獨寂寥的心境，則非漢魏六朝以來，以自然為唯美典型的「文學倫理」，是杜甫熟慮而緻密的表現，為前代所無的新風景。故杜甫堪稱中國古典詩歌的「創新者」，為中國古今第一詩人。[25]

---

25 〈杜甫の詩論と詩〉，《吉川幸次郎全集》第十二卷，東京：筑摩書房，1968年6月，頁598-617。

五、杜甫詩注

吉川幸次郎不但執著地說：「我的古典是杜甫」[26]，「我是為了讀杜甫而誕生於人間世的」[27]，也自負地說：「注釋杜甫要有錢牧齋的學識與見識，今日可以注解杜詩者，除我之外無他」[28]。其自昭和 22 年（1947）起，開始於京都帝國大學文學院講授杜詩[29]，主持杜甫讀書會，研究杜甫及其詩作的著述、收錄於《吉川幸次郎全集第十二卷・杜甫篇》。至於杜詩的注釋，有《杜甫 I》《杜甫 II》《杜甫詩注》行世。[30]吉川幸次郎的杜詩注解，乃以 1957 年上海商務印書館覆製《宋本杜工部集》，即俗稱北宋王洙本為底本，自昭和 38 年（1963）秋冬至昭和 42 年（1967）8 月，注解王洙本杜詩十八卷的前二卷，即至天寶 14 年（1258），安祿山謀反以前，玄宗太平時期，杜甫 44 歲以前的詩作，以《杜甫 I》為名而問世。卷一注釋古體詩 43 首，卷二注釋近體詩 75 首，分別以〈書生の歌（上）〉〈書生の歌（下）〉名篇。《杜甫 II》是吉川幸次郎繼《杜

26 吉川幸次郎〈わたしの古典〉，《吉川幸次郎全集》第十二卷，東京：筑摩書房，1968 年 6 月，頁 706。

27 黑川洋一〈杜甫と吉川先生と私〉，《吉川幸次郎全集第十二卷・月報》，東京：筑摩書房，1968 年 6 月，頁 6。

28 同上。

29 筧久美子〈吉川幸次郎遺稿集第二卷解說・付錄・吉川幸次郎先生京都大學文學部講義題目一覽〉，《吉川幸次郎遺稿集》第二卷，東京：筑摩書房，1996 年 2 月，頁 576-582。

30 《杜甫 I》《杜甫 II》分別收載於筑摩《世界古典文學全集》二十八，二十九，東京：筑摩書房，1967 年 11 月，1972 年 8 月出版。《杜甫詩注》五冊則於 1977 年 8 月至 1983 年 6 月，在筑摩書房出版。

甫 I》之後，以五年的時間而完成。注釋杜甫 45 歲和 46 歲的詩作。卷三〈疎開の歌〉注解杜甫 45 歲前半，攜帶妻子徘徊於陝西北部山間的古體詩三首。卷四〈捕虜の歌〉注釋杜甫 45 歲後半至 46 歲春，為賊軍捕虜而拘禁於長安的古體詩 4 首和近體詩 4 首。卷五〈行在所の歌〉注解杜甫 46 歲夏，自長安脫出，奔赴肅宗行在的鳳翔，而任命左拾遺期間的 5 首古體詩和 8 首近體詩。卷六〈歸省の歌〉注釋杜甫 46 歲閏 8 月，北征鄜州，與妻子相會，年末歸返官軍收復的長安，再任左拾遺的詩作，有古體詩 8 首，近體詩 9 首。吉川幸次郎以 8 年以上的時間注釋杜詩 169 首，未滿今傳杜詩一千四百余首的七分之一。吉川幸次郎於《杜甫 I》的〈あとがき〉說明其注釋杜詩的動機是未必滿足於歷來的杜詩注釋，欲排除不滿而滿足自身的執著，則需要探究杜甫創作詩歌的心理及說明其推敲斟酌用字的所在。探索詩人於腦中如何思惟架構其心象風景，是注釋者應有的「追體驗」的意識。至於杜甫於詩語的營為，必須究明的是杜詩與《文選》的關係。吉川幸次郎強調《文選》是杜詩的重要營養來源。歷來注釋輒引用「詩是吾家事，熟精文選理」（〈宗武生日〉），「呼婢取酒壺，續兒誦文選」〈水閣朝霽奉簡嚴雲安〉，說明杜甫於《文選》的精熟，一如飲酒，乃日常的存在。然杜甫與《文選》的關係及其如何取捨的態度則未必重視。吉川幸次郎詳細考索杜詩的用字，審慎注釋杜詩，而確信杜甫能完全記誦《文選》三十卷，甚至李善《文選注》六十卷。所謂「文選爛，秀才半」，是唐代以文舉士的社會現象[31]，杜甫自然必須精熟

---

31 見《增修詩話總龜後集》卷八，「雪浪齋日記云：昔人有言文選爛，秀才半，正為文選中事，多可作本領爾。」（《四部叢刊》初編・集部，臺灣

《文選》。而杜甫與「文選學」又有特殊的關係，蓋杜甫於青年時代與李邕有師弟關係[32]，李邕是李善之子，父子完成《文選》的注釋，世稱「文選學」[33]。杜甫於文選學的精熟，當可推想而知。因此，杜詩用語與《文選》相重時，注釋者當有杜甫於創作詩歌的當下，到底腦中浮現《文選》中何人的詩賦，又如何奪胎換骨《文選》及李氏父子《文選注》的思惟，進而追蹤調查，這是杜詩注釋者的義務。杜詩與《文選》的關係，宋代注釋既有探究，然未盡善。蓋《文選》是駢麗詩賦的綜輯，以裝飾與煩瑣為尚，而杜詩既緻密又飛躍，杜甫的文學雖頗多攝取《文選》的語彙，其發想則是批判性的突破革新多於既有成說的因襲繼承[34]。至於杜詩注釋的態度，吉川幸次郎在《杜甫 II》的〈あとがき〉強調其杜詩注釋乃以

商務印書館，《四部叢刊初編縮本》110，1965 年 8 月，頁 260-261）。王應麟《困學紀聞》卷十七：「李善精於文選，為注解，因以講授，謂之文選學。少陵有詩續兒誦文選，又訓其子熟精文選理。蓋選學自成一家。江南進士試天雞弄和風詩，以爾雅天雞有二，問之主司。其精如此，故曰文選爛，秀才半」（《和刻本漢籍隨筆集》第十二集，東京：汲古書院，1974 年 7 月，頁 242。）

32 杜詩記述李邕者，有〈奉贈韋左丞丈二十二韻〉「李邕求識面」，及〈陪李北海宴歷下亭〉〈登歷下古城員外孫新亭北海太守李邕〉。

33 《舊唐書・文苑傳中》：「李邕……以講文選為業，年老疾卒，所注《文選》六十卷，大行於時」（卷一九〇中・列傳一四〇中）。《新唐書・文藝中》：「李邕……為《文選注》……居汴鄭間講授，諸生四遠至，傳其業，號文選學。邕少知名，始善注《文選》，釋事而忘意，書成以問邕，邕不敢對，善詰之，邕意欲有所更，善曰試為我補益之。邕附事見義，善以其不可奪，故兩書並行」（卷二〇二・列傳一二七）。

34 《杜甫 I》的〈あとがき〉收載於《吉川幸次郎全集》第二十五卷，東京：筑摩書房，1972 年 7 月，頁 480-485。

精善詳密的考證為尚，探究杜甫緻密明晰與飛躍混茫並存的創作心理，檢證文本異同與宋人注釋的得失。

吉川幸次郎說側重經書注疏而輕視集部的注釋是中國古典注釋的傾向。杜詩注釋數十種，而一流學者之所為者甚稀。宋人的杜詩注釋，僅北宋某氏，即俗稱王洙，南宋趙彥材為富學殖的文人，其餘大抵為書肆店主營利出版，如蔡夢弼《杜工部草堂詩箋》。明清注釋，僅錢謙益《杜工部集箋注》比對《新唐書》《舊唐書》與野史的載記，精詳考證杜詩所反映的歷史事實，為清朝杜詩注釋的翹楚。《杜工部全集》輯注的朱鶴齡，《讀杜心解》的浦起龍，《杜詩鏡詮》的楊倫則未必是一時之選的傑出俊秀。至於仇兆鰲《杜少陵集詳註》雖是杜詩注釋的大成，文獻引用頗多杜撰，於杜詩本文亦有恣意竄改之嫌。重視古典詩文的注釋，而以之為學問研究的對象的意識，至二十世紀始覺醒。如杜甫傳記的研究，有聞一多《少陵先生年譜會箋》，馮至《杜甫傳》。上海商務印書館覆製《宋本杜工部集》足資杜詩文本考證的依據，洪業《杜詩索引》提供杜詩研究的方便之門，唯杜詩全文的新注釋則付諸闕如。日本鈴木虎雄以 4 年的時間，於 1931 年完成杜詩全部注釋的《少陵詩集》[35]，然大抵參採仇兆鰲《杜少陵集詳註》而已，故吉川幸次郎銳意致力於杜詩詳密考證，完成精善的杜甫詩注。

吉川幸次郎強調杜甫性格兼具活潑明朗與纖細敏銳，故詩作既有緻密明晰的刻劃，亦有飄渺幽玄的飛躍。〈寄彭州高三十五使君適虢州岑二十七長史參三十韻〉的「愜意關飛動，篇終接混茫」，

35 《杜少陵詩集》全四卷，收載於《續國譯漢文大成　文學部四～七》，東京：國民文庫刊行會出版，1922 年。

頗能說明杜詩的這兩個方向。尤以後者之幽玄無窮詩境的飛躍是近代詩作之自覺意識的先驅，蓋杜甫輒用「浩蕩」形容飄渺浮游的心境，如「白鷗沒浩蕩，萬里誰能馴」（〈奉贈韋左丞丈〉），以「蒼茫」形容幽玄無垠的境界，如「此身飲罷無歸處，獨立蒼茫自詠詩」（〈樂遊園歌〉）。而歷來注釋於刻劃緻密明快宏偉之「闢飛動」的說解，可謂淋漓盡緻，然於幽微飛躍無窮超越之「接混茫」的探究，則未必圓足。故杜甫潛意識所含藏之複雜心境的吟味發掘，是當代杜詩注釋者的任務。

吉川幸次郎檢證中日數十種杜詩注釋，以為宋人注釋最優，而宋人杜詩注釋有學者注釋與書賈營利出版兩種。書肆營利出版萌芽於北宋，至南宋而勃興。由於嗜好文學的市民階層的增加與杜詩價值的確定，乃有書賈出版杜甫詩文集及其注釋的出現，甚且有偽托蘇東坡撰述的《老杜事實》或《東坡杜詩事實》行世。至於學者的注釋，吉川幸次郎強調宋代學問雖以理學為主軸，而文獻學亦有卓越的特質。漢魏以至唐代的學術以經傳注疏為宗尚，清朝考證學以經史考校訓詁為主，而宋代學者以開創新文明的意識，於經傳義理詮釋的宗尚既異乎字句解訓的傳統經解，又留意詩文的意趣。杜詩於中國古典文學的價值，即確立於北宋。新價值的確立與對杜詩的尊崇，是宋代傾注於杜詩注釋的要因。吉川幸次郎的杜甫詩注即以宋人注釋的檢證為中心而展開。其所推崇的宋人杜詩注釋是北宋某氏注，即俗稱王洙注，與南宋趙次公注。前者是宋人杜詩注釋的創始，雖有不備的所在，而正確指陳杜詩用語與《文選》的關係，指摘《文選》是杜詩重要根源，則有可觀之處。趙注留意杜詩的脈絡，說明杜詩的趣旨，然有說解過於煩瑣的所在。唯王注與趙注鮮少流傳後世，清人但從宋末書肆營利出版之《千家注》等書簡略的引述而窺知其片斷而已。《千家注》雅俗參雜，於宋人數十家注釋的引述極為簡略，注記北宋舊注的王洙注為「洙云」，南宋趙注則標記為「趙云」。南宋出版以來，元、明、日本五山相繼重刊，仇兆鰲等清人所見，蓋如《千家注》之簡略引述宋代注疏而已。至 1940 年，哈佛燕京學社翻刻郭知達《九家集注杜詩》，王注與趙注的究竟始大白於世。郭知達《九家集注杜詩》於南宋淳熙 8 年（1181）編修出刊，集錄北宋王洙注以來一百數十年間的九種杜甫詩注，於王洙注與趙次公注周詳引述，幾近二家的原型。哈佛燕京學社的翻刻，乃以聚珍版的覆刻版為底本，康熙 32 年（1693）仇兆鰲《杜少陵集詳註》的自序，雍正 2 年（1724）浦起龍《讀杜心解》的自序，乾隆 56 年（1791）楊倫《杜詩鏡詮》自序皆未提及郭知達《九家集注杜詩》，所謂宋人之說，僅據《千家注》簡略引述而已。至於錢曾《讀書敏求記》雖然著錄「宋版郭知達《九家集注杜詩》」，然錢謙益《杜工部詩箋注》未有引述郭書之跡。

1920 年代，上海商務印書館出版《四部叢刊》，收載南宋書賈刊行的《分門集注杜詩》。《分門集注杜詩》雖是分類集句的通俗之書，於王洙注、趙次公注以及其他宋人注釋的引用詳於《千家注》，與郭知達《九家集注杜詩》得以相互補完。至於蔡夢弼《杜工部草堂詩箋》於清末覆刻，此書以編年為主，雖有引述宋人諸注而未注記原注者姓名的缺失，亦有他注所未敘述的特殊說解。錢謙益收藏此書之宋版，亦有所引用。光緒 10 年（1884）清國駐日公使黎庶昌覆刻日本遺存此書的宋版和朝鮮本，楊守敬《古逸叢書》收錄木板覆刻本，足見此書尚有可觀，可供注釋之參酌。吉川幸次郎強調宋人於杜甫詩注兼具即漢魏經傳注疏之古注的厚重素樸與宋人經傳新注之精密思辨。蓋宋人的杜甫詩注是杜詩注釋的創始，於字句的解釋極其審慎詳密，是厚重的表現，又致力於杜甫創作心理與詩境的探索，曲盡敏銳思密，是時代思潮的反映。唯注釋杜詩之宋人未有如漢魏古注之鄭玄等超絕一代之鴻學巨擘，故宋人的杜詩注釋有如晁公武《郡齋讀書記》所謂「率皆鄙淺而可笑」之譏。因此，宋人的杜詩注釋雖有創始之功，而其注釋亦宜詳細考索檢證。

吉川幸次郎的杜甫詩注是以 1957 年上海商務印書館《宋本杜工部集》為底本。《宋本杜工部集》世稱王洙編定，於嘉祐 4 年（1059）出版。王洙死後二年，姑蘇郡守王淇校定再版刊行。南宋初，吳若於紹興 3 年（1133）於建康府學開版覆刻。張元濟考訂《宋本杜工部集》的篇卷，以為全書二十卷的四分之三是南宋初覆刻王淇刊行的王洙注本，四分之一是南宋吳若的覆刻本。覆刻的《宋本杜工部集》或見「異文」的注記，蓋王洙參採幾種異本而校定，故有「異文」的標記，王淇刊刻又參校數種異本，亦有「異文」的注記，南宋吳若開版覆刻時亦然。吉川幸次郎以王洙校定本為底本，既著錄王淇、吳若等增校本的「異文」，又參採郭知達《九家集注杜詩》，無名氏《分門集注杜詩》，蔡夢弼《杜工部草堂詩箋》的「異文」。至於《文苑英華》載錄的數十首杜詩，以其編輯的年代早於王洙注本，亦收入其「異文」。清人注釋，除錢謙益《杜工部詩箋注》注記吳若本而足資參酌之外，其餘恣意竄改者甚多，未必可信，存而不錄。至於杜詩的排列，《杜甫 I》收錄杜甫 44 歲以前，即安祿山叛亂以前的詩作，由於傳記資料不足，難以考定詩作確實的年代，姑依王洙本之舊。《杜甫 II》收錄杜甫 45 歲和 46 歲的詩作，即攜帶妻子徘徊於陝西北部山間至官軍收復的長安，再任左拾遺的詩作。王洙本於杜甫這二年詩作的編次率皆粗略，乃參酌《舊唐書・文苑傳》，《新唐書・文藝傳》及宋人以杜詩繫年的考證，致力於杜甫作詩年代的考證而重新編次。[36]吉川幸次郎在〈我的杜甫研究〉說：我的工作，在方法上似乎有兩個特點：第一，注重宋人的注解。所謂王洙注，其實出于北宋某氏，以及趙次公等等，雖然有不少幼稚的地方，究竟是最古最早的注解，往往是「初寫黃庭，恰到好處」。……宋注的資料，如郭知達《九家集注杜詩》，無名氏《分門集注杜詩》，清代注家，傳本尚少，不大留意。現在家有其書，正可以再加探討。至于最近影印的宋本《杜工部集》，就是北宋王淇本，真可算是人間鴻寶，見所未見的了。第二，注重杜詩與《昭明文選》的關係。杜自己說「熟精文選理」，這並不是空話。他的措辭、意象，從《文選》來的極多。關于這一點，前人的研究也未周到，我也來補充一下。杜早年的老師李邕就是選學大家李善的兒子。這層關係也值得考慮。[37]

《杜甫詩注》預定完成二十冊《杜甫詩注》，第一冊「總序、書生の歌上」、第二冊「書生の歌下」、第三冊「亂離の歌」[38]、第四冊「行在所の歌、歸省の歌」、第五冊「侍從職の歌」、第六冊「教育長の歌」、第七冊「甘肅の歌上」、第八冊「甘肅の歌下」、第九冊「成都の歌上」、第十冊「成都の歌下」、第十一冊「東川の歌上」、第十二冊「東川の歌下」、第十三冊「成都再び

---

36 《杜甫 II》的〈あとがき〉收載於《吉川幸次郎全集》第二十五卷，東京：筑摩書房，1972 年 7 月，頁 486-504。

37 〈我的杜甫研究〉收載於《吉川幸次郎全集》第二十五卷，同上，頁 454-460。此文是吉川幸次郎於 1979 年 4 月 2 日在北京大學演講的中文稿。

38 預定出版時，第三冊的書名為「疎開の歌、捕虜の歌」，出版刊行的書名為「亂離の歌」。

の歌」、第十四冊「雲安の歌」、第十五冊「夔州の歌上」、第十六冊「夔州の歌中」、第十七冊「夔州の歌下」、第十八冊「江陵の歌」、第十九冊「湖南の歌上」、第二十冊「湖南の歌」。吉川幸次郎自稱要全部注釋完成，得活到一百多歲，臨終前五日屬其弟子小南一郎校正《杜甫詩注》第四冊[39]，與第五冊都是死後刊行的。[40]

《杜甫詩注》以繫年編次，第一卷的卷首有〈總序〉，各卷又有如小序的〈はしがき〉[41]，卷二、三、五有「前冊補正」，卷五

---

[39] 小南一郎校正《杜甫詩注》第四冊之事，見小南一郎〈吉川幸次郎先生鎮魂〉，《吉川幸次郎》，東京：筑摩書房，1982年3月，頁203。第四冊於吉川幸次郎逝世之年的七月出版，卷末有「一九七九年昭和五十四年八月稿畢」的文字。筑摩書房出版第四冊時，發行「讀者の皆さまへ」，記載吉川幸次郎逝去之事，並說明吉川幸次郎遺留大量的杜甫詩注未定稿，待其家族與弟子慎重檢討整理之後，再予刊行問世。

[40] 2012年11月，岩波書店預告出版由興膳宏編修的吉川幸次郎《杜甫詩注》第一期十冊。興膳宏於《杜甫詩注》第一冊的〈解說　吉川幸次郎の杜甫研究〉說：筑摩版《杜甫詩注》第五冊小南一郎的「あとがき」記述吉川幸次郎預定出版注釋杜甫到達成都的詩作，即第八冊的部分。筑摩書房也預告出版至第八冊。吉川幸次郎《杜甫詩注》的出版，大抵由筑摩書房的編輯大西寬謄寫吉川幸次郎的原稿，內田文夫校閱確認引用文獻，若有疑義則詢問作者，然後修訂出版。大西寬自筑摩書房退休後，謄寫吉川幸次郎《杜甫詩注》第六冊至第八冊的原稿。興膳宏披閱吉川幸次郎遺稿，以為完成度甚高，乃有付梓之念，由岩波書店出版第一期十冊。然第九冊和第十冊遺稿的分量銳減，不若第六冊至第八冊之多，乃盡其可能的符合吉川幸次郎注釋意旨，而整理遺稿，彌補缺空。（《杜甫詩注》第一冊，東京：岩波書店，2012年11月，頁497-498。）

[41] 有關〈はしがき〉的記述，卷二有一篇，卷二有六篇，卷三有四篇，卷五有三篇和〈序說〉一篇。

有小南一郎與深澤一幸的〈あとがき〉，即後跋。〈總序〉主要敘述注釋杜詩的動機，杜甫詩注的立場與杜詩研究的課題。[42]

(一)注釋杜詩的動機

吉川幸次郎強調注釋是根據作者的語言探尋其創作意識，甚至其潛意識的究竟，架構理論析理作品的內容要旨。詩歌是感性的語言，尤其需要逐字咀嚼，檢證詩人創作的心境及詩作的意象，是其注釋杜詩的心得。[43]至於注釋杜詩的動機是衷心喜愛杜甫及其詩作，三好達治解說吉川幸次郎《杜甫ノート》，指出吉川幸次郎於杜詩有特異的感受，通覽吉川幸次郎的杜詩講述，可以體會其與杜甫有心領神會的契合。[44]吉川幸次郎則說縱橫古今東西，受到強烈吸引，而能通透融合了然於心的詩作，除杜甫及其詩歌之外無他。表述對杜甫的喜愛，注釋杜甫詩作是唯一的方法，蓋注釋經典是中國學術最重要的傳統，踵繼前賢，尤其是段玉裁《古文尚書撰異》，本居宣長《古事記傳》的風雨名山事業，是京都中國學派學問傳承的究極。至於注釋的旨趣，如本居宣長所說「言のさま」，即語言表象的重視，亦即「向內集中」（intensive），以熟視語言相

---

42 〈總序〉寫於 1977 年 3 月 18 日，吉川幸次郎 73 歲生日，收載於《杜甫詩注》第一冊，東京：筑摩書房，1977 年 8 月，頁 3-18。

43 「心得」，是吉川幸次郎說明其師狩野直喜學問宗尚的所在。吉川幸次郎說：沈潛於中國的古典文學的蘊涵，主張「儒雅」與「文雅」的融貫是中國文明異於其他文明的特質所在，此為狩野直喜的「心得」之學。亦即探究中國文學的本質，以沈潛洗練的工夫，體得「儒雅」的內涵，進而成就精通文章經術的通儒之學為究極的「心得興到」之學。吉川幸次郎體得杜甫創作詩文的心境，或可說是「心得」之學的表現。

44 《杜甫ノート》，新潮文庫，東京：新潮社，1954 年 10 月。

互連屬疊構，鼇析字句相稱均衡流暢的表現為極致。蓋詩歌的韻律不同於音樂的旋律，是詩意著色諧音而組成的和諧韻律。漢字雖是單音節，而高低抑揚頓挫，詩歌精鍊文字的音義，曲盡一字一音的組合而架構色調諧合且意象幽遠的詩歌情境。杜詩是中國詩歌之兼具心象風景與韻律和諧的典型，杜甫於〈偶題〉敘說「文章千古事，得失寸心知」，吉川幸次郎欲體得其寸心於千古之後，誠可謂杜甫千年之後的異國知己。

尊崇文人學者是中華民族的傳統，然杜甫在世，未必知名。最初讚賞杜甫的是中唐韓愈、白居易與元稹。韓愈〈調張籍〉：「李杜文章在，光焰萬丈長」，白居易〈與元九書〉：「詩之豪者，世稱李杜，李之作，才矣奇矣，人不逮矣，索其風雅比興，十無一焉。杜詩最多，可傳者千餘首。至於貫穿今古，覼縷格律，盡工盡善，又過於李」。元稹〈唐故工部員外郎杜君墓係銘並序〉：「蓋所謂上薄風騷，下該沈宋，言奪蘇李，氣吞曹劉，掩顏謝之孤高，雜徐庾之流麗，盡得古今之體勢，而兼人人之所獨專矣」。北宋仁宗期是中國文藝復興的時代，蘇東坡、王安石、黃山谷、秦觀等人推崇杜甫的成就，尊奉杜詩為詩歌的最高典型。蘇東坡〈王定國詩集序〉：「古今詩人眾矣，而杜子美為首」。王安石〈老杜詩後集序〉：「予考古之詩，尤愛杜甫氏」。黃山谷〈大雅堂記〉：「子美詩妙處，乃在無意於文，夫無意而意已至。非廣之於國風雅頌，深之於離騷九歌，安能咀嚼其意味，闖然入其門耶」。秦觀〈韓愈論〉：「杜子美之於詩，實積眾家之長……窮高妙之格，極豪逸之氣，包沖澹之趣，兼峻潔之姿，備藻麗之態，而諸家之作所不及焉」。南宋陸游的祖父陸佃是王安石的門人，故亦宗尚杜甫，又五十歲前後任官蜀地，萬首詩作半為七言律詩，〈感秋〉緻密描寫

「蟋蟀」「梧桐」之自然風景，要皆祖述「杜甫的」表現。就此意義而言，宋詩的歷史是杜甫認識與杜甫祖述的歷史，亦即杜詩評價昇華的軌跡。[45]然宋代以來的杜詩注釋，未必圓足，此為吉川幸次郎注釋杜詩的動機之一。乃取捨前人注解的優劣，檢尋清人所未能審視之王淇等宋本，詳密考證注釋，細嚼杜詩的文字，探索杜甫作詩的心境，提出杜甫具有靈動飛躍與緻密明晰的特質，亦有超越傳統詩賦之創新所在的見解。

(二)杜甫詩注的立場

杜甫於〈戲為六絕句〉敘述：「不薄今人愛古人，……轉益多師亦汝師」，即說明杜甫作詩既有繼承前人詩賦用語的所在，亦有別為新詞，開拓意境的創新。前者如黃山谷〈答洪駒父〉所說「老杜作詩，韓退之作文，無一字無來歷……雖取古人之陳言入於翰墨，如靈丹一粒點鐵成金」。故探索杜詩用語的來歷是注釋杜詩必須的工夫。杜甫詩作奪胎換骨於前人詩賦的用字，或比興創新而豐富詩歌的內容，或超越時空而勾勒傳統詩文普遍存在的心象風景。吉川幸次郎強調宋人諸注於杜詩的用典，特別是杜甫於《文選》的取捨曲盡究明，然不乏誤引誤記的所在。乃援用斯波六郎《文選索引》檢證杜甫如何取捨《文選》詩賦，究明杜甫於《文選》繼承與創新的所在。至於後者，吉川幸次郎說杜甫是「反俗的詩人」，即抱持突破傳統，超越現今而開創新的詩歌境界的自覺意識。以「反

45　「宋詩的歷史是杜甫認識與杜甫祖述的歷史」，見吉川幸次郎〈宋詩概說〉，《吉川幸次郎全集》第十三卷，東京：筑摩書房，1969 年 2 月，頁 46。

俗」性格表現於詩歌，則是詩語「了無來歷」的創新表述，即突破詩賦創作的傳統思惟，選別前人詩賦未見之俗語、民謠與散文用語入詩。有關杜詩「無來歷」的詩語，歷來的杜甫詩注甚少訓解，仇兆鰲《杜少陵集詳註》雖是杜詩注釋的集成，亦未涉及。乃檢尋查慎行奉勅編纂的《佩文韻府》，究明杜甫超越詩歌傳統而以俗語和散文用語入詩的來歷。《佩文韻府》完成於仇兆鰲《杜少陵集詳註》之後，且詳密周全的搜羅杜詩的用語，足資彌補仇氏等清人杜甫詩注的遺漏。

宋版杜甫詩集的諸文本頗多文字異同的存在，故不厭煩瑣的注記諸本「異文」，究明杜甫詩集板本的源流與杜詩注釋史的究竟，也是吉川幸次郎注釋杜詩的心得。其杜甫詩注是以 1957 年上海商務印書館覆製的《宋本杜工部集》為底本，此書是杜詩最初且現存最古之王淇本與覆刻吳若刊本的合刊。又參採以郭知達《九家集注杜詩》為文本，而於 1940 年，由哈佛燕京學社出版的《杜詩引得》，以吳若刊本全文為底本的錢謙益《杜工部詩箋注》，以及《杜陵詩史》《分門集注》《草堂詩箋》等改編杜甫詩集的宋本，收錄注記杜詩全部的「異文」。「異文」存在的原因，或杜甫自身於詩稿有所改易，而杜甫死後，至王淇校訂王洙本而刊行的三百年間，幾經傳寫抄錄，而王淇之後，又有以校訂王淇本之吳若校本，或以王淇本為主而集注之郭知達《九家集注杜詩》的刊行，是諸本存在「異文」的主要原因。杜詩板本源流與注釋的歷史則於他卷附錄敘述。

杜詩的排列，大抵與歷來注釋相同，乃以杜甫詩作的年代順序編次，傳記的展開亦於注釋中附記說明，唯說解的觀點今昔有異。三十年前所作《杜甫私記》以傳記及其詩作的時代背景而編次順序，解釋杜詩的內容和探索作詩的心境。以個人的遭遇和時代局勢為前提而詮釋詩人創作的心境與詩作的內涵，固可說明詩人的時代感受，由外延環境說解內在意涵是史學家的工作而非文學家的本領。《杜甫詩注》改為以詩敘傳，蓋詩歌敏銳反映時代局勢與描寫社會的真實現象，是世稱杜甫為「詩史」的原因所在。再者，吉川幸次郎於所著《陶淵明傳》說：陶淵明生活、躬耕、吟詩、飲酒而老死的風土民情，由陶淵明自身來敘述，此為其記述陶淵明傳記的主軸。[46]杜甫的出處進退和時代感受，以及詩作體裁與風格的變化，由杜甫的詩作來述說，則是《杜甫詩注》以詩記傳的主旨所在。吉川幸次郎說杜甫三十歲以前的詩作大抵不傳，故無法追蹤其詳細的傳記。安祿山舉兵叛亂，杜甫拘禁長安至奔赴鳳翔，任命左拾遺之 45 歲和 46 歲的兩年間，詩作詳實記錄時代動盪的實況與個人顛沛流離的遭遇。秦州苦寒而詩作旺盛，古詩律詩超越百首，拔胸中抑塞而下筆揮灑，詩作如泉湧而不絕。夔州窘迫困頓而詩作質量兼具並修，律詩題材豐富而格律完成，如〈詠懷古蹟五首〉〈秋興八首〉等詩作，即為後世律詩之典型。義憤填膺而感時起興，反映前半生懷磊落之奇才而不受重用之不平的遭遇，沈鬱頓挫而縱橫宕跌，曲盡後半生攜妻帶子輾轉漂泊之流離失所的苦楚。

㈢杜詩研究的課題

《杜甫詩注》以杜甫詩語的熟視為注釋的方法，而詩歌語言所反映的政治、社會、經濟的情勢亦不可不探究，即以外部擴張（extensive）的方法，疏理杜詩的記述，如實的再現杜甫生存時代的

---

46 吉川幸次郎《陶淵明傳》，新潮文庫，東京：新潮社，1958年5月，頁53。

諸相。吉川幸次郎強調杜詩是「詩史」，杜甫詩作固有真實記述當時政治社會與經濟狀況的所在。《舊唐書》《新唐書》與《資治通鑑・唐紀》於政治情勢的記載極為詳盡，而社會經濟的記載則較為缺乏。李肇《國史補》雖有野史式的補遺，不如宋人記述之精詳。《新唐書》改寫唐代史事，是北宋文藝復興之文化現象的表徵，其於推崇杜甫的文學成就而異於《舊唐書》的評論，也是超越傳統文學批評而形成新文學意識的象徵。《新唐書・杜甫傳贊》繼承中唐，尤其是元稹的評價，以為杜詩「貫通古今，渾涵汪洋，千彙萬狀，兼古今而有之」，即杜詩雄偉渾浩，集歷代詩賦之精華，為後世詩歌的典型。實則杜甫無不可入詩，而有真情實感的描寫所見所遭遇之人間社會的詩作。如兵制改革於杜甫生存的時代由徵兵制的「府兵」改制為志願兵制的「募兵」，《新唐書・兵志》詳細記載。杜甫〈前出塞〉九首與〈後出塞〉五首，於二種兵制有對比的指摘。稅法於杜甫的年代之後，由「租庸徵」改制為「兩稅法」，形成經濟官吏衍生，權位新分配（new deal）的現象。吉川幸次郎強調李林甫、楊國忠是經濟官吏的先驅，故經濟重臣掌控政治權勢而官位新分配的現象，實則萌芽於天寶年間，杜甫在世的時候。李肇《國史補》下卷比較唐代各時期士人的風氣，指出「天寶之風尚黨」，意謂中唐黨爭激烈，而玄宗天寶年間，既有「任子」與「進士」之爭的胎動，與經濟權勢導致權位新分配的是非互為表裏。杜甫非顯貴的「任子」出身，其所親近的大官，如房琯、嚴武多為政策保守派的人物，然非朝廷當權的主流，以致流離漂泊。

1970 年代以來，唐代社會經濟史是現今歷史學家專注研究的領域，杜詩頗多足資參採的記述而鮮有涉獵。以杜詩及其相關的文學作品究明唐代的歷史，或為今後的課題。若然，則年輕世代的學者重新述說杜甫及其詩作，就指日可待。

吉川幸次郎於《杜甫詩注卷一・書生の歌上》的〈はしがき〉[47]強調其以詩敘傳的注釋宗尚。杜甫早歲的詩作大抵不傳，雖有「憶昔開元全盛日」（〈憶昔二首〉）的詠歎，而今傳詩集的開卷諸詩，要皆收錄玄宗天寶年間以後之詩，而無開元盛世之際的作品。杜甫於開元年間的文學生涯，唯有從天寶以後的詩作來追述。[48]吉川幸次郎援引流寓夔州時，所作自傳式的長篇〈壯遊〉詩：「往昔十四五，出遊翰墨場，斯文崔魏徒，以我似班揚」，述說杜甫作詩始於幼年，早歲在鞏縣之際，列席詩會而詠誦詩賦，長者讚賞形肖東漢之名家。其後，如晚年〈社日〉所記「今日江南老，他時渭北童」，隨父移居任官所在的渭北。旋東遊江浙，以「讀書破萬卷，下筆如有神，賦料揚雄敵，詩看子建親」（〈奉贈韋左丞丈二十二韻〉），而受拔擢貢舉，「歸帆拂天姥，中歲貢舊鄉」（〈壯

---

47 收載於《杜甫詩注》第一冊，東京：筑摩書房，1977 年 8 月，頁 19-23。

48 仇兆鰲《杜少陵集詳註》的〈杜工部年譜〉於杜甫早年的記載，引天寶以後的詩作而記述。如「開元三年乙卯，公舞劍行序云開元三年，余尚童稚，記於郾城，觀公孫氏舞劍器。……開元六年戊午，公壯遊詩云七齡思即壯，開口詠鳳凰。……開元十四年丙寅，壯遊詩云往昔十四五，出遊翰墨場，斯文崔魏徒，以我似班揚。……開元十九年辛未，公年二十，遊吳越……公哭韋之晉詩悽愴郇瑕邑，差池弱冠年……當是遊晉地後，方為吳越之遊也。……開元二十三年乙亥，公自吳越歸，赴京兆貢舉，不第……壯遊詩云歸帆拂天姥，中歲貢舊鄉，忤下考功第，獨辭京兆堂。……開元二十五年丁丑，公遊齊趙，壯遊詩……忤下考功第，獨辭京兆堂，放蕩齊趙間，裘馬頗清狂。……開元二十九年辛巳，公年三十，在東都。……天寶五載丙戌，公歸長安，壯遊詩放蕩齊趙間，裘馬頗清狂，快意八九年，西歸到咸陽」，引詩記載杜甫早歲在鞏縣，遊晉地吳越，貢舉不第，遊齊趙，返東都，歸長安之三十餘年的足跡。

遊〉），「自謂頗挺出，立登要路津，致君堯舜上，再使風俗淳」（〈奉贈韋左丞丈二十二韻〉），無奈「忤下考功第」（〈壯遊〉），「此意竟蕭條」而「旅食京華春……到處潛悲辛」（〈奉贈韋左丞丈二十二韻〉），落第挫折而揭開生涯流離失所的序幕，乃「獨辭京兆堂，放蕩齊趙間」（〈壯遊〉）。東方放浪而「裘馬頗清狂，快意八九年」（〈同上〉），蓋「憶與高李輩，論交入酒壚，兩公壯藻思，得我色敷腴，氣酣登吹台，懷古視平蕪」，〈遣懷〉，與高適、李白意氣相投，高歌縱酒，冶遊賦詩而逍遙悠遊。年逾三十，「西歸咸陽……杜曲晚耆舊，四郊多白楊」（〈壯遊〉），安住祖籍杜陵的莊園，詩囊飽滿豐腴而「許與必詞伯，賞遊實賢王」，欲有作為，致身要津而經世濟民。

吉川幸次郎於《杜甫詩注卷二・書生の歌下》的〈はしがき〉總論杜甫律詩的特色，強調杜甫為律詩的創新者，說明杜甫年逾不惑而未就一官半職，或與當時的政局，黨爭的傾軋息息相關。《杜甫詩注卷二》所收三十歲前後放浪黃河下游各地至四十四歲「旅食京華」，大約十五年間所作律詩，蓋吐露此間的消息。根據杜甫詩作考察壯遊的遭遇處境，歷來的研究未嘗探究，其自身於 1950 年出版的《杜甫私記》亦未論及。

律詩之所以稱為「近體詩」或「今體詩」而異於古體詩，乃在於平仄押韻的一定規律與四聯八句的上下對句。律詩起源於初唐，乃承襲六朝華文美辭，駢對兩行與沈約「四聲八病」之抑揚韻律的詩韻說，於大唐帝國成立的新機運下，形成韻律對句格式的律詩。沈佺期、宋之問並稱，杜甫祖父杜審言亦為律詩的名家，唯大抵為武后朝的宮廷詩人，以駢儷雕琢是尚。

對句修辭的歷史甚古，先秦經傳諸子即有創制，如《老子・第一章》「道可道，非常道，名可名，非常名」，《易・繫辭傳》的開端「天尊地卑，乾坤定矣，卑高以陳，貴賤位矣，動靜有常，剛毅斷矣」，大抵反復並列相對的文字事例而言說道理。魏晉六朝詩賦的駢偶蓋沿續先秦之舊，以類似的語言意象疊構同一主題，如《文選》所收阮籍〈詠懷〉「孤鴻號外野，朝鳥鳴北林」，左思〈詠史〉「振衣千仞岡，濯足萬里流」，謝靈運〈從斤竹澗越嶺溪行〉「巖下雲方合，花上露猶泫」，上下對仗極其工整，然要皆不及杜甫之以文法修辭的上下對句，整合自然與人事，抽象與具象，全體與部分，社會與個人之異位元的存在，尤以八句四聯的律詩，巧妙的發揮詩歌韻律對句的藝術性。如〈春望〉「國破山河在，城春草木深」，上句的「國破」是家國傾頽的人間慘劇，下句「城春」是杜甫幽囚長安及其周邊的自然景象。「感時花濺淚，恨別鳥驚心」是傳統對句的形式，以同位元事象的上下並列而表現內心的感受。「烽火連三月，家書抵萬金」，內戰烽火持續至陽春三月仍未終熄的上句與離散家人的書信若能寄達當值萬金的下句，則未必是同位元的事象，上下句相互因果，又以「三月」與「萬金」相對，巧妙整合其意象，表述其無窮的遺憾和感傷。吉川幸次郎進而強調杜甫律詩的對句，輒有上句提示設想而下句出乎意表的對仗，看似衝突矛盾之「不齊一」的表述，然斟酌其詩語的敷陳排列，上下二句又有文法修辭的「齊一」性，如「烽火」對「家書」，「連」對「抵」，「三月」對「萬金」，「不齊一」與「齊一」的整合，上下二句相互睥睨重合，連結交融而架構詩歌遣詞造句的藝術之美，深化詩人幽微蘊藏的情感。杜甫律詩於韻律對句的表現，借用 I. A. Richards “Principles of Literary Criticism” 的用語，是預設（expectancy）與違離（betrayal）的交錯對峙。此「微妙力學」的究極表現是杜甫的創新，其律詩，尤其是四聯八句的律詩創意是中唐以迄明清詩人所尊崇的典型。唯《杜甫詩注卷二》所收的詩作，七律之作不多，五律之詩，如〈登兗州城樓〉〈夜宴左氏莊〉〈遊何將軍山林〉雖是名作，不免有初唐斧鑿之痕。五七律詩的成熟，則在秦州苦寒與夔州峽谷的經歷之後。[49]

杜甫於天寶 7 年（748）西歸長安之後，三度獻賦求官，前二次皆未果。吉川幸次郎以為杜甫之不遇，蓋受困於李林甫主政，輕視文儒之士，以及「任子」務實與「舉子」儒雅之意識學養的差異而導致彼此詆毀攻伐所波及。「任子」官位世襲，嫻熟政事而未必富饒學殖，「舉子」進士及第，文質彬彬，而未必通曉治術，兩派傾軋浮沈。玄宗開元治世，「舉子」張說與張九齡先後主政，詩文儒學鼎盛，唯未必擅長經濟財政，如張九齡認可銅貨私鑄而失政，李林甫彈劾，代而掌權。李林甫雖未必無學，而側重政治實無，蔑視儒者文人。天寶 6 年（747）玄宗「詔天下有一藝詣轂下」[50]，以「主上頃見徵」，故杜甫上京，胸懷「致君堯舜上，再使風俗淳」（〈奉贈韋左丞丈二十二韻〉）的壯志，欲復興儒家政治思想，實現經世濟民的理想。然「李林甫命尚書省試，皆下之，遂賀野無遺賢」[51]。杜甫義憤填膺，賦詩「紈袴不餓死，儒冠多誤身」（〈奉贈韋左丞丈二十二韻〉）而抒發心中的不平。無奈李林甫口蜜腹劍而陰險姦

---

49 吉川幸次郎的杜甫律詩論述，見《杜甫詩注卷二・書生の歌下》的〈はしがき一〉，《杜甫詩注》第二冊，東京：筑摩書房，1979 年 1 月，頁 3-16。

50 仇兆鰲《杜少陵集詳註・年譜》，「天寶六載，丁亥，公應詔退下，留長安」條。臺北：文史哲出版社，1973 年 4 月，頁 3。

51 同上注。

惡，文儒「舉子」多以疑獄寃死，天寶6年，杜甫交親的李邕受刑而死，「飲中八仙」的李適之自盡。杜甫〈壯遊〉追憶往昔「朱門任傾奪，赤族迭罹殃」的悲慘。天寶年間，朝廷陷入恐怖政局，杜甫感歎「有客雖安命，衰容豈壯夫……老驥思千里，餓鷹待一呼，君能微感激，亦足慰榛蕪」（〈贈韋左丞丈濟〉），應詔退回，是天命之窮，無可奈何，而受知於博學宿儒的感動激發，倖免淪落於荊榛草蕪之間。

杜甫於天寶 10 年（751）第二次進獻「三大禮賦」，以李林甫的「陰謀」而受黜，天寶 13 年（254），三進「封西岳賦」，才受命左衛率府參軍，是李林甫死後兩年，楊國忠繼任掌政之初。杜甫於天寶 12 年，作詩〈奉贈鮮于京兆二十韻〉說明政局轉變的機兆，吐露其進退的複雜心境。

> 獻納紆皇眷，中間謁紫宸，且隨諸彥集，方覬薄才伸，破膽遭前政，陰謀獨秉鈞，微生霑忌刻，萬事益酸辛。

「獻納紆皇眷」至「方覬薄才伸」敘述應試殿中，獻賦對策。「破膽遭前政，陰謀獨秉鈞」，恨李林甫忌才，前後兩次應詔召試，皆受阻於李林甫而遭見棄，「陰謀忌刻四字，極盡姦邪情狀……李林甫已去，故云前政」[52]。李林甫長期掌政，文人儒者欲獻賦而求取官職，極其不易，呈詩求援救濟之要人，皆反主流之「舉子」，既「旅食京華」，又冒犯主政者的禁忌，以致「萬事益酸辛」。

---

[52] 同上，卷二，頁80。

> 王國稱多士，賢良復幾人，異才應間出，爽氣必殊倫……交合丹青地，恩傾雨露辰，有儒愁餓死，早晚報平津。

王朝人才濟濟，薦舉賢良，英氣縱橫與才學兼備者必傑出特起。公卿納才如「神化之丹青」，乃「四海之表儀」[53]，君臣上下相得交合，如甘露時雨而善利萬民，丞相更革或有開通道衢之新機運，則能振翅青冥而挺出路津。吉川幸次郎說鮮于仲通知遇於楊國忠，異常拔擢為側近，或能選舉賢良文學，而呈詩奉贈。王應麟雖批評「鮮于京兆仲通也……所美非所美……公晚節所守，如孤松柏，學者不必師法其少作」[54]，然如仇兆鰲所說：「少陵之投詩京兆，鄰於餓死……不可以宋儒出處，深責唐人也」[55]，杜甫乃迫於饑寒窮途，姑為權宜之計，宜諒察其不得已之苦衷。[56]

以詩敘史記實，說明政治情勢與社會風土，強調杜詩之所以為「詩史」的究竟，考索杜甫遣詞造句與韻律抑揚的斟酌，闡發杜甫詩作有創新的所在，為後世文人所祖述，所以被稱為「詩聖」，細察杜詩的心象風景，體察杜甫創作詩歌的幽微情境，直指杜甫寸心於千載之後，要皆吉川幸次郎注釋杜詩的旨趣所在。

---

53 《鹽鐵論・相刺第二十》：「公卿者，四海之表儀，神化之丹青也。」，《新編諸子集成》二，臺北：世界書局，1978 年 7 月，頁 24。

54 《困學記聞》卷十八，《和刻本漢籍隨筆集》第十二集，東京：汲古書院，1974 年 7 月，頁 248。

55 仇兆鰲《杜少陵集詳註》卷二，臺北：文史哲出版社，1973 年 4 月，頁 170。

56 吉川幸次郎以杜甫詩作考察壯遊的遭遇處境，見《杜甫詩注卷二・書生の歌下》的〈はしがき三〉，《杜甫詩注》第二冊，東京：筑摩書房，1979 年 1 月，頁 71-80。

結語：杜甫千年之後的異國知己

吉川幸次郎說：杜甫（712-770）出生於唐玄宗的治世的元年，其自身則出生於明治時代（1868-1910），玄宗開元、天寶的治世與明治的治世都將近四十五年。雖然天寶十四年發生安史之亂，唐代極盛而衰，然則生存於玄宗治世的人民對人生必定充滿希望，而生存於明治時代的人也必然有無限生機的特殊感受[57]。即玄宗的治世是大唐文明的英華，明治的「文明開化」開啟了日本的近代，各為中日歷史上劃時代的關鍵。杜甫雖然經歷盛衰的苦難，其於詩歌內容與格式的表現則是中國中世文學轉換為近世文學的縮影，不但是唐代最偉大的詩人，也是中國的詩聖。至於杜詩融合了藝術性與現實性則是吉川幸次郎最佩服的所在[58]。由於生存時代之具有歷史意義的因緣際會，又潛心於杜甫與杜詩的講述注釋。至於杜詩的用語、對仗、音律、意境亦有細微的分析。吉川幸次郎於〈杜詩序說〉強調研究杜詩給與感動是研究杜甫的第一目標，杜詩在中國文學史上的意義，即杜詩在中國文學發展的地位，是其講授杜甫及其詩歌的目標。進而標榜杜甫是古今第一詩人，用中國語讀杜甫詩，猶如用英語讀沙士比亞的詩，用德語讀歌德的詩，於人類心靈的感動是古今東西共通的。蓋三人的詩作是人類從古人的語言體得最深切感動的詩篇，就此意義而言，杜詩是人類的寶庫，人類的古

57 〈杜甫私記〉，《吉川幸次郎全集》第十二卷，東京：筑摩書房，1968年6月，頁10。

58 〈我所最喜歡的中國詩人〉，《吉川幸次郎全集》第一卷，東京：筑摩書房，1968年11月，頁147。

典。[59]吉川幸次郎於杜甫及其詩歌的喜愛執著講述注釋，堪稱當代寰宇第一人，洵可謂杜甫千年之後的異國知己。

---

59 〈杜詩序說〉，收載《吉川幸次郎遺稿集》第二卷，東京：筑摩書房，1996年2月，頁283-293。

中國文學研究方法論

關鍵詞　精神史　文學史觀　向內集中　外部擴張　緻密　飛躍

一、中國文學研究是精神史研究與文學內涵的探究

興膳宏說吉川幸次郎（1904-1980）的中國學術研究生涯可分為經學、雜劇與詩、特別是杜詩研究的三個時代。[1]綜觀吉川幸次郎於中國文學的研究，則可歸納為中國文學的精神史研究與中國文學的內在本質研究，前者是其師狩野直喜（1868-1947）中國文學與哲學合一說的繼承發展，後者則是成就日本近代中國文學研究泰斗的

---

[1] 興膳宏〈吉川幸次郎〉，收載於礪波護編《京大東洋學の百年》，京都：京都大學學術出版會，2002 年 5 月，頁 282。又有關吉川幸次郎的學術生平，參見桑原武夫・興膳宏等編《吉川幸次郎》（東京：筑摩書房，1982 年 3 月），〈先學を語る—吉川幸次郎博士—〉（東京：《東方學》第 74 輯，1987 年 7 月，其後收入《東方學回想》V，東京：刀水書房，2000 年 4 月，頁 147-173）。

所在。吉川幸次郎在《尚書正義》譯注[2]，強調《尚書正義》是探究中國中世精神史的重要文獻，又在 1944 年《元雜劇研究》[3]的自序，指出《元雜劇研究》既是將中國文學史方法論付諸實現的最初成果，也是中國精神史研究的一部分。但是在 1968 年《吉川幸次郎全集》第十四卷的〈自跋〉，則說：我現在未必以為文學史的研究是精神史研究的前提，而主張重視「文學的尊嚴」，[4]亦即以中國文人的創作旨趣及其作品之文學性的探究與賞析為極致。故於元人雜劇的研究之後，傾注心力於以杜甫為中心的中國文學內涵的探究，[5]終身講述注釋杜甫及其詩文，剖析中國古典詩文的意境，架

---

2 吉川幸次郎與東方文化研究所的同事，關西地區經學研究者於 1935 年 4 月著手，校訂《尚書正義》，費時 6 年完成，定名為「尚書正義定本」，於 1943 年 3 月發行。在《尚書正義》的校定中，於 1938 年冬，有和譯《尚書正義》之議，取得所長松本文三郎的認同，並引介岩波書店，應允出版《尚書正義譯注》。於翌年（1939）夏天著手《尚書正義》全文和譯，1940 年 2 月出版《尚書正義》。

3 《元雜劇研究》是吉川幸次郎的博士論文，1948 年 3 月在東京：岩波書店出版，其後收入《吉川幸次郎全集》第十四卷，東京：筑摩書房，1968 年 9 月。鄭清茂中文譯本《元雜劇研究》，於 1960 年 1 月，在臺北：藝文印書館出版。〈自序〉寫於 1944 年 7 月，收入《吉川幸次郎全集》第十四卷，東京：筑摩書房，1968 年 9 月，頁 3-4。

4 《吉川幸次郎全集》第十四卷，東京：筑摩書房，1968 年 9 月，頁 610。

5 吉川幸次郎於其與高橋和巳的對話〈人間とは何か——文學研究への私の道〉說：我的學問歷程有所變遷，《元雜劇研究》是從語言學的角度分析元曲的用語，究明中國十三世紀中國文學於口語表現的究竟。又順應日本大正至昭和初期話中華民國時期中國學界風行口語文學研究的熱潮話從圍繞文學的諸相說明文學成立的經緯，即以「社會史觀」的角度，致力於元代社會與元曲雜劇的關係研究，著眼於「聽眾的環境」，考察元曲雜劇前後期「文學倫理」變遷的究竟，是別出前人研究的新裁。唯如宮崎市定所

構中國文學研究的方法論，「傾注精力於前人未發之析理」，而「研究深邃而用意周密，眼光犀利而識見卓拔」，[6]允為日本近代中國文學研究第一人。本文從中國文學史研究為精神史研究的前提，中國文學的變遷與中國古典詩文的意境研究，說明吉川幸次郎的中國文學研究方法論。

二、中國文學的精神史研究

吉川幸次郎在《元雜劇研究・自序》強調《元雜劇研究》是運用中國文學史方法而完成的著作，也是其中國精神史研究的一部分。文學是社會的存在，各時代的文學性格都與形成文學的社會有極為密接的關連。文學的精神史的探究，不但要考察文學生活以外，還必須把握與文學生活共通之「風土生活」中所流傳下來的法則。雜劇文學成立於元代，當時的中國為蒙古人所統治，漢人的精神生活產生各種動搖。若綜合考察雜劇的非傳統文學性，以及如黃宗羲《明夷待訪錄》所說：「古今之變，至秦一盡，至元又一盡」之元代變革性，則漢人之「歷史自身」孕育的變動與受蒙古人刺激的動搖，是雜劇形成的原因，至於瞬時衰頹則是歷史變動的方向太

說文學宜從「受容者」的側面進行探究，此為文學的歷史研究，而非文學研究的第一要務。基於「文學任務」的反省，乃轉向杜甫及其詩作的研究，用以探究中國古典文學的特質與詩人創作詩文的用心所在。（《高橋和巳全集》第十八卷，東京：河出書房，1978年9月，頁564-565）。

6 青木正兒等人〈吉川幸次郎博士論文《元雜劇研究》審查要旨〉，《吉川幸次郎全集》第十四卷，東京：筑摩書房，1968年9月，頁610。

早受制於不易變動方向，即傳統文學精神觀念之所致。[7]換而言之，政治興革與統治政策的變遷而導致士人意識變化之時代精神的推移，是吉川幸次郎以元雜劇為例而進行中國文學的精神史研究的主軸。其以為雜劇與雜劇以前的口語文學，於文學的價值有飛躍性的上昇。至於價值上昇的原因則在於作者層的變動，即雜劇以前的民間演藝的腳本，大抵出自市井之手，元代初期，士人參與雜劇的製作，雜劇的文學乃有飛躍的進展。而作者層變動的原因，王國維主張「元初之廢科目，卻為雜劇發達之因」[8]，即元代廢除科舉，士人不得仕宦，乃撰述雜劇的腳本。狩野直喜以為雜劇發生原因之一，為「元初滅金，復平江南，降臣甚多，而恥事異姓，隱居山林者，亦不少。……其更奇僻者，則不屑為尋常詩人文人，徒費其才於狂言綺語，以娛婦女童蒙，而姓字湮沒不傳者，固不少。」[9]說明士人的自嘲意識，促成狂言綺語的盛行。然青木正兒以為「詩酒尚足發其憤，何翕然而赴此途耶」。[10]吉川幸次郎強調士人之所以製作雜劇，乃元初社會風氣使然。蓋蒙古人強烈的統治，使中國人的精神產生變革，促成「生活倫理」與「文學倫理」轉變的風氣。蒙古的統治，尤其是世祖以前的統治，破壞中國人的生活傳統，否定尊重文學的風氣與科舉的廢止，只是一端而已。然蒙古強烈的壓力，遂導致拘限於傳統的士人體悟非傳統中的合理性，進而認定非

---

7 《吉川幸次郎全集》第十四卷，東京：筑摩書房，1968年9月，頁3-4。

8 王國維《宋元戲曲考》第九章，《王國維戲曲論文集》，臺北：里仁書局，1993年9月，頁97。

9 狩野直喜〈元曲の由來と白仁甫の梧桐雨〉，《支那學文藪》，東京：みすず書房，1973年4月，頁245。

10 青木正兒《中國近世戲曲史》，東京：弘文堂，1930年4月，頁90。

傳統生活的，形成倫理變化的風氣。歷來文人意識以詩文創作是尚，不屑指染低俗的文學，而元初社會風氣的轉變，遂形成士人創作雜劇腳本之文學觀念的轉變。金朝的士人對戲劇極其關心，然文弱的金朝，士人僅為戲劇的聽眾而未形成戲劇作者的地步。在元朝強烈統治下，造成士人創作雜劇的風氣。由於士人成為雜劇的作者，中國的口語文學才獲得文學的價值。蓋元代初期的社會盈溢著追求清新的氣氛，促成士人從事雜劇創作的動力，而雜劇的內容也躍動著清新的風格。故初期的作品大抵「明朗健康」而無「卑屈」灰暗的氣息。作品的基調雖是遊戲之作，而文字則極為真摯，因此，遊戲文字或狂言綺語的意識雖依然存在，然其創作則有極盡真摯架構的用心。[11]

後期雜劇的中心從北方的大都移到南方的杭州，南方的作者逐漸增加，作品的內涵較諸前期，則頗低俗。其原因固在於科舉的復興，有才之士取得仕進之路，雜劇的作者大抵為落第之二三流的文士。而主因則在於傳統思想的復興所形成的社會風氣的變遷。蓋南方文士以傳統詩文的創作為終身的職志而輕視雜劇的存在，以致從事雜劇製作的作者的素質低下，作品甚少如前期之靈動活潑的氣象，而呈現弛緩沈滯的低調。雜劇文章的特色在於「活潑」二字，元代初期的雜劇與明代戲曲相比，其特徵在於合理的敘述事件的推移而取得人生的真實，以「愚直」而表現出靈動活潑的精神，反映元代初期精神的社會風氣。後期南方的作品，受到傳統文化復興風

---

11 吉川幸次郎《元雜劇研究》第三章〈元雜劇の作者（上）前期の作者〉，收載《吉川幸次郎全集》第十四卷，東京：筑摩書房，1968 年 9 月，頁 139-144。

氣的影響，雜劇的素材由前期的市井生活轉向讀書人的生活，寫作方式則重視前人作品的模倣，以致直接熟視人生的能力減退，作品內涵弛緩而趨向沈滯的氣運。[12]

吉川幸次郎也在《尚書正義》譯注強調《五經正義》是集結取捨經義而以合理解釋為歸趨的結晶，不但可以窺知鄭玄以後中世經學的風尚，更顯示致力於經說細微差異與取捨矛盾的解說之中世經傳訓詁的學風。換而言之，《五經正義》是中世經學的代表，也是理解中世思惟方式與人文精神的重要史料。蓋《五經正義》是以合理解釋經義而精細探索經傳文字為前提，綜輯經傳文字的慣用例，考索言說者心理和言說的事實根據，其疏義可謂之為「人間學」（即文化人類學）的成立。如〈金縢〉「我之弗辟」的「辟」或作「法」，或作「避」而有征伐與避居的不同解釋，則周公的歷史定位就殊異。《五經正義》對某家注解有所駁斥，輒用「非其理也」一詞，探究言語所述存在事實的妥當性，論述是否符合人類生活法則。又以「非文勢也」或「非義勢也」批評某氏的訓詁未必體得言說者的心理情感，亦即「辟」訓為「法」或「避」的文字解釋的差異，則周公的性格與周初歷史的定位就有不同。故吉川幸次郎強調《五經正義》是中世經傳義疏的集成，也是探究中世精神思想史的重要文獻。[13]至於《尚書正義》之所以具有意義的是中國思想史的史料價值，吉川幸次郎強調漢代以後的思惟大抵以經典為規範，而

12　青木正兒等〈吉川幸次郎學位請求論文審查要旨〉，《吉川幸次郎全集》第十四卷，頁 605-610。

13　吉川幸次郎〈支那人の古典とその生活〉，《吉川幸次郎全集》第二卷，東京：筑摩書房，1968 年 2 月，頁 318-322。

甚少超離經義的範疇，然則歷代的經傳訓詁除了經典原義的探究以外，也添加對經典的時代的理解，故具有思想的史料價值。《尚書正義》之異於其他注疏的是眾議歸結而非個人的專著，以研討論辨的累積，力求符應經傳的原義，即使有未必能與經義一致的所在，卻是折衷融合而認同共識的注疏性格是中世世風的具現。多年議論的累積而取得的認同，又有超越中世的制約，具有普遍性的性格，異於宋代以後，以個人思索主體而歸趨於理想主義的思潮。如對堯舜的評價，《尚書・堯典》「帝曰往欽哉……九載績用弗成」，《尚書孔氏傳》「鯀至用之……載年至退之」的《尚書正義》注疏：

> 馬融云堯以大聖，知時運當然，人力所不能治……水為大災，天之常運……災以運來，時不可距。

《尚書・大禹謨》「負罪引慝」，《尚書孔氏傳》「慝惡至頑父」的《尚書正義》注疏：

> 言能以至誠感頑父者，言感使當時暫以順耳，不能使每事信順，變為善人……下愚之性，終不可改。但舜善養之，使不至于姦惡而已。

《尚書正義》綜輯諸說，以為堯舜並非全知全能的存在。堯不能治水，舜對頑父的感化只是一時性的，此皆時運之所致。唯堯舜知己所不能者，與時運不濟，命運使然的定限，故為聖人。此一思惟與視堯舜為絕對性存在的思想有別，而近似於如《三國演義》和《水滸傳》所描述的劉備和宋江的英雄形象，即英雄不能改變命運，只能安之若命而協調順遂的世俗思想。吉川幸次郎稱之為「決定的運命論」（天生命定論），是中世思想的具現。[14]再者，一般以為〈禹貢〉是中國最古記載地理的文獻，為中國古代史學者所重視，然對《尚書正義》的解釋不符〈禹貢〉載記的地理實情而甚有非議。但是吉川幸次郎主張〈禹貢正義〉的主旨不在於地理的考證訓詁，而是中世所展開的論理架構。意即〈禹貢正義〉是經學文獻而非地理文獻，立意於形成論理的完成，比〈禹貢〉經文更能汲取中國人的真實精神。就此意義而言，探究《尚書正義》於中國文明史上的意義是吉川幸次郎考校譯注《尚書正義》的宗尚所在。其於《尚書正義定本・序》說：「難義紛設，類羊腸之宛轉。賓實屢核，辯毫髮於機微。辭曲折而後通，義上下而彌錬，匪惟經詁之康莊，實名理之佳境。」即《尚書正義》的記述複雜曲折，乃細微分析注疏言語的內在涵義，探究《尚書正義》所演繹的論理世界。又在《吉川幸次郎全集第八卷・自跋》強調其所尊重的不是《尚書》文本，而是《尚書正義》，故致力於《尚書正義》的校定。不探索孔穎達的演繹究竟是否合於經書的原意，旨在辨彰七世紀中國人言語表達的方

---

14 吉川幸次郎說明《尚書正義》的價值和體現中世思想的論述，見〈《尚書正義》譯者の序〉，《吉川幸次郎全集》第八卷，東京：筑摩書房，1970年 3 月，頁 4-11。又吉川幸次郎於《吉川幸次郎全集第十卷・自跋》主張中世「決定的運命論」（絕對性命運論）的思想，於〈中國文學に現れた人生觀〉（《吉川幸次郎全集》第一卷，東京：筑摩書房，1968 年 11 月，頁 105-111）強調中國中世文學頗多記述人生的不安限定和人是微小存在的詩文，所呈現的是悲觀傾向的人生觀。蓋能理解吉川幸次郎對中國中世思潮的立場。

法和思考方式。[15]至於《尚書正義》所表述的論理，吉川幸次郎以為是愚者惡人存在，且絕對無法救濟之「決定的運命論」（天生命定論）思惟，而異乎中國傳統人性本善的人性論。亦即《尚書正義》雖是《尚書》經傳的義疏，卻也反映六朝至唐初人為命運所支配，有極多限定的思惟方式。換句話說，《尚書正義》所提示的天生命定論，即人間世界既有絕對善良，全知全能的聖人，也有無救濟可能之絕對愚者惡人的存在。

綜上所述，《尚書正義》雖是《尚書》經傳的義疏，卻也反映六朝至唐初人為命運所支配，有極多限定的思惟方式。換句話說，《尚書正義》所提示的天生命定論，即人間世界既有絕對善良，全知全能的聖人，也有無救濟可能之絕對愚者惡人的存在。故吉川幸次郎強調《尚書正義》是中國中世人文精神史的重要史料。[16]

雖然如此，吉川幸次郎於 1950 年代執筆〈中國文學研究史——明治から昭和のはじめまで、前野直彬氏と共に〉與 1960 年發表〈日本の中國文學研究〉[17]指出：明治前期是中國文學的受容

15　《吉川幸次郎全集》第八卷，東京：筑摩書房，1970 年 3 月，頁 505。有關吉川幸次郎《尚書正義》於中世人性論的主張，張寶三《唐代經學及日本近代京都學派中國學論集》〈日本近代京都學派對注疏之研究〉論述有之。（臺北：里仁書局，1998 年 4 月，頁 224-253。）

16　吉川幸次郎強調《尚書正義》反映中國中世人文精神的說明，見於《吉川幸次郎全集第十卷・自跋》，東京：筑摩書房，1970 年 10 月，頁 465-479。

17　〈中國文學研究史——明治から昭和のはじめまで、前野直彬氏と共に〉與〈日本の中國文學研究〉二文，收入《吉川幸次郎全集》第十七卷，東京：筑摩書房，1969 年 3 月，頁 389-420。唯根據《吉川幸次郎全集第十七・自跋》說：前者接受日本文部省委託，在當時在京都大學碩士班研究

時期，明治後期是評釋時期，大正至昭和初年則是翻譯時期。再就研究的取向而言，明治時代大抵以西洋的方法論進行分析性的研究，大正年間則重視新領域、新資料與目錄學的研究。所謂「新領域」是指戲曲小說文學，新資料是敦煌文物而目錄學則是日本宮內省、內閣及藩府、寺院、私人文庫之書物的研究。昭和初期則重視語學與現代文學的研究。綜觀明治以來的中國文學的研究，大抵有偏重戲曲小說、現代文學與資料萬能、語學萬能主義的缺失。若欲彌補此一缺失而取得均衡的發展，則宜重視文學內容本質的研究與修辭藝術的鑑賞。換句話說吉川幸次郎以為文藝作品的內容與修辭藝術的研究乃是戰後日本於中國文學研究的新取向。因此以中國文人典型的杜甫與中國詩歌結晶的杜詩為例，而展開詩文內容的解說、修辭藝術的鑑賞與理論性的分析，架構中國文學研究與文藝作品賞析的方法。[18]

吉川幸次郎在 1968 年《吉川幸次郎全集》第十四卷的〈自跋〉，回憶 1924 年與其師狩野直喜對弟子性向才情的洞察。狩野直喜對吉川幸次郎說：「與『元曲』相比，汝或傾向於詩文」。吉川幸次郎感嘆說：「達人的直觀」明敏察知學生研究的方向。如吾

的前野直彬協力下而執筆。前野直彬 1947 年自東京大學中國文學系畢業後，進入京都大學中國文學碩士班研究，1952 年修了。故此文當執筆於 1950 年代初期。至於〈日本の中國文學研究〉則於 1960 年 1 月在〈經濟人〉發表。

18　吉川幸次郎以杜甫詩的分析研究為中心的中國文學鑑賞論是中國文學研究的新途徑。〈杜甫の詩論と詩〉，1967 年 2 月 1 日京都大學最終講義，先後刊載於《展望》，朝日新聞社「清虛の事」，其後收入《杜詩論集》，1980 年 12 月，東京：筑摩叢書，《吉川幸次郎全集》第 12，東京：筑摩書房，1968 年 6 月，頁 627-628。

師的洞察，我的研究從戲曲轉向。進而強調：我現在未必以為文學史的研究是精神史研究的前提，而主張重視「文學的尊嚴」，[19]亦即以中國文學本質的探究與賞析為極致。換而言之，如何解析文學作品的語意，以體得文人創作的心境，考察中國文學的源流變遷，是吉川幸次郎中國文學研究的究極所在。

三、中國文學論

興膳宏說：賞析辭彙所具有的功能是「吉川中國學」的主軸，吉川先生終身抱持著辭彙不僅是為了傳達事實，而是在如何表達事實，表現事實是文學的使命，而洞見文學的表現形式則是文學研究之任務的觀念。[20]有關吉川幸次郎的中國文學論，可以從中國文學史觀與中國文學批評論來說明，前者有先秦是前文學史的時代，古代到唐代是詩歌的時代而宋代以後是散文的時代的中國文學時代區分論和以人生觀的推移探究中國文學變遷的文學史觀，後者則有向內集中（intensive）與外部擴張（extensive）的融合，緻密與飛躍的分析。

(一)中國文學史觀

1.中國文學的時代區分

有關中國文學發展歷史的分期，吉川幸次郎大抵根據其師內藤

---

19 《吉川幸次郎全集第十四卷・自跋》，東京：筑摩書房，1968 年 9 月，頁 601-610。

20 興膳宏〈吉川幸次郎先生の人と學問〉，《異域の眼——中國文化散策》，東京：筑摩書房，1995 年 7 月，頁 192-203。

湖南的主張而稍有差異，其以為中國文學的發展可分為四個時期。[21]吉川幸次郎以為中國文學第一期的「場」是在黃河流域，其文學體裁，除《詩經》是表現感情的韻文以外，大抵是以組織國家方法之政治性或論述個人、學派思想內容之論理性為中心。換句話說當時士人的政治、論理的意識較為強烈，因此語言的表現也以生存法則與人生的現實為多，而人的感情、玄思或唯美追求的價值則是次元的存在。至於《楚辭》之以韻文的文體與比興的手法抒發豐富的感情，而為後世美文的典型，或由於《楚辭》是產生於長江流域的緣故。

第二期的文學是以感情抒發為主，而表現的方式則是有韻律的辭賦詩歌。吉川幸次郎以為由於文學不再是政治的附庸而有語言美感與個人感情的表現，故有獨立的價值而成為構築文明的基本要素。至於東晉以後，文明的中心轉移到長江流域，歌詠山水田園與自然風景的詩文也成為中國文學的主要題材之一，與三國西晉的宮廷貴族的浪漫文學輝映成色。到了八世紀前半的盛唐，由於詩人的感性與思想的飛躍，又把握自然的象徵以為自由詩語的表現，形成中國詩歌的黃金時代。

---

21 見〈中國文學の四時期〉（此文原收於 1966 年 5 月新潮社出版的《世界文學小辭典》，其後又收入《中國文學入門》，東京：講談社學術文庫，1976 年 6 月，頁 101-108）。吉川幸次郎有關中國文學史的分期，又見於〈中國文學史敘說〉（《吉川幸次郎遺稿集》第二卷，東京：筑摩書房，1996 年 2 月，頁 3-23），除第一期止於漢武帝外，其餘大抵相同。據筧文生《吉川幸次郎遺稿集第二卷・解說》指出：〈中國文學史敘說〉是吉川幸次郎的手稿，唯不明其執筆的時間，或為自東方研究所轉任京都帝國大學教授（1947 年）時，所準備的講稿。

第三期是散文的時代，即使是韻律的詩歌也有散文化的傾向。漢唐以來雖然有《史記》、《漢書》歷史散文的傳統，但是吉川幸次郎以為第二期的千年間依然是以四六駢儷之文為主，尚未有以散文為典型的意識。在第三期的文學中，最值得注意的是雜劇、小說等虛構文學的產生。起源於庶民娛樂的講唱，經過潤飾而形成口語講唱之口白並存的雜劇與散文詩歌兼蓄的小說。第四期的文學則是受到西洋文明的影響，產生以虛構文學為主流與語體文為通行文體的變革。

吉川幸次郎以文學是作者在表現生活與感情的觀點，考察中國文學的發展，主張上古是文學前史的時代，因為此時的文學作品是以傳達思想意識為主的，作者未必有發揮文字語言之藝術功能的意識。中世以後，文人有文學為語言藝術與具有抒發情感之價值的自覺，唯中世是詩的時代，散文有詩化的現象，近世以後則是散文的時代，詩有散文化的傾向。[22]

2.中國文學史觀：以人生觀的推移論述中國文學的變遷

吉川幸次郎以為樂觀主義不但是儒家的人生觀，而樂觀與悲觀的交替推移也是中國文學發展流衍的一個重要現象。[23]換句話說，從人生觀的角度來探究中國古典文學的內容，則中國文學是一部表現情意的文學史。《詩經》所表現的人生觀基本是樂觀主義的，如

---

22 以文化史的觀點區分中國歷史，進而論述中國各個時代的文化特色，是參採吉川幸次郎〈中國文學史敘說〉（《吉川幸次郎遺稿集》第二卷，東京：筑摩書房，1996 年 2 月，頁 3-23）的說法。

23 〈中國文學における希望と絕望〉，〈中國文學に現れた人生觀〉，《中國文學入門》，東京：講談社學術文庫，1976 年 6 月，頁 122-151，《吉川幸次郎全集》第一卷，東京：筑摩書房，1968 年 11 月，頁 88-111。

〈周風・桃夭〉即是祝福女性結婚而充滿希望的詩歌。〈邶風・柏舟〉固然是憂愁悲憤的作品，但是接續其後之〈邶風・綠衣〉「我思古人，實獲我心」的敘述，困窮只是一時性的，個人或是社會，其本來的存在是圓滿幸福的。換句話說《詩經》的時代，一般人並沒有失去人生理想與希望，而且正因為尚存在著人生本來理想的寄望，對現實的遭遇才有悲憤，《詩經》的憂憤之作大抵是在這種心理狀況下創作的。《詩經》之後的《楚辭》也存在著這種創作心理，屈原固然有滿腹的鬱憤而投江自盡，但是其人生哲學則是重建幸福圓滿的人間社會。換句話說人生本來幸福的信念是屈原內在根底的人生觀，而古代昇平社會的回復，則是其終身的執著。[24]

《詩經》與《楚辭》所反映的樂觀主義之人生觀並不是永久持續的，秦漢到初唐的文學則有感嘆人的存在是何其微小，表現出天道無常之絕望的灰暗色彩，如項羽〈垓下歌〉的「時不利」即有時不與我和天命無常的感嘆。至於感受人天生就有著生死的限定與福禍因果未必相報的無奈，即使窮盡最大的努力也無法突破人生困境的悲觀，則是此一時期的文學作品的顯著象徵。如「韮上露，何易晞，露晞明朝更復落，人死一去何時歸」的輓歌，則表現出一般人恐懼死亡的心理。〈古詩十九首〉的「浩浩陰陽移，年命如朝露，人生忽如寄，壽無金石固」，則說明人既是微小不安定的存在，且有極多的限定，而最大的限定就是死亡。至於「白露沾野草，時節忽復易，……不念攜手好，棄我如遺跡」，「思君令人老，歲月忽已晚」，則以時節轉換之快象徵著人生的短暫，時間的流逝只是徒

---

24 〈詩經と楚辭〉，《吉川幸次郎全集》第三卷，東京：筑摩書房，1969年9月，頁16-27。

增遺憾而已。此感嘆時間的推移而產生「幸福轉變成不幸或不幸的持續或人生終歸死亡」之悲哀，可以說是漢代文學的普遍情感。[25] 到了魏晉南北朝，文人的作品頗多感嘆人之無法超越死生哀樂與擺脫運命支配的悲觀與絕望。如曹操〈短歌行〉「對酒當歌，人生幾何，譬如朝露，去日苦多」，是感嘆人生的短暫。阮籍「獨坐空堂上，誰可與歡者，出門臨永路，不見行車馬，登高望九州，悠悠分曠野，孤鳥西北飛，離獸東南下，日暮思親友，晤言用自寫」的〈詠懷詩〉，以自然的悠久廣闊而襯托人的藐小，又用「孤鳥」與「離獸」來表現自身的孤獨。江淹的〈效阮籍〉「宵月輝西極，女圭映東海，佳麗多異色，芬葩有奇采，綺縞非無情，光陰命誰待，不與風雨變，長共山川在，人道則不然，消散隨風改」，更通過與自然的對比而描寫其對人生的感傷，以自然是超越時間而永遠美善的存在，而表達人生短暫的悲哀。故魏晉六朝文學所刻畫的人生不是圓滿幸福，而是充滿憂愁抑鬱的灰暗色彩。

回復古代樂觀主義，歌詠人生在世原本是充滿希望的是盛唐文學，特別是李白與杜甫詩歌的特色。唐代詩人未必沒有人生苦短的感嘆，如杜甫的「人生七十古來稀」，也未必沒有青年榮華的眷戀，如杜甫的「可惜歡娛地，都非少壯時」（〈可惜〉），而以「致君堯舜上，再使風俗淳」（〈上韋左相二十韻〉）為職志，即使是流離失所，依然寄望有朝一日能實現「廣廈千萬間，大庇天下寒士盡歡顏」（〈茅屋為秋風所破歌〉）的理想。即超越絕望與悲觀，以為理想社會可能實現的樂觀，人間社會依然有快意的情境。李白的詩歌也

---

25 〈推移の悲哀——古詩十九首の主題〉，《吉川幸次郎全集》第六卷，東京：筑摩書房，1968 年 4 月，頁 266-330。

有異於魏晉悲哀的情境，如〈將進酒〉的「天生我才必有用，千金散盡還復來」，則表現出積極樂觀的性格，由於酒能消解萬古以來的憂愁，又唯有飲者能留名青史，故以「五花馬、千金裘」換「美酒」也毫不吝惜。換句話說肯定歡樂之積極的意義，是李白詩的情境。吉川幸次郎以為李白是以超越絕望的轉折，回復古代的樂觀。而杜甫以為人性良善的本質，社會本來和樂的樂觀主義乃是杜詩活力的泉源。杜甫於自然的歌詠，是從自然中探求秩序與調和要素與生生不息的創造能源。換句話說自然創生的營為，乃是杜甫展望未來而充滿幸福與無限希望的精神底據。[26]

盛唐文學之回復古代樂觀主義以後，文學風格就與兩漢六朝有極大的差異，在文學的情意世界中，甚少傾吐悲哀與苦寒的色彩。特別是到了宋代，就產生如何脫離悲哀而建立新的樂觀主義的文學意識。吉川幸次郎以為與宋代新儒學的成立互為表裏，宋的詩歌，尤其是蘇東坡的詩，即展現出理性的樂觀主義。蘇東坡洞察人生的道理，以為是非得失與人事浮沈，如時間的流轉，四時的推移，乃天道之常，所以說「吾生如寄耳」（〈閱世亭詩贈任仲微〉）。又以為人之有生離死別如自然的循環，花好月圓之不能長存，則是人世間的常情，因而說「離合既循環，憂喜迭相攻」（〈送蔡冠卿知饒州〉），即以超越死生與得失的困境，進而肯定「人生無離別，誰知恩愛重」（〈同上〉）之天道常理的積極意義。即人生未必只是失意困窮的一再重現，看穿人事的浮沈而泰然自處，則是洞察事理的結果。換句話說超越命定的限制而肯定人之所以為人的存在價值，

---

26 〈新唐詩選前編　杜甫〉，《吉川幸次郎全集》第十一卷，東京：筑摩書房，1968年8月，頁46-49。

翻轉悲哀的人生觀為喜樂的人生觀，進而展現無限的可能，乃是蘇東坡所證成的人生境界。因此「十日春寒不出門，不知江柳已搖村，稍聞決決流冰谷，盡放青青沒燒痕，數畝荒園留我住，半瓶濁酒待君溫，去年今日關山路，細雨梅花正斷魂」（〈正月廿日往岐亭郡人潘古郭三人送余於女王城東禪莊院〉），肯定四時佳興與人同的超越與日常愉悅之俯拾可得的澹然，則是蘇詩的生命情境。[27]蘇東坡樹立的理性樂觀主義為後世的詩人所承繼，進而構築了中國文學之具有形上超越的情意世界。[28]

(二)中國文學批評論

1.向內集中（intensive）與外部擴張（extensive）的融合

吉川幸次郎的《陶淵明傳》於 1958 年 5 月，在東京新潮社出版，全書共十四章，其特色，如其弟子一海知義所說：發想特異，傳記從死說起，作品的記述由絕筆的〈自祭文〉引述開始。至於論述方式，既採取向內集中（intensive）的方式，將自己投入對象中，經由作品的解讀分析，讓陶淵明敘述自己出生的土地、人生經歷及所創作詩文的心境。又通過外部擴張（extensive）的方式，詳細且如實的再現陶淵明生存的時代背景與政治舞台更迭交替的諸相。是近代日本最初採用的記傳方式。《陶淵明傳》全篇引述陶淵明三分之一的詩文敘述陶淵明的傳記，強調「淵明的土地，讓淵明自身來

---

27 〈宋詩概說・宋詩の人生觀　悲哀の止揚〉，《吉川幸次郎全集》第十三卷，東京：筑摩書房，1969 年 2 月，頁 27-32。

28 陸游〈東津〉「四方本是丈夫事，安用一生無別離」，《劍南詩稿》卷三，即是一例。

說」，一海知義說：「陶淵明其人以及文學，讓陶淵明自身來說，此由內面貼切作品，為此書的目的」[29]，即以「舌人意識」[30]，分析陶淵明詩文的內在涵義，進而體得陶淵明創作詩文的心境為極致。以陶淵明的詩語描寫陶淵明的處境與心境，或主客合一而直透詩意，或藉物抒情而物我融合。後者以飛鳥的意象寄寓其心境，飛鳥「晨去於林，遠之八表」（〈歸鳥〉）或是陶淵明前半生仕宦而欲用於有道的寫照，然「栖栖失群鳥，日暮猶獨飛，徘徊無定止，夜夜聲轉悲，厲響思清遠，去來何依依」（〈飲酒〉第四首），失群孤鳥之無巢可歸的沈痛悲鳴，或陶淵明離鄉求仕而徘徊岐路的自況。以飛鳥寫其心境，詩語未必激烈，而心中的苦惱與矛盾則隱約浮現於字裏行間。陶淵明借物抒情的飛鳥意象，既有「山氣日夕佳，飛鳥相與還」之幸福真實的寄興，也有「日暮猶獨飛，徘徊無定止」

---

29 吉川幸次郎之說，見於吉川幸次郎《陶淵明傳》，新潮文庫，東京：新潮社，1958 年 5 月，頁 53。一海知義之說，見〈吉川幸次郎《陶淵明傳》解說〉，吉川幸次郎《陶淵明傳》，新潮文庫，東京：新潮社，1958 年 5 月，頁 194。

30 「舌人意識」之「舌人」語出龔自珍〈工部尚書高郵王文簡公墓表銘〉，說明王引之的學問宗尚在於「為三代之舌人」。武內義雄於古希（七十）祝壽宴會，講演「高郵王氏の學問」，說明戴段二王之細密實證的乾嘉學風，正確詮釋古代語言的「舌人意識」是其學問宗尚的所在。吉川幸次郎致力於陶淵明詩文意涵的詮釋，或可謂其亦有「舌人意識」。至於「心得」，則是吉川幸次郎說明其師狩野直喜學問宗尚的所在。吉川幸次郎說：沈潛於中國的古典文學的蘊涵，主張「儒雅」與「文雅」的融貫是中國文明異於其他文明的特質所在，此為狩野直喜的「心得」之學。亦即探究中國文學的本質，以沈潛洗練的工夫，體得「儒雅」的內涵，進而成就精通文章經術的通儒之學為究極的「心得興到」之學。吉川幸次郎體得陶淵明創作詩文的心境，或可說是「心得」之學的表現。

之孤獨悲鳴的沈痛，詩語雖簡潔而心境則複雜糾結，故〈飲酒〉第七首「泛此忘憂物，遠我遺世情，一觴雖獨進，杯盡壺自傾，日入群動息，歸鳥趣林鳴，嘯傲東軒下，聊復得此生」，欲以「忘憂」之酒解消世間之無情，隱居田園而託林鳥之嘯傲東窗，復得人生的素樸真實，則曠達與頓挫的詩韻共響，寬闊與沈痛的心境並存而可感。蘇東坡評此詩曰：「靖節以無事自適為得此生，則凡役於物者，非失此生耶」（《東坡題跋》卷二〈題淵明詩〉），此詩固有曠達適得的超越，而未嘗無日落寂寥，獨酌聽鳥啼的孤獨感傷，飲忘憂之酒而遠離世間的隱痛，溢於言表。遠飛八表而欲以抒發猛志是陶淵明前半生的寫照，然當時政局的推移，赴任彭澤縣令，苦於物役，乃以倦鳥自喻而決意歸隱田園，終老天年。

至於前者則全篇隨處可見主客合一，尤以第十章〈歸去來辭〉的分析，通篇以「おれ」（「俺」）或「おのれ」（「己」），即吉川幸次郎（筆者・客）＝陶淵明（作者・主）之主客合一的筆調，通過詩賦的語言，致力於體得陶淵明辭官返鄉與歸園田居的心境。陶淵明前半生的政治局勢是以桓玄為中心，政局的推移亦波及陶淵明的進退。至於同在劉牢之幕下的劉裕的顯赫騰達，或為陶淵明出仕歸田矛盾複雜心境的肇因之一。

晉安帝隆安五年（401）八月，孫恩圍建康，桓玄欲出兵解圍，朝廷不許。陶淵明於桓玄宣告出兵前一月，作詩〈辛丑歲七月赴假還江陵夜行塗口〉，「懷役不遑寐，中宵尚孤征」，其旅行的意圖雖不明確，卻暗示時局情勢頗為緊急。[31]翌年，情勢加速急迫，正

---

[31] 古直謂陶淵明受命朝廷出使勸阻勸出兵，然李長之從葉夢得之說，謂陶淵明此時已在桓玄幕中，龔斌從朱自清之說，謂陶淵明此時為桓玄僚佐，

月，朝廷命劉牢之征討桓玄，唯劉牢之優柔寡斷，又多疑猜忌，雖受命於朝廷，反降服於桓玄，桓玄乃揮軍直入建康，自任宰相，殺攝政王父子。其後，劉牢之叛變桓玄，失敗而於亡命北方的途中自殺。元興二年（403）十一月，桓玄纂位，國號楚，時陶淵明三十九歲。前年，劉牢之自殺，陶淵明歸返潯陽柴桑故里，凝視時局的動亂，於元興二年，作〈癸卯歲始春懷古田舍〉詩二首：

> 先師有遺訓，憂道不憂貧，瞻望邈難逮，轉欲志長勤，秉耒歡時務，解顏勸農人。……長吟掩柴門，聊為隴畝民。

「憂道不憂貧」是孔顏樂處，「瞻望邈難逮，轉欲志長勤」，天下有道則仕，無道則隱，是夫子之教，而勤勞不懈，乃人生的本分，若無所可用則「長吟掩柴門，聊為隴畝民」，耕讀於田園，而恬然適得，是進退之節。又同年十二月，作〈癸酉歲十二月中作與從弟敬遠〉：

> 寢迹衡門下，邈與世相絕，顧盼莫誰知，荊扉晝常閉，淒淒歲暮風，翳翳經日雪，傾耳無希聲，在目皓已潔。……高操非所攀，謬得固窮節，平津苟不由，栖遲為拙，寄意一言外，茲契誰能別。

（《陶淵明集校箋》，臺北：里仁書局，2007年8月，頁196。）袁行霈亦謂陶淵明此時在桓玄幕中無疑。（《陶淵明集箋注》，北京：中華書局，2003年4月，頁195）

歲暮田居，風雪蕭瑟，詩韻沈鬱。蓋桓玄纂位，幽禁東晉天子於潯陽，陶淵明感同身受，既傷痛九五之尊竟淪落於故里鄉野而「邈與世相絕」，當下的自身也僅能「固窮」自守，棲栖於簡陋僻野而潔淨的世界。然而桓玄短祚，陶淵明於元興三年（404）四月，再度出仕。

元興三年二月，劉裕率兵攻京口，三月攻建康，五月斬桓玄。四年二月迎天子至於建康，挾天子以令諸侯而肅正綱紀。劉裕的「義舉」，陶淵明或暗自稱許。此年前後，劉牢之之子劉敬宣奉派潯陽，陶淵明任其參謀。義熙元年（405）暮春，陶淵明奉命出使建康，途經安徽錢谿，作〈乙巳三月為建威參軍使都經錢谿〉：

> 我不踐斯境，歲月好已積，晨夕看山川，事事悉如昔，微雨洗高林，清飆矯雲翮，眷彼品物存，義風都未隔，伊余何為者，勉勵從茲役，一形似有制，素襟不可易，園田日夢想，安得久離析，終懷在歸舟，諒哉宜霜柏。

「晨夕看山川，事事悉如昔」，桓玄墜落，天子還都，晉王朝山川再現，景物依舊的欣喜之情隱微可察。「微雨洗高林，清飆矯雲翮，眷彼品物存，義風都未隔」則直寫暮春清涼，萬物向榮的景緻，萬般存在皆順應宇宙自然的理則，春雨洗滌的修竹，遨翔優遊的飛鳥，皆適得其所，而體現自然的美善，是理想的歸趨。萬物既各得其所，陶淵明乃率直的表述「勉勵從茲役」。然而世事複雜多變，又難免有一抹不安的憂慮，一旦有形為物役，束縛於世間制約的感受，終將歸隱田園。歸田的決意即在就任彭澤縣令之時。赴任縣令的理由，或因昔任參謀，今就任一縣之長，革命之後，諸事待興，又以戰後生活貧苦，得俸祿以供給家用。然則就任彭澤，卻成為陶淵明確認其與世俗風尚矛盾難合的契機。在任三月，便掛冠求去，〈歸去來辭〉是陶淵明致仕歸田的宣言。以後二十二年而至老死的歲月，完全隱居於柴桑栗里。

吉川幸次郎強調素樸表現體得自然秩序的平靜是陶淵明文學的特色，而〈歸去來辭〉完美表述詩文高密度的平靜，是陶詩的代表作之一。唯回顧陶淵明的前半生，〈歸去來辭〉又有特殊的含意。何以陶淵明歷任軍閥的參謀幕僚，赴任窮鄉的縣令，陶淵明自稱是家貧和有道則仕的儒家傳統思想之所致。〈歸去來辭序〉說：「耕植不足以自給」，〈飲酒〉第十九首亦云：「疇昔苦長飢，投耒去學仕」，晚年〈與子儼等疏〉述懷曰：「少而窮苦，每以家弊，東西遊走」，蓋以家貧，「會四方有事」而遊走東西。至於〈雜詩〉第五首「憶我少壯時，無樂自欣豫，猛志逸四海，騫翮思遠翥」，以心有大志，為求世用，故為劉牢之的幕佐。然環顧時勢，「自余為人，逢運之貧」（〈自祭文〉），當時「政爭、奸智、陰謀、暗殺充斥，就有潔癖之人而言，乃是貧乏的時代」[32]，雖有用於世間的希望，終究鮮能得償宿願，即便就任彭澤縣令，亦在職三月而辭官，〈歸去來辭〉是遠離貧乏不潔之政治舞台的「絕緣書」，末二句「聊乘化以歸盡，樂乎天命復奚疑」更是超越死生窮達而因任自然，回歸素樸真實的世界，安貧樂道而逍遙自得的宣言。

然則陶淵明歸隱田園的晚年心境未必始終清朗透澈，吉川幸次郎說「清澈結晶的精神更透顯其對人間世界的深層憂慮」，此為陶

---

32 陶淵明之有「潔癖」，當時「貧乏」的解釋，見吉川幸次郎《陶淵明傳》，新潮文庫，東京：新潮社，1958 年 5 月，頁 10。

淵明詩語平靜而詩情沈痛迴盪的所在。〈雜詩十二首〉的第三首：

> 榮華難久居，盛衰不可量，昔為三春蕖，今作秋蓮房，嚴霜結野草，枯悴未遽央，日月有環周，我去不再陽，眷眷往昔時，憶此斷人腸。

自然循環不已而人生的逆旅僅一回而已，「我去不再陽」，憶昔斷腸的無常感傷的詩語，與歸園田居後平靜澄澈的日常心境，形成矛盾的對映，其感嘆人世無常的沈痛益發顯著。〈歸去來辭〉之「聊乘化以歸盡，樂乎天命復奚疑」是達觀的哲學，時間流逝固然無情，生老病死的有限是人生的宿命，皆天地自然與人間社會的普遍性存在，但是「揮杯勸孤影」而「顧影獨盡」則是隱者孤獨落寞而暗然神傷的身影也依稀可見。陶詩表面張力的牽引而形成平靜的詩語，然「逢運之貧」，以固窮守拙的「潔癖」性格而人生的進退浮沈，故詩文的深處奧裏始終蘊含著迴流暗潮，而有孤寂沈痛的詩意。尤其是歸田之後「情隨萬化遺」（〈於王撫軍座送客〉）的晚年心境，吉川幸次郎說：陶淵明已非官場之人，即使昔日仕宦只是政治舞台的「配角」，如今則是舞台下的觀眾，閑居田園的隱者看似「冷徹」的觀眾，而有時依然凝視同僚登台演出，則不免無情冷酷。故顏延之〈陶徵士誄〉所述「在眾不失其寡，處言愈見其默」誠要約陶淵明「平靜而複雜，矛盾而真實」的性格，至於陶淵明畫像之「眉上揚而目澄徹」的寫照，亦得其孤高潔癖的神韻。[33]

33　吉川幸次郎《陶淵明傳》，新潮文庫，東京：新潮社，1958 年 5 月，頁 186-188。

吉川幸次郎以向內集中（intensive）的方法，融入陶淵明的詩文世界，緻密詮釋陶淵明詩語的內在含意，貼切體得陶淵明創作詩文的心境。至於「時勢人物與陶淵明傳記有不可解交錯」的論述，是吉川幸次郎以外部擴張（extensive）的方法，論述陶淵明生存的時代背景，政治舞台的錯綜複雜，既如實的再現，而時局的變化與陶淵明傳記的交錯，乃形成陶淵明詩語雖平靜而沈痛，內心複雜矛盾而真實表述的文學特質。一海知義說：如何統合向內集中（intensive）與外部擴張（extensive），是古典文學深度研究的重要問題，吉川幸次郎《陶淵明傳》的記述，內外融合而詳密分析詩文的涵義，既體得作詩的心境，又細察時代動向與詩人進退的處境，是中國古典文學深層研究的範例。[34]

2.緻密與飛躍

吉川幸次郎以為「感動的表白」與「世界的描寫」是文學的使命。《毛詩・序》所謂「詩者志之所之也」，乃說明文字抒發情感表達內心感受的文學功能，至於敘事的文學則以人間世界之緻密描寫為究極。如果「感動的表白」是詩，「世界的描寫」是賦，則陸機〈文賦〉所謂的「詩緣情而綺靡，賦體物而瀏亮」，乃是中國文學的理念，中國傳統文學上下三千年的歷史即在此理念下展開的。[35]吉川幸次郎又說「賦體物而瀏亮」是凝視人間社會與自然萬象的視線，而以「緻密」為極致，「詩緣情而綺靡」是人間真實感受的

---

34 一海知義之說，見〈吉川幸次郎《陶淵明傳》解說〉，吉川幸次郎《陶淵明傳》，新潮文庫，東京：新潮社，1958 年 5 月，頁 194-195。

35 〈中國の文學とその社會〉，《吉川幸次郎全集》第一卷，東京：筑摩書房，1968 年 11 月，頁 292。

昇華而以「飛躍」為圓熟。「緻密」是體察客觀存在事物的方向，「飛躍」則是抒發主觀內在意象的方向，「緻密」所刻畫的是輪廓清晰的具象世界，「飛躍」所指涉的是起興超越的抽象世界，「緻密」猶「賦」的「體物而瀏亮」而「飛躍」則是「詩」的「緣情而綺靡」。因此，「緻密」與「飛躍」可以說是詩歌成立的必要條件，[36]而將「緻密」而「飛躍」之文學理念極致表現的是杜甫。〈胡馬〉之「鋒稜瘦骨成，竹批雙耳峻，風入四蹄輕」，〈畫鷹〉之「竦身思狡兔，側目似愁胡，絛鏇光堪摘，軒楹勢可呼」的細微描寫是橫向凝視的「緻密」，〈曲江〉「遊子空嗟垂二毛，白石素沙亦相蕩」，〈旅夜書懷〉「星隨平野闊、月湧大江流……飄飄何所似、天地一沙鷗」之孤獨意象是縱向昇華的「飛躍」。至於〈月夜〉「今夜鄜州月，閨中只獨看，遙憐小兒女，未解憶長安……何時倚虛幌，雙照淚痕乾」，〈月夜憶舍弟〉「戍鼓斷人行，邊秋一雁聲，露從今夜白，月是故鄉明，有弟皆分散，無家問死生」之凝視人間社會與自然萬象的視線是「緻密」的極致，〈倦夜〉「竹涼侵臥內，野月滿庭隅，重露成涓滴，稀星乍有無，暗飛螢自照，水宿鳥相呼，萬事干戈裏，空悲清夜徂」之時間推移的無限空間與人間真實的感受則是「飛躍」的圓熟。緻密伴隨著超越才能更緻密，飛躍中有緻密才能更超越。緻密的凝視對事物的感受，才能深入事理而形成超越的意象，對事理抱持著飛躍超越的意念，才能緻密細微地抒發內在的感受。「緣情」飛躍要有緻密的「體物」才能完備，「體物」緻密要有超越的「緣情」才能圓足。杜甫不但以賦入

---

36 〈杜甫の詩論と詩〉，《吉川幸次郎全集》第十二卷，東京：筑摩書房，1968年6月，頁593-628。

詩，由於「緻密」與「飛躍」的並存互補相互完成，「體物」就具有主動與被動，主觀與客觀融合的新的意義。再就作詩的方法而言，對句是分別殊相而後統一融合的詩歌創造技巧，即對同一事物先從兩個不同的方向來歌詠，而後進行統一融合，到達飛躍中有緻密的圓熟。如〈敬贈鄭諫議十韻〉的「諫官非不達，詩義早知名，破的由來事，先鋒孰敢爭，思飄雲物外，律中鬼神驚，毫髮無遺恨，波瀾獨老成。」所謂「詩義」是作詩的方法、原則、理論，故知杜甫在壯年的時期即有詩論的意識。若以「緻密」與「飛躍」來分析，則「破的由來事」是準確表達詩義之「緻密」的方向，「先鋒孰敢爭，思飄雲物外」則是抽象性意象之飛躍超越的方向。「律中鬼神驚」是詩律的細密而到達超自然的存在，即由於「緻密」而生「飛躍」之並存的手法。「毫髮無遺恨」是確實緻密而周衍的方向，「波瀾獨老成」固然是飛躍的方向，而意境的飛躍是詩律緻密的結果，由於詩作是緻密才能到達圓熟的飛躍。再就作詩的方法而言，對句是分別殊相而後統一融合的詩歌創造技巧，即對同一事物先從兩個不同的方向來歌詠，而後進行統一融合。「破的由來事，先鋒孰敢爭」的「破的」與「先鋒」是鄭虔作詩的兩個方法，而二者的融合則完成由緻密而生超越的「律中鬼神驚」，進而到達飛躍中有緻密的圓熟境界。

結語：
吉川幸次郎是日本近代中國文學的泰斗

吉川幸次郎的中國文學研究方法論有二，其一是以中國文學史研究為精神史研究的前提，其二是以向內集中和外部擴張的融合，緻密和飛躍的並存而探究中國文學的內在本質。前者是其師狩野直喜（1868-1947）中國文學與哲學合一說的繼承發展，後者則是成就日本近代中國文學研究泰斗的所在。狩野直喜說：「中國文明的形態是文學與哲學密接相關而發展的」[37]，哲學的論述蘊含著文學的感性，文學的創作亦以儒雅為內涵，而以文雅的表現為正統。狩野直喜強調「儒雅」是中國文學的本質，「儒」是古典文學所內涵的理性和知性，「雅」是洗練（法文的 raffine）而蘊藏著優雅郁鬱的芬芳。經過理性與知性鍛鍊的緻密詩文才是中國古典文學的上乘。沈潛於中國的古典文學的蘊涵，主張「儒雅」與「文雅」的融貫是中國文明異於其他文明的特質所在，此為狩野直喜的「心得」。吉川幸次郎說狩野直喜於中國文學的研究，採取中國哲學史與中國文學史不可分的立場。於京都大學講授中國哲學史與中國文學史的課程，建立文哲不分的文學批判基準，匡正歷來漢學家的偏狹。江戶漢學崇尚宋文明詩，喜好《唐宋八家文》或因應世俗學問水準的《文章規範》，狩野先生則重視《文選》，尊尚唐代以前古雅的古文和清代細緻的詩風。[38]

吉川幸次郎以杜甫及其詩作注釋賞析為中心而探究中國古典文學的本質。吉川幸次郎於〈中國文學研究史——明治から昭和のはじめまで、前野直彬氏と共に〉與〈日本の中國文學研究〉[39]指

---

37 《支那文學史》〈總論〉第一節〈支那文學の範〉，東京：みすず書房，1970 年 6 月，頁 3-4。

38 吉川幸次郎《支那學文藪・解說》，東京：みすず書房，1973 年 4 月，頁 500-504。

39 收入《吉川幸次郎全集》第十七卷，東京：筑摩書房，1969 年 3 月，頁 389-420。

出：明治前期是中國文學的受容時期，明治後期是評釋時期，大正至昭和初年則是翻譯時期。再就研究的取向而言，明治時代大抵以西洋的方法論進行分析性的研究，大正年間則重視新領域、新資料與目錄學的研究。所謂「新領域」是指戲曲小說文學，新資料是敦煌文物而目錄學則是日本宮內省、內閣及藩府、寺院、私人文庫之書物的研究。昭和初期則重視語學與現代文學的研究。綜觀明治以來的中國文學的研究，大抵有偏重戲曲小說、現代文學與資料萬能、語學萬能主義的缺失。若欲彌補此一缺失而取得均衡的發展，則宜重視文學內容本質的研究與修辭藝術的鑑賞。換句話說吉川幸次郎以為文藝作品的內容與修辭藝術的研究乃是戰後日本於中國文學研究的新取向。因此以中國文人典型的杜甫與中國詩歌結晶的杜詩為例，而展開文學內容的解說、修辭藝術的鑑賞與理論性的分析，架構中國文學研究與文藝作品賞析的方法[40]。其弟子興膳宏說：賞析辭彙所具有的功能是「吉川中國學」的主軸。吉川先生終身抱持著辭彙不僅是為了傳達事實，而是在如何表達事實，表現事實是文學的使命，而洞見文學的表現形式則是文學研究之任務的觀念。至於吉川先生之所以對中國產生深刻的共感是在於中國所擁有的優雅的一面而不在於莊嚴的一面，其所以深深地愛好中國的詩文是在於中國詩文所具備的纖細之美，擁有纖細之美的詩人的典型是

---

40 吉川幸次郎以為杜甫詩論性的研究，即理論架構性的文學批評研究是中國文學研究的新途徑。〈杜甫の詩論と詩〉，1967 年 2 月 1 日京都大學最終講義，收入《吉川幸次郎全集》第十二，東京：筑摩書房，1968 年 6 月，頁 627-628。

杜甫。這是吉川先生深入研究杜甫的原因所在。[41]

吉川幸次郎在所作〈私の杜甫研究〉[42]一文中指出其杜甫的研究方法是凝視杜詩而審思其詩意，並通過比較的方式，將杜詩放置於中國文學史中，以凸顯其特殊性。由於杜詩語意的凝視與杜詩於中國文學史之地位的考察，吉川幸次郎以為抒情與寫實是中國文學的特質，圓滿具足之抒情文學的完成者，全幅表現寫實主義的是杜甫。文學表現的重點由外形的感動轉換為題材的感動是唐代文學的特徵。至於詩體韻律的完成而得以自由奔放或細密凝結的表現，詩歌內容的積極性與個性的全面凸顯則是唐詩的精神。在唐代詩人當中，完成近體詩的格律，豐富詩歌的題材，深化詩歌的內容，纖細描寫景物心象，而庶幾達到空前絕後之境界的是杜甫。換句話說吉川幸次郎以為杜詩最大的特徵在於藝術性與現實性的融合[43]。杜甫一生的遭遇與其生存的背景促成杜詩不斷成長，由離心發散而向心凝集之詩作的方向轉移，由體物工微而至人生體悟之圓熟的意境完成，正足以說明杜詩特徵的所在。亦即吉川幸次郎以為杜詩不但是中國詩人最誠摯真實的藝術結晶，由於其體現人類的誠摯真實，故歷久而彌新，而且又融合詩歌的藝術性與現實性，故為後世詩人在創作古典詩歌上的典範。杜詩融合了藝術性與現實性則是吉川幸次郎最佩服的所在[44]。因此，不但執著地說是「為讀杜甫而誕生於人

---

41 興膳宏〈吉川幸次郎先生の人と學問〉，《異域の眼——中國文化散策》，東京：筑摩書房，1995 年 7 月，頁 192-203。

42 《吉川幸次郎講演集》，東京：筑摩書房，1996 年 4 月，頁 405-421。

43 〈我所最喜歡的中國詩人〉，《吉川幸次郎全集》第一卷，東京：筑摩書房，1968 年 11 月，頁 147。

44 同前注，頁 147。

間世」，也自負地說：「注釋杜甫要有錢牧齋的學識與見識，今日可以解析杜詩的除我之外無他」[45]。吉川幸次郎自昭和 22 年（1947）起，開始於京都帝國大學文學院講授杜詩[46]，主持杜甫讀書會，有關杜甫的著作收集於《吉川幸次郎全集第十二卷・杜甫篇》，自京都大學退休後，則從事杜詩的注釋，自稱要全部注釋完成得活到一百多歲，臨終前五日屬其弟子小南一郎校正《杜甫詩注》第四冊[47]。其於杜甫研究的執著由此可以窺知一二，可謂之為杜甫千載之後的異國知己。

---

[45] 黑川洋一〈杜甫と吉川先生と私〉，《吉川幸次郎全集第十二卷・月報》，東京：筑摩書房，1968 年 6 月，頁 6。

[46] 筧久美子〈吉川幸次郎遺稿集第二卷解說・付錄・吉川幸次郎先生京都大學文學部講義題目一覽〉，《吉川幸次郎遺稿集》第二卷，東京：筑摩書房，1996 年 2 月，頁 576-582。

[47] 小南一郎〈吉川幸次郎先生鎮魂〉，《吉川幸次郎》，東京：筑摩書房，1982 年 3 月，頁 203。《杜甫詩注》共出版五冊，第五冊是以遺稿刊行問世。

學問終極

「讀書之學」：「言－事－心」的解釋學

關鍵詞 讀書之學 文學倫理 讀書要在讀作者 文獻語言學 「言－事－心」

一、論述「讀書之學」的動機

吉川幸次郎的〈讀書の學〉自 1971 年夏至 1975 年春，於筑摩書房發行的雜誌《ちくま》連載，將近四年的時間，刊載 39 回，以及補注一～五。[1]其論述的動機，是反省當時史學盛行，學界偏向重視事實而輕忽語言意涵推敲的缺失，進而主張復興中日古典解

---

1 〈讀書の學〉收載於《吉川幸次郎全集》第二十五卷，東京：筑摩書房，1986 年 6 月，頁 15-260。

釋學的學問方法，確立究明語言內涵的存在價值。吉川幸次郎強調：

> 事實包含生起蓄積於個人內在的情感、思考和論理的內在事實與外在發生的社會現象和事件。前者或可稱為「文學事實」與「學問事實」，後者則是「歷史事實」和「社會事實」。後者是史學鑽研的對象，以事實的究明為究極，而語言只是傳達事實的手段或方法。然而語言既是傳達內在的文學、思想與外在歷史、社會事實的存在，則以語言傳達事實，包含語言表述的「話者」和「話者」通過語言表建其所見聞之「事實」的兩個要素。故語言不僅是傳達事實的媒介，讀書也不止於載記內容的知曉而已，必須深入探究「話者」如何言說及其著述立說的心理。探究語言載記的事實，思考「話者」與作者論述創作的心境，讀書知人論事的「讀書之學」乃能成立。至於「讀書之學」的方法，則是清朝的經學，即古典文獻解釋學的方法。清朝的古典解釋學是以古代語言的法則研究為根柢，而以精密訓詁為基礎，精密檢尋文字的意義，檢證語言表述的事實與作者創作心理為學問的究極。[2]

---

[2] 〈讀書の學〉第一章，同注 1，頁 16-17。吉川幸次郎於語言不僅是事實的媒介及讀書方法的論述，亦見於〈讀書力について〉一文，《吉川幸次郎全集》第二十卷，東京：筑摩書房，1970 年 11 月，頁 218-220。吉川幸次郎與高橋知巳對話的〈人間とは何か——文學研究への私の道〉亦有強調語言是精神的表現。（《高橋知巳全集》第十八卷，東京：河出書房，1978 年 9 月，頁 554-570）。

文獻的語言不僅是傳達事實的媒介，所有的語言皆有述作者的存在，審慎考察文字的訓詁，探究追尋述作者於傳達事實之際的心理，是「讀書之學」的方法，此乃清朝經學的祖述，也是其師狩野直喜，即近代日本最初倡導清朝古典解釋學之學問的紹述。吉川幸次郎為洞察中國古籍著述者的心理表述，於中國古典的閱讀，不取徑於日本傳統的漢文訓讀方法，而以中國人直讀的方法，重視語言抑揚節奏（rhythm），強調文氣與文意的脈絡輒藉由語言的節奏來表述。故以語言的節奏理解文意的脈絡，究明著述立說者創作詩文的心境是其祖述中日傳統古典解釋學方法的「讀書之學」。[3]

二、「讀書之學」的主張

吉川幸次郎的〈讀書の學〉於《ちくま》連載 39 回，小川環

---

3 吉川幸次郎於〈狩野先生と中國文學〉說：細密的讀書方法是狩野直喜的教示。（《吉川幸次郎全集》第十七卷，東京：筑摩書房，1969 年 3 月，頁 247-261。）吉川幸次郎與高橋知巳對話的〈人間とは何か——文學研究への私の道〉則記述探究語言如何表現內在精神的文學研究方法，是狩野直喜的啟蒙。（《高橋知巳全集》第十八卷，東京：河出書房，1978 年 9 月，頁 554-570）。又於〈留學まで〉強調：讀書若不細嚼玩味進而理解語言的涵義，就不是讀書。（《吉川幸次郎全集》第二十二卷，東京：筑摩書房，1975 年 9 月，頁 331-369）。至於紹述清朝經學、狩野直喜學問以及語言節奏即文意節奏的論述，見於《吉川幸次郎全集第一卷・自跋》，東京：筑摩書房，1968 年 11 月，頁 703-715。〈言語のリズム〉一文亦有語言節奏與文意節奏關係的論述。（《吉川幸次郎講演集》，東京：筑摩書房，1996 年 4 月，頁 189-200）。

樹於〈解說〉[4]，稱之為 39 章。〈はしがき〉和〈第一章〉為序章，〈第二章〉以下為本文。本文首先論述語言與事實的關係，強調「書不盡言，言不盡意」是口語表述轉趨於文言書寫之「文學倫理」的變遷。〈第十章〉至〈第二十四章〉列舉《史記・高祖本紀》於高祖出身和相貌身體特徵的記述，強調語言的音聲節奏既是傳達事實的重要依據，也反映作者言說的心理與著述的用心，此為吉川幸次郎「讀書之學」的重要論說。〈第二十五章〉以下，敘述其所祖述的中日學者，〈第二十八章〉至〈第三十九章〉博搜中日學者於《論語・子罕》〈子在川上〉章的解釋，析理評述兩漢以迄宋明清朝學者於「逝者如斯夫，不舍晝夜」的論說，提出漢儒與宋儒於經典詮釋的差異，固然是儒學史的問題，而江水東流與人生象徵的異說，則是中國精神史的演繹。故〈讀書の學〉是吉川幸次郎以經學方法應用於文學研究的表述。

吉川幸次郎於〈讀書の學〉主張以文言書寫為尚是中國古典文學的「文學倫理」，究明語言不僅是傳達事實的媒介，語言的節奏更是事實傳達的依據，是「讀書之學」的核心，語言的節奏反映作者著述立說的立場和心理，「讀書旨在解讀作者」是「讀書之學」的要諦。讀書必細究字義訓詁，玩味語言的節奏，體察作者如何傳達事實的究竟和著述立說的用心，是吉川幸次郎致力於再興中日傳統學問方法的所在。

4　小川環樹的〈解說〉收載於《吉川幸次郎全集第二十五卷・解說》，東京：筑摩書房，1986 年 6 月，頁 507-518。

㈠「書不盡言」義涵文言書寫是尚的「文學倫理」意識

有關中國古代語言與事實的論理，吉川幸次郎說一般以為中國古代有「語言不信」，即輕視語言的思想，如《莊子．逍遙遊》所說的「名者實之賓也」，語言文字[5]是事實的從屬。《莊子．外物》的「言者所以在意，得意而忘言」，意謂語言是說明事實論理的方法、手段和過程，理解事實的真理，即宜忘卻傳達事實的語言。所謂「聖人無名」《莊子．逍遙遊》即以忘卻名分，無掉語言文字的名目為究極。至於《易．繫辭上》的「子曰書不盡言，言不盡意，然則聖人之意，其不可見乎」，則是儒家「語言不信」論述的言說。然而考察孔穎達《周易正義》的義疏，則「書不盡言，言不盡意」隱含中國文人學者以文言書寫是尚的「文學倫理」意識。孔穎達《周易正義》曰：

> 書所以記言，言有煩碎，或楚夏不同，有言無字，雖欲書錄，不可盡竭於其言，故云書不盡言。言不盡意者，意有深邃委曲，非言可寫，是言不盡意也。聖人之意，意又深遠，

5　吉川幸次郎根據鄭玄於《儀禮．聘禮》「百名以上書於策，不及百名書於方」的注：「名，書文也，今謂之字」與《周禮．外史》的「三皇五帝之書，掌達書名于四方」的注：「謂若堯典禹貢達此名，使知之。或曰古曰名，今曰字，使四方知書之文字，得能讀之」，說中國古籍所謂的「名」是記載語言的「文字」。（《儀禮．聘禮》的經注，引述《十三經注疏》四，卷二十四，臺北：藝文印書館，1997 年 8 月，頁 283。《周禮．外史》的經注，引述《十三經注疏》三，卷二十六，臺北：藝文印書館，1997 年 8 月，頁 408。）

> 若言之不能盡聖人之意，書之又不能盡聖人之言，是聖人之意，其不可見也，故云聖人之意，其不可見乎，疑而問之，故稱乎也。[6]

「書」是書籍載記的文言記述，「言」是語言的口語表達，「意」是文言口語的內在涵義與事實的事象。所謂「書不盡言，言不盡意」是說「書」「言」「意」的三個層次，存在著前者不能充分表達後者的阻隔，於聖人言說語意的理解亦然。孔穎達的義疏，首先說明「書不盡言」，即口語之「言」不能直述而成為書籍載記文言之「書」的理由有二。其一是「言有煩碎」，即口語煩瑣冗長，不能直述而符合文言的文氣「節奏」（rhythm），其二是「楚夏不同，有言無字」，即方言不但有差異，而且未有符應的表記漢字，用以記錄方言的口語，故「雖欲書錄，不可盡竭於其言」。換而言之，孔穎達或有口語與文言存在著乖離的思惟，蓋口語的節奏較為「煩碎」，以之直接文書記述，不免有煩瑣冗長之嫌，未必符合文言記載的「節奏」。再者，「有言無字」，雖欲筆錄所有的口語，卻存在著無表記口語之文字的事實，文言無法完全表達口語，故有「書不盡言」的存在。

吉川幸次郎演繹孔穎達「書不盡言」的義疏，指陳中國古典文學存在著文言與口語乖離之不可避免的宿命，與以「書不盡言」為文學「倫理」的歷史。至於「書不盡言」的歷史之所以成立，乃起因於中國漢語文法與漢字表記的特殊特質。在元代白話文運動的

6　《十三經注疏》一，卷七，臺北：藝文印書館，1997 年 8 月，頁 157-158。

「文學革命」以前，以「雅言」行文是中國的「文學倫理」，所謂儒雅的文章大抵皆以與口語乖離的文言來書寫。至於口語直述的小說和講談雜劇的腳本，則視之為背離傳統而不能登大雅之堂的俗文學。吉川幸次郎強調：若以民國五四白話「新文學革命」以後的文學作品為例，嘗試改寫為傳統文言的文章，或能說明「書不盡言」之「文學倫理」的歷史變遷。如魯迅《野草》開端：

> 在我的後園，可以看見牆外有兩株樹，一株是棗樹，還有一株也是棗樹。

魯迅以言文一致的文學主張，口語直述所見之景而書寫成文。就傳統文學以簡潔是尚的「文學倫理」而言，則魯迅口語直述的文章不免有「煩碎」之嫌。若以文言之「書」改寫魯迅《野草》開端二句的文字，或可改寫為「我後園，牆外見兩樹」。蓋文言書寫以簡省冗贅，力求精鍊緊湊為要，亦即在文言簡潔是尚的「文學倫理」下，口語緩慢節奏的行文則有煩瑣冗長之虞。故魯迅《野草》開端的「在我的後園，可以看見牆外有兩株樹」二句，或可改寫為「我後園，牆外見兩樹」。若以六朝至初唐之四六駢文的形式，改寫《野草》開端六句，或可為「由我後園，屏牆之外，望見兩樹，其一為棗，又一亦棗」。若以韓愈提倡的古文改寫，或可為「我後園牆外，見兩樹，一棗也，一亦棗也」。換而言之，「書」之文言比「言」之口語省卻「煩碎」而極盡簡潔，是「書不盡言」之「文學倫理」的主旨所在。綜觀中國古典的載記，先秦《左傳》等經傳記述，兩漢《史記》《漢書》的史傳，中世《文選》辭賦，唐宋韓柳歐蘇古文家的散文，皆為「書」之文言而非「言」之口語直述。雅言是尚的觀念為文人學者所賡續相傳，而形成以文言書寫而排斥口語直述的傳統。故「書不盡言」之文言記述傳統的維繫，而形成「文學倫理」的意識，意識深化傳統，傳統強固意識，「書」之文言與「言」之口語遂乖離而扞隔。

吉川幸次郎又指出：中國正史的列傳，於人物的對話記述，或基於傳神寫實而偶有以口語表述的現象。然而後世史家記載同一事實之際，則以「煩碎」的口語表述，視為「文學倫理」的禁忌，而以文言之「書」改寫記述的事例。如《舊唐書・安祿山傳》：

> 駱谷奏事，先問十郎何言，有好言則喜躍，若但言大夫須好檢校，則反手據牀，曰阿與，我死也。李龜年嘗學其說，玄宗以為笑樂。[7]

「阿與，我死也」是口語直述，「阿與」是感嘆詞，如現今口語「噯喲」「哎呀」之義。口語表述於元雜劇腳本的賓白，或有寫實傳神的作用，如《鄭孔目風雪酷寒亭》第四折：

> 〔孔目云〕兄弟，你救我咱，則這解子高成便是姦夫。〔高成云〕我死也。〔正末云〕小嘍嘍，將這姦夫與我綁了，替我哥哥報讐。[8]

---

7 《舊唐書》卷二百上，列傳第百五十上，臺北：鼎文書局，1979 年 2 月，頁 5368。

8 吉川幸次郎《元曲酷寒亭》，《吉川幸次郎全集》第十五卷，東京：筑摩書房，1969 年 11 月，頁 159。

「我死也」三字直寫高成覺悟萬事皆休的心境。至於《西廂記》第一折：

> （旦云）紅娘，寂寂僧房人不到，滿階苔襯落花紅。（末云）我死也。……（末云）和尚，恰怎麼觀音現來。（聰云）休胡說，這是河中開府崔相國的小。（末云）世間有這等女子，豈非天姿國色乎。[9]

張君瑞初見崔鶯鶯而曰「我死也」，表述乍見窈窕淑女，驚為天人的感嘆。二折雜劇的「我死也」皆為口語賓白，加上「阿與」的感嘆詞，則是《舊唐書》記載安祿山感嘆的口語，非「書不盡言」而以「言盡書」的口語表述，髣髴當時情景，蓋能寫實傳述。然《新唐書》改寫之為：

> 駱谷每奏事還，先問十郎如何，有好言輒喜，若謂大夫須好檢校，則反手據牀，曰我且死。優人李龜年為帝學之，帝以為樂。[10]

「我且死」是文言的書寫而非口語記述。《新唐書》以文言改易《舊唐書》的口語記述，是北宋雅言是尚之「文學倫理」意識高揚的象徵。口語表述的文章，縱使是細微而不掩璧瑜之瑕疵，亦視為

9　吳曉鈴校註《西廂記》，北京：中華書局，1954 年 12 月，頁 7。

10　《新唐書》卷二百二十五上，列傳第百五十上，臺北：鼎文書局，1979 年 2 月，頁 6413。

背離「書不盡言」的「文學倫理」，而有所不容，皆改寫為「書」之文言形式。如元李冶論述《舊唐書》與《新唐書》於則天武后和狄仁傑對話文字的異同。《舊唐書・狄仁傑傳》的記載是：

> 初，則天嘗問仁傑曰朕要一好漢任使，有乎。仁傑曰陛下作何任使。則天曰朕欲待以將相。對曰臣料陛下若求文章資歷，則今之宰相李嶠、蘇味道亦足為文吏矣，豈非文士齷齪，思得奇才，用之以成天下之務者乎。則天悅曰此朕心也。[11]

「要一好漢任使」是口語直述，直截簡明的傳達年邁女帝欲破格任用的心境。則天武后和狄仁傑的對話，《新唐書》改置於〈張柬之傳〉，並且改寫為：

> 長安中，武后謂狄仁傑曰安得一奇士用之。仁傑曰陛下求文章資歷，今宰相李嶠、蘇味道足矣，豈文士齷齪，不足與成天下務哉。后曰然。[12]

李冶評論曰：

11　《舊唐書》卷八十九，列傳第三十九，臺北：鼎文書局，1979 年 2 月，頁 2894。

12　《新唐書》卷百二十，列傳第四十五，臺北：鼎文書局，1979 年 2 月，頁 4323。

> 《舊唐書》武后問狄仁傑曰，朕要一好漢任使，有乎。仁傑乃薦張柬之。《新史》則云朕要一奇士。《通鑑》則云朕要一佳士。佳士則風流蘊藉者也，奇士則懷材抱藝者也。皆不盡好漢意，然好漢字大為涉俗，非史書語，但曰奇男子，可也。[13]

即「要好漢任使」的口語直寫武后老年的內在心理，是對話精彩生動的所在。而《新唐書》改寫為「得一奇士用之」，是史書用語的文言書寫，不如《舊唐書》「好漢」一詞的靈動，唯「好漢」一詞流俗，《新唐書》乃以儒雅行文的意識，以文言之「書」，改寫武后和狄仁傑口語直述的對話。二書的文氣終有所差異。

吉川幸次郎強調二書行文固然有異，而二書最大的殊異，則在於同一事實的記載，而行文字數有極大的差距。武后和狄仁傑的下問質疑，《舊唐書》使用九十一字，《新唐書》則精簡為五十三字。雖然如此，《新唐書》所記載的事實則多於《舊唐書》。記事增多於前編，是歐陽修，宋祁等編修《新唐書》的用心，簡潔用字行文的意識，是北宋文人學者忠實奉行「書不盡言」之「文學倫理」的所在。蓋《新唐書》與《舊唐書》於記事文字的差異，意味著文學意識變革的事實，歐陽修是北宋古文運動的中心人物，《新唐書》的編修是文體變革的重要實踐。實則北宋仁宗的治世，不僅是「文學倫理」變革的時代，也是文明轉換的時代。內藤湖南從政治、經濟、社會、文化的觀點論述唐代是中國中世文明的結晶，而

---

13 《敬齋古今黈》卷九，清繆荃孫校本，收載於《藕香零拾》，北京：中華書局，1999年2月，頁790。

宋代則是中國近世的開端。[14]從文學和哲學的角度考察唐宋，則唐宋的文化與文明皆不連續相屬，唐代的文學是以詩為主流，宋代則是散文的時代，唐代經學以經傳義疏為主，宋代經學則有義理論述的傾向，宋代佛教和道教盛行，宋儒以儒學復興為使命，確立儒家思想為民族正統倫理的意識，形成宋代文明的核心。北宋古文家以為六朝至唐代之以佛教和道教的盛行是文明的墮落，四六駢體儷辭而無思想內容是文學的墮落。[15]

吉川幸次郎又指出：四六駢體儷辭的極盛雖在後漢至六朝，而統一天下之大唐帝國的語言文化卻繼承駢儷的文體，天子的詔勅與大臣的上表大抵為四六駢文。韓愈和柳宗元雖力闢駢儷而主張文以明道，為歐陽修所尊崇祖述，然於中唐之際，韓柳二人曲高而和寡。「文起八代之衰，道濟天下之溺」實則為北宋文人學者的自覺意識。就北宋古文家的「文學倫理」而言，唐代編修的《國史》依然存在著駢儷修飾的文氣，未完全超離有華無實的墮落窠臼，遑論記存光輝王朝的盛事。至於五代編纂的《舊唐書》，既以唐代《國史》為底本，又因襲唐代記述的文脈，加以擾攘紛爭而世衰道微，文氣弛緩而記述煩碎冗長。故以簡潔之文言改寫唐代的歷史，彰顯大唐帝國輝煌燦爛的文明，是《新唐書》著述的動機。至於其編修的旨趣，歐陽修主筆而曾公亮上表完成《新唐書》的〈進唐書表〉說：

---

14 參見內藤湖南〈概括的唐宋時代觀〉和〈近世支那の文化生活〉，《內藤湖南全集》第八卷，東京：筑摩書房，1969年8月，頁111-139。

15 吉川幸次郎〈宋詩概說　第二章　十一世紀前半　北宋中期　第一節　歐陽修〉，《吉川幸次郎全集》第十三卷，東京：筑摩書房，1969年2月，頁61-62。

> 臣公亮言：竊惟唐有天下，幾三百年，其君臣行事之始終，所以治亂興衰之蹟，與其典章制度之英，宜其粲然著在典冊。[16]

大唐盛事燦爛，本應如實的記載於史策，然事實並非如此。蓋唐代《國史》的載記：

> 紀次無法，詳略失中，文采不明，事實零落。

唐代《國史》記述既無法則，繁簡詳略亦不適度，以致文體曖昧不明，史實記載亦多所遺漏。至於以唐代《國史》為基本史料而編纂的《舊唐書》，亦文氣微弱，乏善可陳，不足以記存大唐粲然文采的史實。

> 商周以來，為國長久，惟漢與唐，而不幸接乎五代。衰世之士，氣力卑弱，言淺意陋，不足以起其文。

三代以降，唯漢唐國祚長久，然唐朝之後的五代，鼎革頻繁而短祚，處於紛擾世衰的文士亦積弱不振，所編修的《舊唐書》自不能樹立符應大唐盛世的語言文化。其結果：

> 使明君賢臣，儁功偉烈，與夫昏虐賊亂，禍根罪首，皆不得暴

---

16 〈進唐書表〉附載於《新唐書》卷第二百二十五下之後，臺北：鼎文書局，1979 年 2 月，頁 6471-6472。

其善惡，以動人耳目，誠不可以垂勸戒，示久遠，甚可嘆也。

唐代《國史》之「文采不明，事實零落」，五代《舊唐書》之「言淺意陋，不足以起其文」，皆不能「垂勸戒，示久遠」。幸得仁宗皇帝英明，勅令重修唐史，歐陽修、宋祁等學士侍郎，「並膺儒學之選，悉發祕府之藏，俾之討論，共加刪定」，「然後得以發揮幽沫，補緝闕亡，黜正偽繆，克備一家之史」，前後「凡十有七年，成二百二十五卷。其事則增於前，其文則省於舊。至於名篇著目，有革有因，立傳紀實，或增或損，義類凡例，皆有據依」。

「其事則增於前，其文則省於舊」是歐陽修編修《新唐書》的「文學倫理」。文字簡省是其自負，武后與狄仁傑之君臣問答的載記，《新唐書》文字簡省，僅《舊唐書》記述文字的三分之二而已，是簡潔而「書」以盡「言」的實證。北宋文人學者以文言書寫的「文學倫理」，或可謂之為中國近世文藝復興的象徵。

中國古籍輒於卷末明記著述的總字數，如司馬遷於〈太史公自序〉記述《史記》全書「凡百三十篇，五十二萬六千五百字」，王弼《周易注》卷一記載「經三千二百五十五字，注五千九百四十四字」，宋版書亦有於卷末注記本文與注釋的字數，如日本南北朝時代堺浦道祐居士刊行的《正平版論語》，其〈卷一〉有「經一千四百七十字，注一千五百一十三字」，〈卷十〉有「經一千二百二十三字，注一千一百七十五字」的注記。《新唐書》和《舊唐書》雖未注記全書的總字數，《新唐書》二百二十五卷，比《舊唐書》多二十五卷，其所增加的是年表系圖的載記附錄，至於列傳的記載，二書皆為一百五十卷，列傳一卷平均字數在一萬字左右，則二書列傳的總字數約為一百五十萬字。《新唐書》文省事增，記載的史實多於《舊唐書》。趙翼《二十二史劄記》卷十七列舉〈新書增舊書處〉〈新書增舊書有關係處〉〈新書增舊書瑣言碎事〉〈新書立傳獨詳處〉〈新書刪舊書處〉，論述《新唐書》和《舊唐書》記事的差異。於〈新書增舊書有關係處〉，列舉：

> 房玄齡傳。（增）帝問創業守成孰難。玄齡謂創業難，（魏）徵謂守成難。帝曰玄齡從我定天下，徵與我安天下，故所見各異。然創業之事，往矣，守成之難，當與公等共之。此正見太宗之圖治也。

《新唐書》增多《舊唐書》所無記載的時事史實，而總結「以上七十一傳，新書所增事蹟章疏，皆有關於時事政術者」[17]。至於〈新書增舊書瑣言碎事〉列舉：

> 許敬宗傳。（增）敬宗辨濮陽之帝邱，及濟漯斷流。見其博雅。……
>
> 嚴武傳。（增）武八歲時，擊死父寵妾。及節度劍南，最厚杜甫，亦屢欲剎之。李白作蜀道難，為甫危之也。[18]

《新唐書》增加《舊唐書》所無的軼聞瑣事，有二十七條。《新唐書》的記事之所以增多於《舊唐書》，乃以文省簡潔是尚之所致。

---

[17] 趙翼《二十二史劄記》，臺北：洪氏出版社，1974 年 10 月，頁 222-229。

[18] 同前注，頁 229-230。

蓋於相同的字數篇卷之內，以精鍊的文言書寫記述，增多有關時事政治史實與軼聞瑣事。根據趙翼綜錄《新唐書》列傳記載的史實軼聞，有《舊唐書》未見者的事例，可以說明簡潔記實是歐陽修編修《新唐書》的「文學倫理」。亦即「書不盡言」是重視文言記述之傳統文學的「文學倫理」，而文字簡潔以精詳記述史實，即以「書」盡「言」是北宋文人學者的「文學倫理」。[19]

㈡「讀書之學」的主張：讀書要在解讀作者著述立說的立場和心理

吉川幸次郎強調〈讀書の學〉的論述意圖在於究明語言與事實的因果關係。歷史學旨在究明事實的真象，如中國文學史的論述，蓋以探究文人個人或學派創作文學的外在事實與創作心理之內在事實的究竟。然二十世紀的史學方法但以著述的語言作為傳達事實的手段或過程，而忽略作者或話者遣詞造字的用心所在。如《史記・高祖本紀》開卷「高祖，沛豐邑中陽里人，姓劉氏，字季。父曰太公，母曰劉媼。其先，劉媼嘗息大澤之陂，夢與神遇。是時雷電晦冥，太公往視，則見蛟龍於其上。已而有身，遂產高祖」[20]的記載，史學家以之為究明創業大漢帝國的君主劉邦出生於長江下游沛縣一帶，至於家世，就社會言語學史的觀點而言，所謂「父曰太公，母曰劉媼」，只是簡單的稱呼，並非顯赫地位的出身。亦即歷

---

19 吉川幸次郎以《舊唐書》與《新唐書》記載史實的差異為例，說明「書不盡言，言不盡意」義涵文言書寫是尚之「文學倫理」意識的論述，見載於〈讀書の學〉第一～九章，《吉川幸次郎全集》第二十五卷，東京：筑摩書房，1986 年 6 月，頁 24-67。

20 《史記》卷八，本紀第八，臺北：鼎文書局，1979 年 2 月，頁 341。

史學家以社會經濟史的角度，分析司馬遷的記載語言，抽繹出劉邦出身於長江下游農村中小地主的事實，進而強調中下階層的庶民躍身為大漢帝國的創業天子的事實，於中國歷史的發展具有重大的意義。雖然如此，司馬遷的記載語言所意味的是「人間」（human）的事實，凝視存在於人間的事實而形成著述意識與記述事實的態度，亦即事實與述作者同時並存具在，皆為學問研究的對象，若學問的究極是「人間」（human）的研究，史學是向外擴張（extensive）的外延研究，而文學則是向內集中（intensive）的內在研究。《史記・太史公自序》謂《史記》「凡百三十篇，五十二萬六千五百字……藏之名山，副在京師，俟後世聖人君子」[21]，苦心蒐集上古五帝至漢武帝發生的事實，記載古今中國人生活的究竟。至於取材記實的歷史意識與著述的用心，則有待後世知己的體察究明。《史記・高祖本紀》開卷的記述，除了劉邦出身的歷史事實之外，司馬遷遣詞造字的著述用心，則是有待後世讀者發掘探究的所在。

吉川幸次郎說：記述人物的傳記是古今傳記家的常識，而以「montage」[22]，即以時間的序列，以表現編集意志的方式記述歷史傳記，是司馬遷的創舉。至於人物傳記的記載，以出生地為開端的體例，則為二十四史的正史家所祖述。唯司馬遷於帝國創業英雄的記述，則有特殊的用心，其於漢高祖劉邦出生地的記述，有異於其他人物的所在。如詳細載記高祖出生的郡縣村名，是殊異的記

21 《史記》卷一百三十，太史公自序第七十，臺北：鼎文書局，1979 年 2 月，頁 3319-3320。

22 〈讀書の學〉第十章，《吉川幸次郎全集》第二十五卷，東京：筑摩書房，1986 年 6 月，頁 75。

述。在《史記》數百人的傳記中，除〈高祖本紀〉以外，尚有〈孔子世家〉的「孔子生魯昌平鄉陬邑」[23]與〈老子列傳〉的「老子者，楚苦縣厲鄉曲仁里人也」[24]，分別表示對王朝創立，儒家文明創始及道家智慧哲人的敬意。唯「者」字之用，或有與記述對象略為疏離的含意，如與劉邦敵對的項籍，「項籍者，下相人也」（〈項羽本紀〉[25]），輔佐創業的功臣，「蕭相國者，沛豐人也」（〈蕭相國世家〉[26]），「平太侯曹參者，沛人也」（〈曹相國世家〉[27]），「留侯張良者，其先韓人也」（〈留侯世家〉[28]），「淮陰侯韓信者，淮陰人也」（〈淮陰侯列傳〉[29]）等人的記載亦有「者」字，而高祖、孔子的記載則無，蓋對王朝的創始者不得疏遠，於聖人深表敬意，亦不疏遠。至於高祖「姓劉氏，字季」而不記「邦」字，蓋「邦」字是建國稱帝之名而司馬遷不記。而「父曰太公，母曰劉媼」，意謂高祖的父母皆無名的村夫俗婦，再者，「曰」字之有

---

23 《史記》卷四十七，世家第十七，臺北：鼎文書局，1979 年 2 月，頁 1905。

24 《史記》卷六十三，列傳第三，臺北：鼎文書局，1979 年 2 月，頁 2139。

25 《史記》卷七，本紀第七，臺北：鼎文書局，1979 年 2 月，頁 295。

26 《史記》卷五十三，世家第二十三，臺北：鼎文書局，1979 年 2 月，頁 2013。

27 《史記》卷五十四，世家第二十四，臺北：鼎文書局，1979 年 2 月，頁 2021。

28 《史記》卷五十五，世家第二十五，臺北：鼎文書局，1979 年 2 月，頁 2033。

29 《史記》卷九十二，列傳第三十二，臺北：鼎文書局，1979 年 2 月，頁 2609。

無，雖無損益於事實的傳達，或刻意措辭，寓含其記述的用心，無意避諱高祖微賤出身的事實。換而言之，咀嚼「高祖，沛豐邑中陽里人，姓劉氏，字季。父曰太公，母曰劉媼」的記述，司馬遷贊美創始帝國與輕蔑出身低微之交錯糾結的心理，或可解讀察知。蓋《漢書・高帝紀》的記述大抵與《史記・高祖本紀》無異，而省略「父曰太公，母曰劉媼」八字，或以《史記》載記有損帝室先祖的尊嚴而刪除不載。八字的有無，蓋可窺察述作者記述的用心所在，故「讀書之要，在讀作者」[30]。

吉川幸次郎又說：書籍的語言必然傳達事實，而以語言傳達事實的主體是作者和話者，細究述作者傳達事實而遣詞造字及其創作的心理態度，是讀書的要諦。《史記・高祖本紀》記載高祖非人之子，乃神之子的傳聞事實，而用「高祖為人，隆準而龍顏，美須髯，左股有七十二黑子」[31]二十字，傳達高祖形體異於常人的傳聞事實。「隆準而龍顏」是魁偉奇特容貌的強調，「美須髯」是世間可能存在的面相，「左股有七十二黑子」則以天地陰陽的成數，秩序整然的排列於左足的記述，傳達高祖形體特異的事實。「隆準而龍顏」的記述，或司馬遷根據高祖的肖像而描述，蓋〈留侯世家〉謂「上曰：夫運籌策帷帳之中，決勝千里外，吾不如子房。余以為其人計魁梧奇特，至見其圖，狀貌如婦人好女」[32]，記述張良圖像，感慨「留侯常有功力」而容貌如女子，創業天子的圖像或似

---

30 〈讀書の學〉第十二章，《吉川幸次郎全集》第二十五卷，東京：筑摩書房，1986 年 6 月，頁 82。

31 《史記》卷八，本紀第八，臺北：鼎文書局，1979 年 2 月，頁 342。

32 《史記》卷五十五，世家第二十五，臺北：鼎文書局，1979 年 2 月，頁 2042。

「隆準而龍顏」。唯「左股有七十二黑子」則是奇妙的傳聞，史家記實，司馬遷既未能確信之為事實，而記載於傳記的開端，以形容高祖的形體，或隱含有特殊的用心。《史記》十二本紀，三十世家，七十二列傳記載數百人的傳記，甚少言及人物容貌形軀的特徵，或司馬遷祖述《荀子・非相》的論理，以為人的容貌乃天生的賦予，與人格功業無關，且於當時盛行之古代聖王皆具異相或奇瑞感生的傳聞，蓋有批判排斥，故〈五帝本紀〉的記述，皆未記述五帝的形貌，〈五帝本紀〉的「太史公曰」：

> 學者多稱五帝，尚矣。然尚書獨載堯以來，而百家言黃帝，其文不雅馴，薦紳先生難言之。孔子所傳宰予問五帝德及帝繫姓，儒者或不傳。……余并論次，擇其言尤雅者，故著為本紀書首。[33]

以百家記載有關五帝「蛇身人首」「人身牛首」的傳聞皆荒誕不經，非儒雅之士所能採信而揚棄不錄，要在「擇其言尤雅者，故著為本紀書首」。換而言之，記載人物的傳記而甚少涉及形貌的記述，為《史記》記實的原則。至於〈秦本紀〉：

> 大梁人尉繚來，說秦王……秦王從其計，見尉繚亢禮，衣服食飲與繚同。繚曰秦王為人，蜂準長目，摯鳥膺，豺聲，少恩而虎狼心，居約易出人下，得志亦輕食人。[34]

---

33 《史記》卷一，本紀第一，臺北：鼎文書局，1979 年 2 月，頁 46。
34 《史記》卷六，本紀第六，臺北：鼎文書局，1979 年 2 月，頁 230。

記述尉繚「相人術」，以秦始皇的容貌，與居儉謙卑而得志輕人的性格相符，故「不可與久游」。而〈項羽本紀〉記述項羽的異相：

> 吾聞之周生曰舜目蓋重瞳子，又聞項羽亦重瞳子。羽豈其苗裔邪，何興之暴也。……羽非有尺寸乘勢，起之隴畝中，三年，遂將五諸侯滅秦，分裂天下，而封王侯，政由羽出，號為霸王，位雖不終，近古以來未嘗有也。[35]

項羽異相而成就「霸王」之業，古來罕見，故記述及之。秦始皇、楚霸王與漢高祖的異相記述，有違史家記載事實的史識，唯始皇「蜂準長目」的記述是〈本紀〉文中的軼聞插話，項羽「重瞳子」的記載是卷末論贊的餘論，與高祖「隆準而龍顏」記載於卷首開端，大有逕庭。司馬遷之所以於〈高祖本紀〉開端，記述高祖魁偉奇妙的容貌形體，或其有「兩面價值」（ambivalence）的心理[36]，即心中兼具並存尊敬與嫌惡漢朝王室的矛盾感情，故有背離合理記實的史識，於開卷具陳高祖魁偉奇妙的形貌。

漢王朝是中國史上空前的大帝國，高祖創業以來百年，至武帝在位，禮樂並茂，文物燦然，是司馬遷衷心尊崇敬仰的所在。〈太史公自序〉：

> 漢興以來，至明天子，獲符瑞，封禪，改正朔，易服色，受

---

35 《史記》卷七，本紀第七，臺北：鼎文書局，1979 年 2 月，頁 338-339。

36 〈讀書の學〉第二十三章，《吉川幸次郎全集》第二十五卷，東京：筑摩書房，1986 年 6 月，頁 152。

> 命於穆清，澤流罔極，海外殊俗，重譯款塞，請來獻見者，不可勝道。臣下百官力誦聖德，猶不能宣盡其意。……余嘗掌其官，廢明聖盛德不載，滅功臣世家賢大夫之業不述，墮先人所言，罪莫大焉。余所謂述故事，整齊其世傳。[37]

武帝承受天命，獲致寶鼎、靈獸、奇瑞，泰山封禪的威儀，曆法、禮制更革齊備，文事顯赫，政治鼎盛，長治久安而可期。因此，詳實記存人間社會的真象，彰顯幽微遺漏而名留青史，藏諸名山，是史家的職責。史官乃父子相續司掌其職，司馬遷於〈太史公自序〉記述其父的遺言：

> 余先周室之太史也，自上世嘗顯功名於虞夏，典天官事，後世中衰，絕於予乎。汝復為太史，則續吾祖矣。今天子接千歲之統，封泰山，而余不得從行，是命也夫，余死，汝必為太史，為太史，無忘吾所欲論著矣。且夫孝始於事親，中於事君，終於立身。揚名於後世，以顯父母，此孝之大者。……今漢興，海內一統，明主賢君忠臣死義之士，余為太史而弗論載，廢天下之史文，余甚懼焉，汝其念哉。[38]

其父司馬談網羅記錄賢明君主與忠臣義士的事蹟，克盡史官的職

---

37 《史記》卷一百三十，太史公自序第七十，臺北：鼎文書局，1979 年 2 月，頁 3299。

38 《史記》卷一百三十，太史公自序第七十，臺北：鼎文書局，1979 年 2 月，頁 3295。

責，然未知遇於武帝，遺恨以終。司馬遷繼承父業，欲創制表、書、本紀、世家、列傳，以通觀古今文化史實的沿革變遷，記存天子、諸侯與人物的列傳，躍然古今人物於紙上，成就史書編集的體例與記述古今人間社會真實的史識。唯：

> 七年而太史公遭李陵之禍，幽於縲紲。乃喟然而歎曰：是余之罪也夫，是余之罪也夫，身毀不用矣。[39]

辯護李陵敗戰之責，觸怒龍顏而處宮刑。「刑不上大夫」的春秋大義蕩然無存，君主恣意判決而身毀受辱，是司馬遷嫌惡漢朝王室的所在。雖然如此：

> 退而深惟曰：夫詩書隱約者，欲遂其志之思也。昔西伯拘羑里，演周易，孔子厄陳蔡，作春秋，屈原放逐，著離騷，左丘明失明，厥有國語，孫子臏腳，而論兵法，不韋遷蜀，世傳呂覽，韓非囚秦，說難、孤憤，詩三百篇，大抵聖賢發憤之所為作也。此人皆意有所鬱結，不得通其道也，故述往事，思來者。[40]

發憤著述的典範記存於夙昔，乃詳細記載人物的事蹟，或取義於《春秋》筆法，而有微言以寓褒貶，俟後世讀者體察究明其幽微的用心，則是司馬遷著述的旨趣。就此意義而言，司馬遷以「隆準而

---

39 〈太史公自序〉，同前注，頁 3300。
40 同前注。

龍顏，美須髯，左股有七十二黑子」記述高祖奇妙容貌形體，或有以「兩面價值」的心理，寄寓其褒貶創業君主之隱微史筆的用心。

高祖出生於沛縣豐邑中陽鄉里的庶民，「美須髯」而取得親信，建立王朝，居九五之尊，受人景仰，是歷史的事實。然則創業君主究竟非常人所生，乃神龍之子的穿鑿附會，比擬於古代聖王之「隆準而龍顏」的容貌，衍生「左股有七十二黑子」奇妙形體之荒誕不稽的傳聞。司馬遷以之終結「高祖為人」的記述，蓋有貶斥高祖形貌魁偉奇特的傳聞，是怪誕附會而不符事實常情的隱微寓義。[41]

吉川幸次郎於《吉川幸次郎全集・第一卷》的跋[42]，自稱是日本最初唱導清朝古典解釋學之狩野直喜的入室弟子。強調清朝古典解釋學是以古代語言學的法則為根底，而以探究古典述作者之遣詞造句的心理為究極，是中國傳統學術最為精密細緻的學問。史學以事實的究明為極致，而以文獻語言為傳達事實媒介的主張，雖有見地，實則文獻的語言皆有「話者」或「作者」的存在，述作者以語言傳達事實，而蒐集成書籍文獻。傳達事實的探究，旨在說明文獻記載的真實，而探尋作者傳達事實之際的心理態度，則能釐析述作者傳達事實的用心所在。蓋「話者」或「作者」以語言文字述作的行為，有個人獨特性和共通普遍性的兩層意義。述作者是個人的存在，個人以其沈潛涵養所得的語言文字，或有意識的表述其當下的

41　吉川幸次郎以《史記・高祖本紀》為例，究明司馬遷記述古今人物的用心，強調讀書要在解讀作者著述立說的立場和心理的論述，見載於〈讀書の學〉第十～二十四章，《吉川幸次郎全集》第二十五卷，東京：筑摩書房，1986 年 6 月，頁 70-159。

42　《吉川幸次郎全集》第一卷，東京：筑摩書房，1968 年 8 月，頁 703-715。

感受，或無意識的反映其當下的心理，其遣詞造句要皆微妙的表現或反映述作者獨特的精神立場或深層心理。然而語言文字的形體音義是約定俗成，有其共通普遍性的界定，是民族精神的象徵，亦為歷史的事實。故傳達事實的述作者心理感受雖是個別的獨特存在，由於語言的共義性，其所表述則有普遍性的寓義存在。吉川幸次郎強調「言－事－心」之讀書方法，萌芽於《五經正義》的精讀，以語言的法則，探究述作者著述立說的心理和用心所在，是清朝考證學者的遠紹，受黃侃「中國之學，在於發明，不在發現」[43]的啟示，而繼承狩野直喜學問傳述的所在。蓋以語言的表述究明傳達事實的真象，探究述作者著述立說的心理和旨趣之「言－事－心」的學問，是清朝古典解釋學與京都近代中國學者鑽研中國學的究極。故「讀書之要，在讀作者」，是其研究中國文學的生涯中，極力再生復興的「讀書之學」。

㈢「讀書之學」的核心：語言節奏與事實相即而反映作者的感受

語言有音聲高低起伏的流動而形成節奏（rhythm），話者或作者輒依語言音聲的流動而調節遣詞造句的節奏。吉川幸次郎強調語言的節奏是事實傳達的重要關鍵，蓋事實傳達的基本要素是語言文字，講述者發言行文，意在傳達其見聞事實的感受，而見聞的感受輒以文字語音的特色來表述。即以文字的序列，語音節奏的抑揚頓挫，反映其所感受的事實的樣態。故解讀講述者如何以語言文字的

---

43 吉川幸次郎〈第一卷中國通說篇上自跋〉，《吉川幸次郎全集》第一卷，東京：筑摩書房，1968年11月，頁708。

音聲流動和節奏的調節而傳達事實的真像，是「讀書之學」的核心問題。[44]司馬遷以「隆準而龍顏，美須髯，左股有七十二黑子」記述高祖特異的形貌，而字句長短錯綜，五三八音節的音聲高低起伏而形成微妙的節奏。「隆準而龍顏」傳達高祖容貌異常的事實，而音聲抑揚流動的節奏，反映其奇異的感受。蓋「隆準而龍顏」五字連結序列，形成五個不同圖形的視覺印象，五個音節（syllable）的抑揚頓挫則形成音聲流動的節奏，「而」字發音輕微，其所連結「隆準」和「龍顏」的發音則較強重，以強重音節的反復而形成急迫的節奏，節視覺印象與音聲節奏的融合而醞釀形成隆起怪訝的音感氣氛，表述隆準高鼻與龍顏異相的事實，反映其驚訝於高祖異相的感受。「美須髯」節奏平穩緩和，中和「隆準而龍顏」魁偉奇特面相的強調，「美須髯」三音凝聚雍容賴仁的人物象徵，導引讀者連想足以親愛信賴的印象。「左股有七十二黑子」八個音節的長文節奏，結合不符史實的傳聞與司馬遷的述作心理。蓋「美須髯」是世間常人可能存在的容貌，「隆準而龍顏」雖奇異，與古代帝王、秦始皇的面類似，而「左股有七十二黑子」則是高祖獨特奇異的體態，奇怪的傳聞事實，輒賦予人驚歎訝異的印象，或衍生半信半疑甚且輕視的心理，與輕視心理相即吻合的是弛緩的節奏。「隆準而龍顏」的節奏是「強調的緊張」，「美須髯」是「凝聚的緊張」，而「左股有七十二黑子」的悠長弛緩節奏，疏解二句的緊張，而終結「高祖為人」一段的文章。「一張一弛」，緊迫節奏之後，以弛緩的節奏接續，而完成一章的節奏，終結行文的段落。語言既有音

---

44 〈讀書の學〉第二十二章，《吉川幸次郎全集》第二十五卷，東京：筑摩書房，1986年6月，頁141。

樂節奏的要素，文字的系列與音節的迭宕，起伏屈折而交錯於一簡之中，亦有符應傳達事實的張弛節奏。語言的節奏與傳達的事實相即融合，而講述者的心理亦可於字裏行間窺察解讀以知。換而言之，語言的節奏與傳達的事實相即，而反映作者的著述心理。蓋作者以語言文字傳達事實的過程中，必有著述態度與立場主張的發用，亦即作者以「言」＝語言文字的音義，傳達「事」＝人間世界的事實，以表述「心」＝著述立說的用心。書籍文獻是「人間」（human）精神的結晶，也是「人間」（human）研究的根本底據，細讀古籍文獻而咀嚼作者的語言，解讀其論述態度和立場。「讀其書而知其人」是中國學術傳承的理念，「讀書之要，在讀作者」，是吉川幸次郎論述「讀書之學」的核心。[45]

㈣「讀書之學」的要諦：以文獻語言學為基底而從事「人間」研究的學問

吉川幸次郎說：旁徵博引的基礎在於博學，而其究極則在於旁通文獻的記載，以闡明述作者著述立說的用心所在。亦即以古典文獻為素材而從事「人間」（human）的研究，是博學的終極，換而言之，以文獻語言學（philogy）為基底而從事哲學（philosophy）之「言－事－心」的探究，咀嚼書籍文獻的個別語言而探究「人間」

45 吉川幸次郎解讀《史記・高祖本紀》開端「高祖為人，隆準而龍顏，美須髯，左股有七十二黑子」的音聲節奏，強調語言節奏與事實相即，進而反映作者感受的論述，見載於〈讀書の學〉第十三-二十二章，《吉川幸次郎全集》第二十五卷，東京：筑摩書房，1986 年 6 月，頁 88-146。

（human）的思惟行止方向是「讀書之學」的要諦。[46]吉川幸次郎強調：探求「人」的必然存在是哲學的究極，而「讀書之學」亦然，唯方法異於哲學。蓋「讀書之學」乃以語言為素材而研究「人間」存在的究竟。如司馬遷所說「我欲載之空言，不如見之於行事之深切著明」[47]，「行事」之歷史敘述，以深刻切實而顯著明瞭為究極，「讀書之學」以文獻記載語言的抽繹解讀，而探究著述者創作用心所在，即符應司馬遷以「深切著明」的歷史記述為終極的言說。至於「讀書之學」之所以以「深切著明」的解讀載記語言，探究著述者的心境為究極，乃述作者遣詞造句以表達其剎那的感受或沈思的義蘊，雖是個別特殊的記述，而記載語言的意象，實則蘊藏幽微而普遍存在的「心象風景」。譬諸投石於池中，必形成向四周延伸的波紋，解析投石的素材，探索波紋的樣態，則能釐清池中世界的究竟。解讀記載語言的表象義蘊，窮究述作者的述作心理與意象世界，是「讀書之學」的終極所在。例如《論語．子罕》「子在川上曰，逝者如斯夫，不舍晝夜」的解讀。[48]吉川幸次郎以為「子

---

46 〈讀書の學〉第二十八章，《吉川幸次郎全集》第二十五卷，東京：筑摩書房，1986 年 6 月，頁 182。

47 〈太史公自序〉，《史記》卷一百三十，臺北：鼎文書局，1979 年 2 月，頁 3297。

48 吉川幸次郎以契沖（1640-1701）《萬葉代匠記》於「子在川上曰，逝者如斯夫，不舍晝夜」的解釋異於程朱以水為生生不息之道體的象徵，而視之為無常迅速的悲觀感嘆之辭為起興，列舉日本江戶時代與中國兩漢至清朝的《論語》注釋與詩文載記，統括前人於此章的詮釋，有成長運動的樂觀與推移消逝之悲觀的歧異，論述《論語》注釋的變遷，解讀歧異詮釋的用心所在。契沖的孔子「嘆川」之論，收載於《萬葉代匠記》卷三，《契沖全集》第二卷，東京：岩波書店，1973 年 6 月，頁 45-46。吉川幸次郎

在川上」，見川水流逝，是眼前之景，或意味中國江水東流普遍存在的事象，至於「逝者如斯夫，不舍晝夜」，則孔子見景生情的表述，其心象風景的究竟，如何「深切著明」的抽繹解讀，則是「讀書之學」的「職掌」。蓋孔子「逝者如斯夫，不舍晝夜」的「投石」，於《論語》注釋史，形成岐異訓解的「波紋」。概括漢唐以迄清朝的詮釋，或以水象徵不斷運動成長的道體，或視之為流逝無常的感嘆之辭，樂觀與悲觀的論說並存具在。先秦至兩漢的文獻，大抵以孔子的言說為樂觀之辭。如《孟子・離婁下》：

> 徐子曰，仲尼亟稱於水，曰，水哉，水哉，何取於水也。孟子曰，原泉混混，不舍晝夜。盈科而後進，放乎四海，有本者如是，是之取爾。[49]

孟子以流水源泉湧出不竭而漸進以至於四海。趙岐注曰：「言水不舍晝夜而進盈滿科坎。……至於四海者，有原本也，以況於事有本者，皆如是，是之取也。明夫子此語，既贊其不息，且知其有本也，如川之流」[50]。有原有本，淵源流長，此孟子以為孔子盛稱江水的所在。董仲舒《春秋繁露・山川頌》：

> 水則源泉混混沄沄，晝夜不竭，既似力者。盈科後行，既似

的起興，見於〈讀書の學〉第二十六章，《吉川幸次郎全集》第二十五卷，東京：筑摩書房，1986 年 6 月，頁 165-171。

49 《孟子注疏解經》卷八上，《十三經注疏》八，臺北：藝文印書館，1997 年 8 月，頁 145。

50 同前注。

持平者。循微赴下，不遺小間，既似察者。循溪谷不迷，或奏萬里而必至，既似知者。……咸得之生，失之而死，既似有德者。孔子在川上曰，逝者如斯夫，不舍晝夜，此之謂也。[51]

首引孟子之語，以明川流不息之義，又以水流不竭，順勢而下，比擬知勇諸德之生成履踐，說明孔子水流不息而萬物並生無盡的立言旨趣。揚雄《法言．學行》：

或問進。曰水。或曰為其不捨晝夜與。曰有是哉，滿而後漸者，其水乎。[52]

揚雄以水流為前進的原理，既「不舍晝夜」而常流不竭，又「盈科」延伸而至於極，取義與董仲舒咸同，要皆融合孟子「原泉混混」與孔子「不舍晝夜」的言說，以流水為生生不息的象徵。劉寶楠《論語正義》祖述漢魏古注：

法言所謂進，與夫子言逝義同。……董引論語以證似力一節，非以論全德也。至法言所謂滿而後漸，則又一意。……孟子曰源泉混混，不舍晝夜，盈科而後進，放乎四海，有本者如是，是之取爾。此即滿而後漸之義，亦前意之引伸，故

---

51 《四部叢刊初編經部》，商務印書館縮本四，臺北：臺灣商務印書館，1965 年 8 月，頁 83-84。

52 《新編諸子集成》二，臺北：世界書局，1978 年 7 月，頁 2。

> 趙岐孟子章指云，言有本不竭，……是以仲尼在川上曰，逝者如斯。明夫子此語，既贊其不息，且知其有本也，如川之流。53

引述董、揚二人的敘述，說解川水流去不息的原理。又引述趙岐的章指，說明源泉混湧成川，滿盈前進而流入四海，則綜括孟子以來，漢儒董仲舒、揚雄等漢儒，皆以水為不斷成長的象徵，說明孔子「逝者如斯夫，不舍晝夜」的言語，乃為世間存有皆生生不息的樂觀之辭。雖然如此，吉川幸次郎列舉包咸、鄭玄、何晏、皇侃的注疏與魏晉南北朝詩賦，說明漢魏六朝有異於董、揚的觀點，而以「逝者如斯夫，不舍晝夜」為孔子感嘆時事既往而不可追復的「嘆川」之辭。包咸注見引於何晏《論語集解》：

> 包曰逝，往也。言凡往也者，如川之流。54

據《後漢書・儒林傳》的記載，包咸於光武建武年間，為皇太子講授《論語》，明帝即位，為帝師，受明帝禮遇。55是知其生存的年

---

53 劉寶楠《論語正義》，《新編諸子集成》一，臺北：世界書局，1978年7月，頁188。

54 《論語注疏解經》卷九，《十三經注疏》八，臺北：藝文印書館，1997年8月，頁80。

55 「包咸字子良，會稽曲阿人也。少為諸生，受業長安，師事博士右師細君。習魯詩、論語。王莽末，去歸鄉里。……光武即位，……舉孝廉，除郎中。建武中，入授皇太子論語，又為其章句。……永平五年，遷大鴻臚。每進見，錫以几杖，入屏不趨，贊事不名。經傳有疑，輒遣小黃門就舍即問。顯宗以咸有師傅恩，而素清苦，常特賞賜珍玩束帛，奉祿增於諸

代約與揚雄同時，而包咸的注釋，但言時事過往如川水的流逝，而無孔子以水為成長不息的象徵或時事推移不可再生的興嘆之論斷。則未必與揚雄「滿而後漸」，以水為人事成長進步之象徵的解讀相同。至於與揚雄、董仲舒持相反觀點的是鄭玄。鄭玄注曰：

> 逝，往也。言人年往，如川之流行。傷有道而不見用也。[56]

鄭玄集兩漢四百年經學之大成，綜括《五經》傳注而建立詮釋體系，以解釋經傳。鄭玄於經傳疏解或有異乎傳統注釋的所在，其《論語》的注解亦然。既以川水流逝象徵人之老病而死的普遍現象，又引伸有道而不能知遇見用的感嘆，為士人君子的存在宿命，則異於孟子與董仲舒、揚雄以水象徵人事成長剛健不已的樂觀之見。鄭玄的經注，如《後漢書・張曹鄭列傳》的論說：「鄭玄括囊大典，網羅眾家」，[57]即融合岐異注釋而折衷取捨，以為疏解。其以悲觀說解「逝者如斯夫，不舍晝夜」，或取捨兩漢「眾家」見解的注釋。至於鄭玄之以「年往」與「不見用」解讀孔子有斯道不行而興起「嘆川」的傷感，蓋其自身亦有大漢帝國瀕臨崩頹的時代感受，而以沈痛憂愁比擬孔子言說的心理。其後，魏晉南北朝鼎盪分

卿，咸皆散與諸生之貧者。病篤，帝親輦駕臨視。八年，年七十二，卒於官。」（《後漢書》卷七十九下，〈儒林傳第六十九下〉，臺北：鼎文書局，1978年11月，頁2570。）

56 金谷治編《唐抄本鄭氏注論語・敦煌本（ペリオ文書二五一〇號）》，東京：平凡社，1987年5月，頁264。

57 《後漢書》卷三十五，〈張曹鄭列傳第二十五〉，臺北：鼎文書局，1978年11月，頁1212。

裂，多以「逝者如斯夫，不舍晝夜」的言說，為感嘆時間推移而人生無常的悲觀之辭。如皇侃《論語集解義疏》，先引何晏《論語集解》，注曰「鄭玄曰言凡往也者，如川之流」，則以包咸注為鄭玄注，然後疏曰：

> 逝，往去之辭也。孔子在川水之上，見川流迅邁，未嘗停止，故嘆人年往去，亦復如此。向我非今我，故云逝者如斯夫者也。斯，此也。夫，語助也。日月不居，有如流水，故云不舍晝夜也。江熙云言人非南山，立德立功，俛仰時過，臨流興懷，能不慨然。聖人以百姓心為心也。孫綽云川流不舍，年逝不停，時已晏矣，而道猶不興，所以憂嘆也。[58]

皇侃以日月運行，流水不居，象徵「向我非今我」之年歲的往逝。又援引江熙之言，敘述聖人與庶民皆不能免於「人年往去」的宿命，也引述孫綽憂嘆年老時逝而道猶不能行的傷感，以符應鄭玄感慨「有道而不見用」的解讀。傷逝憂時的悲觀或為中國中世的「世風」，[59]不僅解讀「子在川上曰，逝者如斯夫，不舍晝夜」為悲觀之辭，《文選》所載錄的魏晉六朝之詩賦，亦頗多以「逝者如斯夫，不舍晝夜」為感時傷逝之辭的詩作。如：

---

58 鮑廷博輯《知不足齋叢書》三，京都：中文出版社，1980 年 10 月，頁 1812。

59 吉川幸次郎於〈中國文學に現われた人生觀〉，綜括中國古典詩文的記述，古代詩文大抵多為「樂觀」的抒懷興感，中世是「悲觀」的興歎，近世則是「古代樂觀的回復」。（《吉川幸次郎全集》第一卷，東京：筑摩書房，1968 年 11 月，頁 105-111。）

臨川以歎兮，登山懷遠而悼近。（潘安仁〈秋興賦一首〉，《文選》卷十三）

日與月與，荏苒代謝，逝者如斯，曾無日夜。（張茂先〈勵志詩一首〉，《文選》卷十九）

逝者如流水，哀此遂離分。（劉公幹〈贈五官中郎將四首〉，《文選》卷二十三）

感彼孔聖歎，哀此年命促。（司馬紹統〈贈山濤一首〉，《文選》卷二十四）

離合雖相親，逝川豈往復。（謝宣遠〈王撫軍庾西陽集別時為豫章太守庾被徵還東一首〉，《文選》卷十三）

李善注謝宣遠「離合雖相親，逝川豈往復」的詩句，曰：「言離不復會，雖有相親之理，但逝川之流，豈有往復之義。年命之速，而會難也」。[60]皆以日月代謝，川水流逝解讀孔子「逝者如斯夫，不舍晝夜」的言說，乃生命短促的傷逝悲歎之辭，或可謂之為「中世的悲觀」。邢昺疏解何晏的《論語集解》：

此章記孔子感歎時事，既往不可追復也。逝，往也。夫子在

60　《文選》，臺北：華正書局，1995 年 10 月，頁 294。六朝詩賦皆徵引華正書局版。

> 川水之上，見川水之流，迅速且不可追復，故感而興歎。言凡時事往者，如此川之流夫，不以晝夜而有舍止也。[61]

綜述魏晉六朝儒者文人以年往迅速，時事無常，解讀孔子「逝者如斯夫，不舍晝夜」之語，為「逝川之嘆」的悲觀之見，而不同於孟子以來，漢儒董仲舒、揚雄等漢儒，以水象徵成長不息的傳統疏解，亦殊異於程朱以水為「道體」象徵的宋學道統。朱子《論語集注》引述程子的論說：

> 程子曰，此道體也。天運而不已，日往則月來，寒往則暑來，水流而不息，物生而不窮，皆與道為體，運乎晝夜，未嘗已也。是以君子法之，自強不息。及其至也，純而不已焉。又曰，自漢以來，儒者不識此義。此見聖人之心，純亦不已也。純亦不已，乃天之德也。有天德，便可語王道，其要只在謹獨。愚按，自此至篇終，皆勉人進學不已之辭。[62]

程子以漢魏六朝以來，以水流為人生無常的悲觀言說，要皆未解孔子以水為道體，四時運行，川流不休皆象徵生生之德，為道體本然精純的意旨。朱子祖述程子義理，以為聖人的言說，意在勉人為學孜矻不已。漢宋儒學異趣，於「逝者如斯夫，不舍晝夜」的解讀，

---

61 《論語注疏解經》卷九，《十三經注疏》八，臺北：藝文印書館，1997年8月，頁80。

62 《論語集注》卷五，《四書章句集注》，臺北：鵝湖出版社，1984年9月，頁113。

則同歸於運動不止的進取樂觀的論說。宋代以來，程朱理學為中國儒學的主流，王應麟《困學記聞》卷七：

> 水，一也。孔子觀之，而明道體之無息。孟子觀之，而明為學之有本。
>
> 陳仲猷曰，逝者如斯夫，道體無窮，借水以明之。[63]

發明程朱以川流為道體的象徵之說，彰顯孔子逝者如斯而運動不居，孟子淵源流長而有原始本末的寓意。雖然如此，猶如兩漢，以人事流逝無常解讀「逝者如斯夫，不舍晝夜」的悲觀論說，亦存在於兩宋。陳善《捫蝨新話》卷十〈讀楞嚴經語〉：

> 子在川上曰，逝者如斯夫，不舍晝夜。此意甚妙，惜當時弟子無能發問者，故未盡夫子之意。予讀楞嚴經，波斯匿王問佛，言我昔未承諸佛誨，敕見迦旃延毘羅胝子，咸言此身死後斷滅，名為涅槃。我雖值佛，今猶狐疑。……剎那剎那，念念之間，不得停住，故知我身終從變滅。……世尊佛言，大王汝面雖皺，而此見精性，未嘗皺。皺者為變，不皺非變。變者受滅，彼不變者，元無生滅。……予以此語，足夫子之意。蓋孔子說前段，佛說說後段，合是二說，其意乃全。[64]

---

63 《和刻本漢籍隨筆集》第十二集，東京：汲古書院，1974 年 7 月，頁127，128。

64 夏敬觀跋，據陶湘復刻《儒學警悟本》校正，收載於《宋人說部叢書》，意謂川水有不斷運動變化的象徵，亦有恒常不變之理，前者以孔子「逝者如斯夫，不舍晝夜」的言說，後者以《楞嚴經》「元無生滅」之語，可以理解。二者結合，孔子立言意旨，方得以明晰體察。陳善的論說是否適切，有待斟酌。唯其以「逝者如斯夫，不舍晝夜」的表現如同波斯匿王感歎時間推移流逝，而人有老死命限的無情，蓋有「歎川」的義涵，則與鄭玄、皇侃、邢昺同為悲觀方向的解讀，而異乎程朱以川水為道體而象徵運動不居的立論。吉川幸次郎強調陳善的《捫蝨新話》雖是隨筆札記，所論異於程朱道學的「投石」，或引發深入探究其立說底據的「波紋」。案《四庫全書總目提要》的記述：

> （捫蝨新話）攷論經史詩文，兼及雜事。別類分門，頗為冗瑣，持論尤多踳駁。大旨以佛氏為正道，以王安石為宗主。故於宋人，詆歐陽修，詆楊時，詆陳東，詆歐陽澈，而詆蘇洵、蘇軾、蘇轍尤力。……善，南北宋間人，其始末不可考，觀其書顛倒是非，毫無忌憚，必紹述餘黨之子孫，不得志而著書者也。65

陳善於佛學頗有涉獵，至於學問，則是王安石的祖述。《文獻通考》載錄「王介甫論語解十卷，王元澤口義十卷，陳用之論語十卷

京都：中文出版社，1980 年 1 月，頁 277。〈讀楞嚴經語〉，《儒學警悟本》作〈孔子說與楞嚴經合〉。

65 《四庫全書總目》卷一百二十七，子部三十七，雜家類存目四，《捫蝨新話十五卷》提要，臺北：藝文印書館，1974 年 10 月，頁 2533。

安石」，而引述晁公武《郡齋讀書志》曰：「紹聖後，皆行於場屋」。[66]即北宋哲宗紹聖（1904-1907）年間以後，王安石的《論語》注釋為科舉必讀之書。然南宋年間，王安石所著《三經新義》《論語解》《老子解》等書，皆列為禁書，而今失傳。王安石於《論語》注釋的內容雖不可考知，而陳善「以王安石為宗主」，則其於「逝者如斯夫，不舍晝夜」的解讀，或祖述王安石的注解。若然，則王安石亦異於程子道體說，而以「歎川」傷逝，解讀孔子言說的心境。至於川水有變與不變二義，則與蘇東坡〈前赤壁賦〉：

> 蘇子曰，客亦知夫水與月乎，逝者如斯而未嘗往也。盈虛者如彼，而卒莫消長也。蓋將自其變者而觀之，則天地曾不能以一瞬，自不變者而觀之，則物與我皆無盡也。[67]

以變與不變二義觀照長江之水的論說咸同。而「逝者如斯」的解讀，蘇東坡亦以為時間推移而人事流逝的象徵。因此，陳善的「投石」，或可推論宋代於「逝者如斯夫，不舍晝夜」的解釋，蘇東坡與王安石的論說異於程朱以水為道體象徵的「波紋」。

歷來注家文人於「逝者如斯夫，不舍晝夜」，分別解讀為樂觀或悲觀之辭。川水東流，生滅的原理並在具存，孔子的言說或二者未分而包有，然而後人的疏解，其意識側重於「不舍晝夜」，則解

---

66 《文獻通考》卷一百八十四，經籍十一，北京：中華書局，1986 年 9 月，頁 1580。

67 《箋解古文真寶後集》卷一，《漢文大系》二，東京：富山房，1910 年 4 月，頁 50。

讀川水為生生不息的原理，若傾向於「逝者如斯夫」，則視之為推移流逝的象徵。吉川幸次郎強調語言表述是說明「我在」的行為，體現思惟意識之「我思」的事實，即《詩・周南・關雎序》所說「在心為志，發言為詩」，抽繹記載語言的義涵，既有內在心志凝集的意識，亦有向外擴張延伸的波紋。精細解讀書籍記載語言的奧義，探究述作者立說的真實用心所在，是「讀書之學」要諦。[68]

三、紹述段玉裁、王念孫與狩野直喜的學問：以經學方法應用於中國文學的研究

吉川幸次郎於其與高橋和巳的對話〈人間とは何か——文學研究への私の道〉說：

> 《尚書正義》是我的學問之母。六朝至唐初的儒學是一種煩瑣哲學，講經義疏，皆以經書的一字一句為底本，議論之際，雖有穿鑿附會的所在，而遣詞造句輒見推敲斟酌的用心。咀嚼《尚書正義》的義疏，詳細探究字句的意義，乃能深切著明隱含於字裏行間的義蘊。換而言之，讀《尚書正義》而體得斟酌考察經書的一字一句而綿密謹慎的義疏，是經書解釋最根本的方法。昭和十六年（1941）春，與東方文

68 吉川幸次郎吉川幸次郎論述歷來注家文人於「子在川上曰，逝者如斯夫，不舍晝夜」的解讀，強調以文獻語言學（philogy）為基底而從事「人間」研究，是「讀書之學」的要諦，見載於〈讀書の學〉第二十六～三十九章，《吉川幸次郎全集》第二十五卷，東京：筑摩書房，1986 年 6 月，頁 165-247。

> 化研究所的同仁精密考索，審慎語譯，六年後，完成《尚書正義定本》與《國譯尚書正義》，既是共同研究的成果，也確立解讀中國古典的方法與自信。蓋讀中國古典，必深入字句深層的思想情感，是精讀翻譯《尚書正義》而體得的讀書方法，此為中國傳統經書解釋學的方法。以中國經典解釋的方法應用於杜詩及古典文學作品的研究，是我的中國古典文學研究的方法所在。[69]

1930 年代的京都中國學是以漢魏六朝的學術研究為宗尚，吉川幸次郎沈潛民國初年樸學風雅，親炙京都師友儒雅是尚的學風，考究經學源流，辨彰群經的要義。朱子說「五經疏中書易最劣」，然吉川幸次郎則強調《尚書正義》具有學術史的意義。《尚書正義》是孔穎達刪定六朝以降四百多年，《尚書》講說義疏而成，沿襲六朝質疑議論辨難的訓解方式，雖以《尚書孔氏傳》為底本而義疏，反復論難駁辨的結果，去蕪存菁而經說洗練圓熟。反映六朝以迄唐初的注釋風尚，是《尚書正義》作為《尚書》注釋的最大價值。再者，《尚書正義》具現中世人文精神，《尚書正義》所提示的天生命定論，即人間世界既有絕對善良，全知全能的聖人，也有無救濟可能之絕對愚者惡人的存在。故吉川幸次郎強調《尚書正義》是中國中世人文精神史的重要史料。[70]興膳宏於〈吉川幸次郎〉一文

---

69 《高橋和巳全集》第十八卷，東京：河出書房，1978 年 9 月，頁 566。

70 吉川幸次郎強調《尚書正義》反映中國中世人文精神的說明，見於《吉川幸次郎全集第十卷・自跋》，東京：筑摩書房，1970 年 10 月，頁 465-479。

說：《讀書の學》是吉川幸次郎生涯持續提倡而一貫的學問論，晚年成熟的理論化其學問基本主張。由《尚書正義定本》的經書注釋轉而研究民間演藝的《元雜劇》，固然是由雅入俗之研究對象的轉換，其實是元代俗語之尚未解明之語言領域的挑戰，也是「讀書之學」的實驗與證成讀書方法的結晶。至於杜甫詩注，於一首二十字的〈絕句〉，緻密分析一字一句的用意與音律，探究詩人心理微妙的動搖，導引讀者留意中國古典詩歌的根底所在之「推移流轉」的沈鬱頓挫之情。而對〈春望〉「感時花濺淚，恨別鳥驚心」的注釋，不從傳統「感時淚濺於花，恨別心驚於鳥」的解釋，而以移情作用，以為「感時花亦濺淚，恨別鳥亦驚心」，以體貼杜甫創作詩歌的心境，則是「讀書旨在讀作者」之「讀書之學」的實踐。[71]

小川環樹推崇吉川幸次郎的學識博大精深，上下古今，以中國古典解釋學，即經學方法應用於古典文學之言語表述與內容解析，而窮究中國古典文學的奧秘。《尚書正義》的校訂與譯注，咀嚼魏晉六朝以迄唐初經傳義疏的蘊涵，探究述作者說解經典的用心所在，精密考索語言表現的事實，以成就「實事求是」的學問根底，符應清儒定訓詁而明經義的經學方法。《元曲選釋》之格調雅正的漢文注疏，體得清儒經典注釋文的精髓，〈金錢記〉〈酷寒亭〉的譯注，網羅俗語的用字例，以正確適切解釋元曲的語義，洞察元曲創作的心理內涵。至於《元雜劇研究》，則是以語言為素材而論述「人間學」的結晶。《元雜劇研究・元雜劇の文章》於曲辭藝術性的論述頗多獨特的創見，既探究元曲作者愚直而活潑寫實的創作心

---

71 興膳宏〈吉川幸次郎〉，《京大東洋學の百年》，京都：京都大學學術出版會，2002 年 5 月，頁 277-282。

理，又指陳嫻熟驅使用典雅正的文辭而合理寫實的精彩所在。探究元曲的用的來源，以正確注釋與考察作者講述創作的心理，是清儒經學方法的紹述，探尋確鑿的典故字例與敏銳洞察述作心理的結合，以論說中國古典文學的「論理與倫理」，是吉川幸次郎學問的宗尚。《吉川幸次郎全集》二十數卷大抵為說解文學「論理與倫理」的結晶，晚年傾注心血的《杜甫詩注》，以詳實考證詩語的典故蘊涵，洞察詩作的幽微心境為基底而體得杜甫作詩的心象風景，故能超越前人的注釋而成就風雨名山的不朽之作。[72]

吉川幸次郎強調：經學既留意經典文字的訓詁，更精細分析作者著述的意識，是中國文明的結晶，中國傳統學問的精要所在。清儒，尤其是段玉裁、王念孫精密適切的研究方法，是漢唐傳注義疏以來經學研究的大成。吉川幸次郎自稱《尚書正義》的譯注，是中國經學的體現，以訓詁注釋為基底，而以究明隱藏於字裏行間的義疏心理為極致。至於「讀書之學」是段玉裁、王念孫之經學方法的紹述，《杜甫詩注》是段、王經學方法與自身「讀書之學」的實踐。其於〈送村上哲見之任東北大學〉敘述：

> 少陵說詩義，精微穿溟涬。豈惟作詩然，讀書亦此徑。俗人易讀書，久不得要領。今子將之遠，可以我說逞。人各無窮思，紛然聚俄頃。乙乙藏混沌，言語只其穎。且其異如面，

72　小川環樹論說吉川幸次郎以經學方法應用於中國古典文學的研究，吉川幸次郎的學問是經學到文學的歷程，見其所著〈吉川幸次郎を悼む〉〈經學から文學への道程——私の見た吉川博士の學問〉〈吉川博士の學問の特色〉，《小川環樹著作集》第五卷，東京：筑摩書房，1997 年 5 月，頁 308-319。

喻雨之在嶺。散走赴四海，所之一無定。可恨蒼頡字，孳乳萬乃竟。萬數雖似多，安能盡其性。色豈五而已，情不七而罄。有涯逐無涯，殆哉文辭命。善於著書者，操之寫耿耿。雖發於常訓，飛動必異迥。何謂善讀書，當察其微冥。務與作者意，相將如形影。其道固何始，雅詁宜循省。然只一訓守，精金卻得礦。彼之所消息，我與之動靜。此乃丈夫業，奚其為為政。俗儒笑訓詁，暗此而齒冷。東原輿夫喻，恐未塞詬病。茂堂實可人，抽書說乃聖。若不河漢我，試讀壁書證。[73]

「精微穿溟涬」是杜甫〈夜聽許十一誦詩愛而有作〉的詩句，意謂緻密思索是究明詩作含藏幽微世界與洞察詩人創作詩歌心理的通路，而「讀書亦此徑」，即探究述作者創作之心境，亦是「讀書之學」的根底所在。蓋「人各無窮思」，「且其異如面」，而「言語只其穎」，詩文創作的心境，因作者及其所在環境，而有殊異，記述文字是直指述作心理的穎刃。唯「可恨蒼頡字，孳乳萬乃竟，萬數雖似多，安能盡其性。……有涯逐無涯，殆哉文辭命」，文字之有限涯，是文辭的宿命，如何咀嚼文字的義蘊，清晰解讀語言所起興的人間萬有事象，則是「讀書之學」的工夫所在與究極理想。至於「東原輿夫喻，恐未塞詬病」二句，據段玉裁的〈戴東原集序〉：

先生之言曰，六書九數等事，如轎夫然，所以舁轎中人哉。以六書九數等事盡我，是猶誤認轎夫為轎中人也。又嘗與玉

73 〈讀書の學〉補注の五，《吉川幸次郎全集》第二十五卷，東京：筑摩書房，1986 年 6 月，頁 256-259。

> 裁書曰，僕生平著述之大，以孟子字義疏證為第一，所以正人心也。噫，是可以知先生矣。[74]

戴震亦謂訓詁文字猶如舁轎的轎夫，而疏證經典義理是學問的究極，是轎中之人。即以文字訓詁之學（philogy）為究明述作者幽微蘊涵之用心（philosophy）的導引。末尾的「茂堂實可人，抽書說乃聖，若不河漢我，試讀壁書證」四句，取段玉裁《說文解字》「讀，籀書也」的解釋，意謂讀書如剝繭抽絲，精密解析記載言語的意義，抽繹其義蘊內涵，乃能究明著述論說的究極所在。[75]蓋著述作者遣詞造句以記述抒發其意志，讀者抽繹記載文字而體得述作者創作的心境，二者如影隨形。吉川幸次郎紹述段玉裁《古文尚書撰異》，王念孫《讀書雜志》《廣雅疏證》的方法，以文字的聲韻訓詁為根底，解讀經書記載語言的語氣與文勢，以體察聖賢著述立說的用心所在為終極，而成就「讀書之學」。因此，吉川幸次郎強調發想之同歸，究極之共指，咀嚼記載語言的義蘊，探究述作者的創作心境的「讀書之學」，是超越古今通塞與國境乖隔，紹述前賢學問的方法而普遍共通的終極。[76]

---

74 《四部叢刊初編集部》，商務印書館縮本九十四，臺北：臺灣商務印書館，1965年8月，頁1。

75 吉川幸次郎論述戴震與段玉裁的學問方法，見於〈讀書の學〉補注の五，《吉川幸次郎全集》第二十五卷，東京：筑摩書房，1986年6月，頁256-260。

76 吉川幸次郎強調「讀書之學」是中國傳統學問方法的紹述再生，見〈讀書の學〉第二十九章，《吉川幸次郎全集》第二十五卷，東京：筑摩書房，1986年6月，頁179。

附錄

中日近代中國學綜述

關鍵詞　京都中國學　狩野直喜　青木正兒　清朝考證學　段玉裁　中國留學　黃侃　發現　發明

一、留學的意義在於理解中國人的價值觀

《吉川幸次郎全集》第二十二卷收載的〈留學まで〉〈留學時代〉兩篇文章[1]，是吉川幸次郎（1904-1880）於 1974 年、70 歲時，以問答的形式，記述其大學畢業後，留學中國的經緯，及其在中國的見聞，尤其是當時中國的學風。吉川幸次郎於大正 12 年（1923）年入學京都帝國大學之前，到江南旅行，又於昭和 3 年（1928）春至 6 年（1931）春留學北京，其間，1929 年 5 月～9 月，由於患病，一時歸國，在中國留學二年半。

吉川幸次郎留學中國的理由有二。其一，江南旅行歸來，狩野直喜說：江南風景固然優美，卻類似日本，應該到北方體驗中國的

1　〈留學まで〉〈留學時代〉收載於《吉川幸次郎全集》第二十二卷，東京：筑摩書房，1975 年 9 月，頁 331-425。

雄偉壯觀，拓展視野。其二，尊重中國是京都帝國大學的學風，尤其是以狩野直喜、內藤湖南為中心的中國學研究者，乃以清朝考證學的祖述，作為學問的根柢，堅持與中國人相同的思惟與感受，來理解中國，故京都帝國大學中國文學、中國哲學、東洋史學三講座的畢業生大抵都去中國留學。吉川幸次郎獲得上野基金會獎學金，到北京留學。留學的目的是熟練的聽講標準的中國語，直接體得中國人學問的方法，鑽研中國學。北京是當時中國文化的中心，北京話是中國話的標準。北京大學是中國第一流的學府，學風自由，又繼承清朝，尤其是十八世紀中國的學問。換而言之，自由的學風與學問的取向，北京大學與京都帝國學的中國學研究同歸一轍，故吉川幸次郎留學中國，既考究民國初期國學的究竟與日本近代中國學的學術源流，又辨彰 1930 年代中日於中國學研究的宗尚所在。[2]

二、京都中國學的學風

島田虔次說：「京都中國學的學風是與中國人相同的思惟和感受，來理解中國。」[3]吉川幸次郎說：樹立此一學風的是狩野直喜與內藤湖南二先生。至於二先生之所以抱持與中國人相同的思惟與感受，作為學問研究的態度，是對江戶（1603-1866）漢學的批判。

---

2 吉川幸次郎於其學問形成與中日近代中國學究竟的敘述，又見於其與高橋知巳對話的〈人間とは何か——文學研究への私の道〉。《高橋知巳全集》第十八卷，東京：河出書房，1978 年 9 月，頁 554-570。

3 吉川幸次郎〈留學まで〉，同注 1，頁 332。

江戶時代的漢學，一言以蔽之，是「日本式的」解釋中國學，消極的說，是鎖國時代無可奈何的結果，積極的說，是一種國家主義的表現，二者皆不能真正的理解中國。將中國作為中國來理解，需要有新的學問。以中國的立場來研究中國，是狩野直喜與內藤湖南的文化自覺，批判江戶漢學只是鎖國時代國家主義之偏狹的產物，而樹立嶄新的學問，是文化突破。至於狩野直喜與內藤湖南何以有此文化自覺與突破的學問意識，吉川幸次郎強調二先生出生於明治維新的前後，成長於明治中葉，此時的學問思潮，廣義的說，有史學的傾向，既有再認識其所認識事物之究竟的意識，又致力於所有存在皆有其存在意義的探究。此為二先生學問的根柢。再者，二先生任教京都帝國大學，抱持樹立異於東京帝國大學之學問宗尚與風氣的使命。蓋京都帝國大學文科大學（即文學院）成立於 1897 年，而於 1906 年開學，晚於東京帝國大學文科大學 20 年。由於東京大學的獨善，故京都大學的成立固有對抗東京大學的意識。實則，內藤湖南不但以江戶漢學，尤其是寬政二年（1790）異學之禁以後的儒學極為歪曲偏狹而衰微。繼承江戶漢學的東京大學漢學科亦未能順應「文明開化」的時代需求，而展開嶄新的突破。[4]

大正（1912-1925）至昭和前期的 1930 年代，是日本最蔑視中國的時期。吉川幸次郎自稱其留學中國即有反抗時代風潮的意識，[5]

---

4 同注 1，頁 333-334。

5 吉川幸次郎於 1969 年 4 月獲頒「文化功勞者賞」，同年 10 月 22 日接受 NHK 訪問，提到當時日本蔑視中國，中國「排日」的時勢，其留學北京的動機，其一是對日本侮蔑中國的義憤，其二是中國文學特質的體得，即中國文學是以人為主，重視日常生活，深入探索平凡人生活中的喜怒哀樂的特質，是具有重大意義的。（吉川幸次郎〈文化功勞者賞を受けて〉，與其同時至中國留學的倉石武四郎亦然。倉石武四郎以京都帝國大學助教授的身分，取得文部省獎助至中國留學，出發前，到文部省。文部省官僚說：何以不去西洋留學。倉石武四郎憤慨的說：去中國留學的費用比去西洋便宜。然而 1930 年代，京都的學問是古典學，即與中國清朝相同的漢學，於日本創始與清末古典學者相同研究取向的學風是狩野直喜與內藤湖南二先生。二先生祖述清朝的學問，又與清末學者，尤其是保守派的羅振玉、王國維、董康等有親密的交遊。江戶時代的儒學是明代學問的祖述，江戶儒者於清朝學術雖然也有徵引，卻未全面普及。明治維新以來，交通頻繁，清朝的書籍大量傳入，比明代儒學更為精密的清朝漢學，遂為狩野直喜與內藤湖南所祖述鑽研。狩野直喜與內藤湖南二人以為江戶的學問為明人所誤，乃批判祖述明代學術的江戶漢學為偏狹歪曲，而提倡宗尚精密嶄新的清朝學術。至於狩野直喜與內藤湖南之所以取向清朝的學問，乃二人皆曾接觸西洋的學問，而以為清朝學問的實證性近似西洋的學問。亦即通過西洋的媒介，確認清朝考證的實證特質是中國傳統學術中，最進步的學問。狩野直喜就讀一高，一高的教學，一半以上是用英語授課，故在高中時，即習得西洋史學、哲學與心理學的知識。而考取的東京帝國大學，入學考試的重要關門即是英語。又大學畢業後，留學上海，經常出入亞洲文會圖書館，熟習西方漢學事情。內藤湖南任教京都帝國大學以前，從事新聞記者的工作，涉獵東西時事，視野宏觀，[6]而不拘限於日本蕞爾島國

昭和 44 年（1969）10 月 22 日 NHK 第一放送「時の人」，收入《吉川幸次郎講演集》，東京：筑摩書房，1996 年 4 月，頁 473-475。）

6 同注 1，頁 336-337。

的學問，自稱研究中國問題是日本人的天職。[7]

大正至昭和前期是京都大學第一個全盛期，經濟學的河上肇，西洋哲學的西田幾多郎，東洋學的狩野直喜、內藤湖南和桑原隲藏，為各領域的重鎮，導引風騷。於中國研究亦甚為尊重，如西田幾多郎於中國佛教甚有鑽研，西洋史學的原勝郎亦有中國史學的論著，國文學的藤井乙男精通中國小說，於中國文學系開授「中國文學特殊講義」的課程。換而言之，京都大學是中國研究最佳的場域。當時，在崇尚西洋而蔑視中國的風潮下，東京大學研究中國學的學者備受歧視，然京都遠離政治的中心，學問研究與政治了無關涉之獨立自主性的意識，是京都的學者默契，故學術風氣極為自由。吉川幸次郎說：京都大學師生相互珍惜，中國研究如端坐學問殿堂的上座，享受學問的悅樂。至於熟知中國學術的變遷而祖述清朝的學問，是大正初期，京都中國學的學風。吉川幸次郎強調正式將清朝考證學，特別是以《皇清經解》為主要文獻的經學，移入日本的是狩野直喜。狩野直喜最推崇顧炎武的學問，於乾嘉經學尤有專攻，講述「中國哲學史」[8]，於「清の學術と思想」，論述「漢學豫備時代」之顧炎武、黃宗羲、浙東學派的學問，「乾嘉時代の漢學」和「道光以後の學術と思想」。又講述「清朝の制度と文

---

7 內藤湖南〈日本の天職と學者〉，大阪朝日新聞，明治 27 年（1894）11 月 9 日、10 日刊載。收入《近世文學史論》，《內藤湖南全集》第一卷，東京：筑摩書房，1970 年 9 月，頁 126-133。

8 京都大學學風的記述，見載〈留學まで〉，《吉川幸次郎全集》第二十二卷，東京：筑摩書房，1975 年 9 月，頁 331-425。至於狩野直喜於中國哲學史的講述，於其死後，由弟子整理其講義原稿，於 1953 年 12 月，在東京：岩波書店出版《中國哲學史》。

學」[9]，開啟清朝研究的風氣。致力於中國文明的探究，主張中國文的本質在於儒雅，強調中國學術是哲學義理與文學詞章不分，[10]論述「兩漢學術考」「魏晉學術考」[11]與「清朝學術」，而樹立「學術史」的新領域。

內藤湖南講述清朝史學而推崇章學誠的史學，開清朝史學講述的風氣之先，而「清朝史學通論綱目」[12]則為研究清朝學術的綱領。

三、吉川幸次郎研究中國語文的自覺動機

吉川幸次郎中學時代，學習漢文，以《史記拔粹》為教科書，又購讀早稻田大學甫出版的《史記國字解》，通讀《三國演義》《水滸傳》等小說，感受中國文學之日常寫實性遠勝於西洋文學，而萌生涵泳中國文學的志趣，對當時蔑視中國的風氣，頗為憤慨。高中時，閱讀谷崎潤一郎、芥川龍之介的中國遊記，感受中國語優美的韻律，於佐藤春夫的小說《順風》標上中國語發音的假名「ス

9 狩野直喜《清朝の制度と文學》，東京：みすず書房，1984年5月。

10 狩野直喜於京都大學講授中國哲學史與中國文學史的課程，建立文哲不分的文學批判基準，匡正歷來漢學家的偏狹。吉川幸次郎解說狩野直喜講述的《支那文學史》（東京：みすず書房，1970年6月，頁461-472），強調《支那文學史》具有「創始」「洞察」的意義，以「心得」體認中國文學「儒雅」特質的評價。

11 狩野直喜《兩漢學術考》，東京：筑摩書房，1964年11月，《魏晉學術考》，東京：筑摩書房，1968年1月。

12 內藤湖南〈清朝史學通論綱目〉，收載於所著《清朝史通論》，東京：平凡社，東洋文庫571，1993年11月，頁259-294。

ンホン」，倍感新奇，而躍動學習中國語的志向。吉川幸次郎自稱在學習中國語以前，對中國語就有所憧憬。大正 10 年（1921），讀青木正兒於《支那學》創刊號發表的〈胡適を中心に渦いている文學革命〉與〈和聲の藝術と旋律の藝術〉，深受感動，而拜訪求見，由於青木正兒的啟蒙，而立志研究中國文學，並引介張景桓，開始學習中國語。高中三年時，吉川幸次郎在學的「第三高校」延聘京都大學的鈴木虎雄講述漢文，以提昇學生漢文解讀的能力，吉川幸次郎說由於鈴木教授緻密的解讀析理，而體得漢文正確的讀法，領悟漢文創作的底蘊。[13]

大正 12 年（1923）入學京都大學之前，到中國江南旅行，感受中國江南優美的風景，確認所學的中國語，尚能適用於旅行遊歷的應對。昭和 3 年（1928）至 6 年（1931）獲得上野基金會的獎助，到北京留學。留學的目的是加強中國語的會話能力，體得中國人學問的方法。[14]吉川幸次郎說：和中國人一樣流暢的說聽中國語是理想而不易達成，但是留學北京，在中國語的環境中，如海綿吸收水分一般，自然習得中國語的表達，則比較容易。至於與中國人相同的學問方法的體得，則是京都中國學的傳統。吉川幸次郎說：1920-30 年代，是中國「排日運動」最為激烈的時期，北京大學學生委員會長質問其何來北京，而直言「我是為了學習貴國的學問而來留

---

13 吉川幸次郎〈留學まで〉，同注 1，頁 342-346。

14 同注 4，吉川幸次郎說留學的目的其一是言語生活的習得，即從說寫中文到生活感情和中國人一致而忘卻自己是日本人。其二是「中國人になりきる」（成為道道地地的中國人），即與中國人相同的思惟和對事情的看法的體得。（頁 475-476）

學的」[15]。將近三年的留學生活，吉川幸次郎體得的是中國人的價值觀，中國學界的消息與學問的方法。

四、留學中國的體得

吉川幸次郎說：當時到中國留學的日本人，大抵以資料蒐集為目的，而其自身則以體得中國學者的研究方法，書籍或前人學問之良善與否的價值判斷基準為目的。[16]和中國學者相同的感受與思惟來理解中國的學問，是中國學研究的究極宗尚，中國典籍汗牛充棟，唯一流學者的著作是取的判斷，是中國學鑽研的取徑。

吉川幸次郎到北京大學聽講，選修馬幼漁的中國文字聲韻概要和經學史，朱希祖的中國文學史和中國史學史。當時北京大學中文系的教授甚多浙江人，且大抵是章太炎的門下。唯錢玄同、馬幼漁宗尚今文學而異乎其師章太炎所尊崇的古文學，僅江蘇出身而任教

---

15 吉川幸次郎〈留學時代〉，同上，頁 389-390。吉川幸次郎於 1969 年 4 月獲頒「文化功勞者賞」，同年 10 月 22 日接受 NHK 訪問，也提到當時日本蔑視中國，中國「排日」的時勢，其留學北京的動機，其一是對日本侮蔑中國的義憤，其二是中國文學特質的體得，即中國文學是以人為主，重視日常生活，深入探索平凡人生活中的喜怒哀樂的特質，是具有重大意義的。至於留學的目的其一是言語生活的習得，即從說寫中文到生活感情和中國人一致而忘卻自己是日本人。其二是「中國人になりきる」（成為道道地地的中國人），即與中國人相同的思惟和對事情的看法的體得。（吉川幸次郎〈文化功勞者賞を受けて〉，昭和 44 年（1969）10 月 22 日 NHK 第一放送「時の人」，收入《吉川幸次郎講演集》，東京：筑摩書房，1996 年 4 月，頁 473-478。）

16 同注 1，頁 418-419。

於中國大學的吳承任篤守師說。清華大學則有王國維、陳寅恪任教，陳氏敏銳，彷彿西田幾多郎早年的風貌。輔仁大學的陳垣通曉日本的東洋史學，盛稱桑原隲藏、羽田享於東洋史學的成就。顧頡剛任教於燕京大學，是疑古的先鋒。吉川幸次郎說：綜觀民國初期北京的國學界，雖有各種新的研究方法的展開，大抵為清朝，尤其十八世紀學問的延續。錢玄同稱段玉裁是清儒的第一人，陳垣則推崇錢大昕，要皆重演清朝考證學之吳派與浙派的論辨。京都中國學的學問宗尚亦類似，內藤湖南祖述章學誠而近於浙派，狩野直喜尊崇顧炎武而近於吳派，吉川幸次郎自稱其以段玉裁的學問方法註釋杜詩，亦近於吳派。[17]

清朝考證學真義的體得是吉川幸次郎留學中國最大的收穫。[18]吉川幸次郎說：日本所理解的清朝考證學乃以對應於文獻之外在證據為絕對的條件，亦即資料至上主義的學問。然中國學者則以文獻內在意義的發掘為首要證據。換而言之，日本以為考證學專主於歸納，然留學中國，則體悟考證學未必以歸納為究極，而更重視演繹。文獻的歸納是基本工夫，非通貫學術脈絡的發展沿革，則不能

---

17 同注 1，頁 414-415。

18 吉川幸次郎於其與高橋和巳的對話〈人間とは何か——文學研究への私の道〉說：北京三年留學，對我的學問形成影響甚鉅。……留學時代最大的關心是清朝古典，即經書解釋學的方法。……留學期間專注於清朝學問方法的體得。有關清朝學問的精要，乃受教於狩野直喜，留學期間則「身為清朝人」，窮究清朝經學的著述，體得清朝古典解釋學的方法。……清朝古典解釋學是以古代漢語的研究為根柢，而探究經傳注疏的用心所在。然當時北京的「國學」是清朝乾嘉考證學的繼承發展，或專注於古代音韻，即語言學的研究，或以清朝考證學的方法，進行古史研究。（《高橋和巳全集》第十八卷，東京：河出書房，1978 年 9 月，頁 560-565。）

演繹學問的旨趣，此為中國學問的根柢。亦即中國學問的根柢在於辨彰學術的究竟所在，考證學術源流變遷，博綜通觀的底據在於結合對應文獻之外在證據的蒐集歸納與文獻內在意涵的探究演繹，然後於剖析學術發展的脈絡，考察文獻的定位。吉川幸次郎的體得，乃受到黃侃的啟發。吉川幸次郎結束北京留學，於返回日本之前，重遊江南，至南京拜訪黃侃。傳聞黃侃性格介狷介不羈，喜月旦人物，尤其嫌惡當時北京的學者。求見請益，黃侃性格固狷介，不屑北京學者的為學，而有古風，且通讀群書，尤受啟迪的是「中國之學，在於發明，不在發現」[19]的持論。學問的真諦不在文獻資料的蒐集歸納，而在於文獻內在意義的發掘。故大正初期，日本京都中國學者以為權威的羅振玉、王國維的學問是傾向於資料至上主義的「發現」。所謂「發明」是鑽研重要的典籍，發掘其中的要義。[20]亦即發揮前人的學說，而以自身的見解論證究明，進而轉益精進，或突破前人的論述而提出嶄新的學說，或從事新領域的研究。吉川幸次郎說：清儒中，最尊崇的是段玉裁，古稀歲前後著手杜甫詩注，即以段玉裁學問的方法，而付諸實踐的作業。[21]

---

19 吉川幸次郎〈第一卷中國通說篇上自跋〉，《吉川幸次郎全集》第一卷，東京：筑摩書房，1968 年 11 月，頁 708。

20 同注 1，頁 420-421。

21 同注 1，頁 421。

五、清朝考證學與京都中國學
——學術與風土的關係

吉川幸次郎於所著〈清代三省の學問〉[22]強調江浙是清朝人文的淵藪，清朝學者十之八九皆出自江蘇、安徽、浙江三省。民國初期北京的國學界沿襲清朝學風，大抵是三省，尤其是浙江人的天下，執牛耳的章太炎、王國維也是浙江人。就學術宗尚而言，三省的學問皆重實證，若以地域區分，則有以蘇州為中心的「吳派」，以徽州中心的「皖派」，以為揚州為中心的「江北」之學和以寧波、紹興為中心的「浙東」學派。吉川幸次郎強調中國人有強烈的鄉土觀念，學術與風土有密接的關連。某地發生的學術終始為同鄉的人所繼承發展，對於他鄉新興的學術則冷淡置之，甚且批判排斥。清朝重視實證的學問之所以偏在於三省，固然反映三省具有卓越於其他地域的文化能力，而由於鄉土觀念的作用，也是重要因素之一。蓋實證學的創始者皆出自三省，故為三省的後學所祖述發揚，而其他地方，特別是北方諸省文化能力衰弱，故特出的人才不多，但是學術淵源之地卻有排斥三省實證學風，如陸象山的江西則依然承襲宋明理學的風尚，鑽研實證之學而成家者罕見。至於三省學術雖以實證是尚，亦以地域而學問宗尚亦有不同。吳派學問的特色在於「不為無證之言」，以史料的蒐集與歸納為要務，而法則的樹立則極為慎重。如顧炎武的《音學五書》雖是旁搜博引的不朽鉅

22 〈清代三省の學問〉一文，昭和 13 年（1938）9 月 13-15 日連載於《大阪每日新聞》，其後收錄於《吉川幸次郎全集》第十六卷，東京：筑摩書房，1970 年 7 月，頁 3-10。

著，而古韻分類表頗為乾嘉學者所批評補訂。蓋顧炎武實證非粗雜疏漏，乃聲韻歸屬例外甚多，故不刻意於瑣細法則的建構。錢大昕亦有嫌惡法則建立的傾向，故有考證煩瑣之譏。至於惠棟經學專主漢儒經說，而以漢儒的祖述為終始。換而言之，駁斥宋儒以今說古的學風，而致力於以古解古，是吳派學問的究極，也是清朝實證學的精神所在。學問淵博而旁通涉獵是吳派學者的特色，顧炎武、錢大昕既精通史學，又旁及經學、小學、天文、地理、數學，而惠棟的經學也有經學史的傾向，吳派學術豐碩卓絕，是清朝三省之冠。

皖派的學問有哲學理論的傾向，吉川幸次郎以為皖派繼承朱子學的傳承，朱子是宋儒中最重視實證，江永與朱子同為婺源人而祖述朱子學術。戴震確立方法論，段玉裁、王念孫繼起，致力於音韻與訓詁方法的建構，古今中外於中國古代漢語研究，無出段、王二人之右者。至於皖派學問的特色則在於以小學，即語言學的知識重新解讀經書，雖尊崇漢儒經說，卻未必如吳派之宗教性的祖述，於漢儒古注既有批判，亦有申明漢儒經說未發的所在。唯皖派學者貴「純一」，於經學和小學極為專精，而未若吳派之博學，未見鑽研史學者，於文學亦未必擅長，又雖重視法則理論的建構，卻缺乏歷史考證，故錢大昕譏諷段玉裁所建立的音韻法則，屢見例外的缺失。雖然如此，吉川幸次郎強調戴震的「文理說」，讀書必深入通透文章的「論理與心理」，即文章的論理與作者著書立說的用心所在。此讀書論學的態度是皖派所遵奉的精神，既超越宋代以來讀書與思索何者為重的論爭，也是最正確的讀書方法。

以揚州為中心的「江北」之學兼具吳、皖兩派的學風，與安徽南部經濟貿易的關係，學風與皖派極為相近，然論斷慎重而無皖派武斷的缺失，善於文學者輩出，則近似吳派。唯治史者乏人，則與晥派同。

蘇州、安徽、揚州的學問雖有異同，而以實證為先，理論為後的學風，則三派一致。實證之學渡錢塘江而有所改變。「浙東」學術雖亦重視實證，而先立理論而後以實證為補足的傾向極為顯著。於學問的領域，則盛行史學研究而未見錢塘江以西鑽研的語言學。至於史學研究，浙東學者雖也致力於史料的蒐集，而以史觀的樹立為究極，與錢塘江以西旁搜史料的史學，有極大的差異。何以浙東學術以標榜理論的架構而以史觀為要務，蓋與浙東學術風土的傳承有密接的關連。浙東一帶，自宋之楊簡、明之王陽明以來，提倡主觀主義的學者輩出，非朱子學的學問發揚遂成為浙東學術的傳承，而與浙西傳承朱子學的學風相庭抗禮。隔江對峙。以戴震、錢大昕為中心的浙西是實證學的全盛期，同時的章學誠於所著《文史通義》輒見批判戴、錢考證偏執的論斷，亦顯示浙東與浙西隔江對峙的形勢。嘉慶年間，阮元任官浙江，於杭州設立「詁經精舍」，鼓吹經籍訓詁之學，然浙東學者興趣闕如，固說明中國的學術風土未必折服於達官的權勢而輕易動搖。清末，蘇州、安徽、揚州的學術逐漸衰微，唯浙東人才輩出而獨領風騷。民國初期，北京的國學界亦以浙江人為多，國學重鎮的章太炎、王國維亦浙江出身。故浙江沿襲清朝的學術風土，或可謂之為民初人文薈萃的所在。

至於代表日本近代中國學的京都中國學的學風則頗受清朝考證學的影響，狩野直喜是京都中國學的創始者，其實證性的學問方法是京都中國學的表徵，大抵是清儒，特別是乾嘉學風的祖述。吉川幸次郎的〈狩野（直喜）先生の方法〉[23]說：狩野直喜的學問方法，第一是論理性的說明。狩野直喜述而不作，今日傳世的著作，都是大學的講義而由弟子整理而成的。雖然如此，其中國哲學史、文學史的講述體系整然，歸納博學通覽的文獻，體例合乎近代學術的規範。中國研究而成立近代科學，是狩野直喜學問方法的核心。第二是言語詮釋的實證性。狩野直喜祖述乾嘉學術，重視文字訓詁，嚴密歸納用字例，用以研究中國經典注疏與文學作品。如強調唐人經疏的價值，以為清儒經學大抵出自唐人義疏。至於江戶時代徂徠門下雖讀義疏，僅作為經文的參考而已，狩野直喜則精細推敲唐人經疏的文字，歸納用字例而發明唐人經疏的用意所在。又五經中，狩野直喜首重禮學研究，三禮之學為日本傳統漢學所忽視，狩野直喜應用西歐漢學的方法，從民俗學的觀點研究中國禮制。至於元曲的研究，既運用清儒經典訓詁的方法，掌握元曲文字的義蘊，又精密考證元曲創作的時代背景。換而言之，狩野直喜細密詮釋中國經典與文學作品的究極，旨在正確把握中國文學發展的全貌，強調倫理與美感渾然一體是中國儒雅文化的本質所在。經書述說的倫理感動兼具美的感動，文學的美感含藏倫理的感動，即哲學與文學圓融合一，乃是中國文學的特質所在。故狩野直喜的經學研究是潛研言語的細微表象，進而探索言語中所表述的事物的象徵。如對於《五經正義》的說解，既詳密訓詁經疏的文字，又從煩瑣的訓解方式中，析理中國中世的論證方法，此為清儒經學方法的祖述。至於禮學研究，則在強調中國人重視象徵性的事物，進而從事物的象

---

23 〈狩野先生の方法〉收載於《吉川幸次郎講演集》，東京：筑摩書房，1996年4月，頁398-404。

徵，探求真理的所在，是中國人傳統的思惟。第三是「心理」的強調。「心得之學」是狩野直喜學問方法的究極[24]，狩野直喜〈論語研究の方法に就て〉[25]記述其研究《論語》的方法，有文本比較，訓詁，洞察孔子的時代，體得其蘊涵。吉川幸次郎稱之為狩野直喜的「心得之學」，即讀古人著述而考證文本，訓詁字義，探求立說的用心所在。

吉川幸次郎強調狩野直喜的學問雖重視論理，然人間事象分化無盡，故學問不能止於論理方法的樹立，更有運用「心理的方法」，以自身的理解，窮究文獻記述的事理。大正 2 年（1913），王國維送狩野直喜遊歐詩的「自言讀書知求是，但有心印無雷同」，最能體得狩野直喜的學問特質，是異國知己的知人之言。狩野直喜創始的實證的學問方法也成為京都中國學的風土，為後學所繼承發展。

---

24 吉川幸次郎在〈狩野直喜氏《魏晉學術考》跋〉強調：狩野直喜平生尊崇的是「心得之學」，於前人之言不能完全共感，絕不妄從。其之所以敬愛的王應麒《困學紀聞》與顧炎武《日知錄》，蓋二書皆是「心得之學」。至於何晏、王弼等道家者流，既以自由放逸的生活為高，又注解經書，重視生活法則的禮學，看似矛盾，實則自由的崇尚是對藝術的愛好，對禮儀的尊重，乃是「自身行止藝術化」表現，至南北朝後期依然沿續此一思想的論述，也是「心得之學」的卓拔見解。又經學與文學不可分的主張，也是博學通覽細密咀嚼而結實的「心得之學」。（狩野直喜氏《魏晉學術考》，東京：筑摩書房，1968 年 1 月，頁 331-334。）

25 〈論語研究の方法に就て〉收載於《支那學文藪》，東京：みすず書房，1973 年 3 月，頁 103-119。

結語：吉川幸次郎的學問傳承

2012 年 2 月下旬，町田三郎先生患肺炎住院，寫「病床筆記」賜余，論及吉川幸次郎之師為何人。町田先生以為吉川幸次郎的業師是狩野直喜，而啟蒙的是青木正兒。誠然。就吉川幸次郎〈留學まで〉所記，其所以立志研究中國文學，乃受到青木正兒的啟蒙。又所作〈青木正兒先生〉一文，則說：高三時，感動青木正兒先生所作〈和聲の藝術と旋律の藝術〉而求見，以來四十三年間，雖未聽講青木正兒先生於課堂的講述，自命是先生的弟子。[26] 唯〈青木正兒博士業績大要〉[27]則說：青木正兒為人狷介不羈，尊重實證，不苟同於傳統的見解，以獨創性的論述為究極，憎惡道學和道學性的文學觀。〈留學まで〉也說：青木正兒不喜儒學的墨守，故未繼承狩野直喜的經學研究。雖然如此，吉川幸次郎不贊同青木正兒的見解，而精讀《論語》，尊崇儒學以人為本的傳統，而在〈中國研究の方向〉[28]強調：中國研究的指向，應以人文的研究為極致。吉川幸次郎入學京都大學以來，一生的研究深受狩野直喜的影響，研究取向的觀點亦然，而受狩野直喜影響最深的是咀嚼細索中國古典文字涵義的讀書方法。吉川幸次郎於〈留學時代〉說：狩野直喜祖述清朝考證學，學問近於吳派。其自身的學問亦近於吳派。至於 1971 年～1975 年於筑摩書房的雜誌《ちくま》連載的

---

26 〈青木先生〉一文，收載於《吉川幸次郎全集》第十七卷，東京：筑摩書房，1975 年 9 月，頁 335-336。

27 《吉川幸次郎全集》第十七卷，同上，頁 337-340。

28 《吉川幸次郎全集》第十七卷，同上，頁 482-485。

〈讀書の學〉則演繹狩野直喜直觀講述中國學的內容。[29]故狩野直喜為吉川幸次郎的業師，吉川幸次郎於狩野直喜的學問多所發明，又繼承師說，祖述清朝考證學的學風，尤其推崇段玉裁的學問，體得段玉裁的學問方法，注釋杜詩。至於清朝考證學真義的理解，則受到黃侃的啟發，體悟考證學不止於文獻資料主義的「發現」，文獻資料的收集歸納是考證學的基底，而探究文獻內在意義的「發明」，才是考證學的究極。吉川幸次郎於 1960 年論述〈日本の中國文學研究〉，對日本中國文學的研究回顧與展望，質疑當時資料萬能主義的風潮，主張中國文學的研究應轉向中國文學內容的鑑賞與剖析。1968 年《吉川幸次郎全集第十四卷元篇上・自跋》說：中國文學史的研究，不再是以精神史研究為前提，而主張專注於「文學尊嚴」的探究。[30]意謂中國文學研究乃以文學內容的賞析為要義。其於《陶淵明傳》的記述，強調陶淵明生存的時代與生活的風土，應該用陶淵明的文學來說明。陶淵明文學的論述，應該以陶淵明的詩文來體貼詩人創作詩文的心境為極致。[31]《杜甫詩注》是段玉裁學問方法論的祖述實踐，中國文學研究旨在闡發文學內涵的

---

29 狩野直喜祖述清朝考證學之說，見於〈留學時代〉，《吉川幸次郎全集》第二十二卷，東京：筑摩書房，1975 年 9 月，頁 347。師生二人的學問近於吳派，見載於 419。〈讀書の學〉收載於《吉川幸次郎全集》第二十五卷，東京：筑摩書房，1986 年 6 月，頁 15-260。

30 《吉川幸次郎全集》第十四卷，東京：筑摩書房，1968 年 9 月，頁 610。

31 見於吉川幸次郎《陶淵明傳》，新潮文庫，東京：新潮社，1958 年 5 月，頁 53。吉川幸次郎的弟子一海知義說：陶淵明其人以及文學，讓陶淵明自身來說，此由內面貼切作品，是吉川幸次郎《陶淵明傳》的目的。（見〈吉川幸次郎《陶淵明傳》解說〉，吉川幸次郎《陶淵明傳》，新潮文庫，東京：新潮社，1958 年 5 月，頁 194。）

主張，則是黃侃「中國之學，在發明」的運用發揮。故吉川幸次郎的中國文學研究，可謂祖述段玉裁，而啟發於黃侃。段玉裁是江蘇人，狩野直喜祖述的顧炎武也是江蘇人，故狩野直喜與吉川幸次郎師生二人所祖述的清朝學問，皆屬吳派的傳承。吉川幸次郎於高中時，求見請益青木正兒而深受啟示，雖未曾聽講授業，而自稱是青木正兒的弟子。留學中國，至南京求見黃侃，亦受啟發，或可謂是黃侃的登門弟子。青木正兒與黃侃皆狷介不羈，不苟同於既定的成說而以獨創發明為究極，異國同道的契合，或為吉川幸次郎衷心嚮往而尊崇敬佩的所在。

後記

九州遊學

福岡

一九八七年十月一日下午七點半左右，搭乘的華航班機抵達福岡。福岡雖是九州首善的城市，但是入夜以後，卻是一片寂靜。和兩個小時以前離開的不夜之城臺北的風土情趣迥然不同。在保證人劉三富教授的安排下，九州大學臺灣留學生會會長鍾廷輝先生接送到臺灣留學生會館住宿。

九州大學中國哲學史研究室

十月二日，由鍾先生帶領到九州大學中國哲學史研究室辦理入學手續。指導教授町田三郎先生說：「今後經常到研究室來，文學部圖書室、中哲研究室的書當然可以借閱，我研究室的書也可以借你看。這兩本文庫版的小書——內藤湖南《日本文化史研究（上）（下）》送給你，或許對你理解日本學術文化會有些幫助。」

每天早上八點到中國哲學研究室，晚上八點回九州留學生會館，是留學最初一年間的生活步調。而內藤湖南著作的閱讀和析理是居留日本工作的動機。由於町田先生的接納，我才能再生。町田先生說武內義雄雖是狩野直喜、內藤湖南的學生，然最受提攜拔擢的是西村天囚，故其終身景仰的親師是西村天囚。町田先生是黃錦鋐老師的異國知己，愛屋及烏，憤啟悱發，循循善誘，不但是我入門江戶儒學、明治漢學和日本近代中國學的業師，更是我得以在日本立足行事的親師。

十月二日傍晚，到百貨商店購買日常生活的雜用品。雖然事先記下了如何回九州留學生會館的會話，也請研究室日本學生畫了地圖。因為發音不清晰，無法溝通，頓時成為流落街頭的他國異客。打電話給早我幾年來的臺灣留學生，原來只要轉兩個彎，越過一座天橋，就能看到會館。我向來對識路極有自信，但是到福岡，卻迷路而不能到達近在咫尺的宿舍，受到極大的挫折，也深深感受到「如果不會日語，就無法在日本生活」。

我在大學主修中國文學，到日本以前，雖然在 YMCA 補習日語，但任教明志工專，工作繁忙，只是斷斷續續的學習正確的發音和簡單的會話而已，根本無法應用於日本的日常生活。到了九州大學，雖然聽講留學生中心開設的初級日本語課程，卻經常缺課，只在中國哲學研究室的「古今日本語」，即一般的會話是現代日本語，師生講授討論則是日本漢文訓讀的環境下，像嬰兒學語式的，耳聽口說，逐字記誦。蓋町田先生除了授課以外，經常到師生共同使用的研究室聊天，早上十時半左右飲茶，中午用餐後，喝咖啡，下午三時左右喝紅茶，五時前後，回家以前，詢問一天的梗概。每次的談話大約一、二十分鐘，耳聽筆記單字，於先生回自己的研究室之後，再向日本學生確認正確的字義。在朝夕都是日本語的環境下，牛步龜行的學習日語的聽講，說寫的日語未必符合文法，卻也能應用於日常生活。

福岡的師長

我是自費留學生當中，最沒有吃苦，最幸運的一人，除了町田先生的教誨提拔之外，由於福岡師長的細心關注，臺灣師友的鼎力支持，才能順利的定居生活。

我就讀東海大學中國文學研究所三年級時，西南學院大學的王孝廉教授在臺灣客座，為了口考我的碩士論文，專程返回日本持取資料，指示論文的修正。來福岡不久，王老師在研究室見我，一見面就說：「我不要你吃我留學時的苦，只要考上博士班，你就來西南大學兼課。雖然我要去巴黎客座，我會交代樋口老先生。」一九八八年四月，我在西南大學教中國語的課，一星期兩節，一個人的生活，不虞匱乏，也有餘裕購買書籍。由於王老師的眷顧，我得以免除端盤洗碗苦力打工的辛勞而專心讀書。

一九八七年十月初，葉嘉瑩先生的子姪葉言材先生帶我到劉三富老師家。劉老師家座落在福岡市早良區百道三丁目的文教區，環境清幽。到達時，寒喧幾句後，劉老師說：「福岡適合居住，慢慢的就會習慣。以後有空常來。今天晚上，就在我家便餐。」晚餐時，劉太太說：「不要客氣，多吃點。……把菜吃完最好。」飯後，劉老師說：「來，吃香蕉，這是家鄉的味道，也是我最喜歡的水果。」從此以後，我經常到劉老師家打攪。

一九八九年一月，內人和兒子也來福岡，一家三人住在百道一丁目，與劉老師家相隔不遠。房子是劉老師幫忙找尋，不但家具、餐桌、床、棉被是劉老師為我們張羅，兒子讀的保育園，內人打工，也都是劉老師介紹的。「連清吉帶太太、兒子到我家一起吃晚飯」的電話不斷。「我們一起到機場接黃（錦鋐）老師」，「我們和町田先生帶黃老師、昌彼得老師到阿蘇」，也是常有的事。

建築年數三十年以上的日式家屋，房子雖然老舊，夏熱冬寒，颱風一來，上屋蓋瓦，室內取盆接漏，甚為不堪，卻有安身立命之所在的感受。臺灣的師友往來，陋居相聚，把酒言歡。女兒也在這裏出生，一家四口甘苦與共，圓足異國的家居生活。師友親人的提攜加護，家人的團聚歡樂，都在此間點畫成人生的美善。因此，一九九四年任教鹿兒島純心女子大學，舉家遷居鹿兒島，然眷戀福岡的風土民情，翌年又搬回福岡。一九九八年轉任長崎大學，定居長崎，然二〇〇五年歸化日本時，則設籍於「福岡百道一丁目」。畢竟福岡是人生轉折契機的起點，在這裏留下許多愉快的記憶。

臺灣和日本師友的往來

開啟臺灣儒學界與九州中國學界交流之端緒是黃錦鋐老師與荒木見悟先生。一九七九年，黃老師在大阪大學木村英一先生的引介下，到九州大學荒木見悟先生主事的中國哲學史研究所訪問研究。當時中國哲學史研究所的副教授是町田三郎先生，中國文學史研究所的外國人講師是劉三富老師。劉老師是黃老師任教於淡江文理學院時的受業學生，在劉老師的通譯協助下，黃老師與荒木見悟先生亦師亦友，相得甚歡，黃老師與町田先生則成為異國的平生知己。黃老師返國之後，邀請九州學人到臺灣做學術講演或發表論文。町田先生也在黃、劉老師的介紹下，積極地邀請臺灣的學者到九州訪問、講演和發表論文，又招收臺灣的留學生，研究中國哲學與日本漢學。我也在町田先生的指示與臺灣師友的支持下，接續臺灣與九州中國學界的交流活動。龔鵬程教授於一九八九年，率周志文、王文進、周彥文教授參加九州中國學會，發表論文。王邦雄老師在町田先生的邀請下，於一九九〇年，在福岡舉行的日本道教學會，昌彼得老師、黃錦鋐老師則先後於福岡大學和九州大學作專題講演。周彥文教授則由於町田先生申請福岡太平洋基金會的獎助，在一九九二年，來九州大學訪問研究半年，調查九州大學文學部所藏的明版。林慶彰教授、黃文吉教授、王開府教授亦先後來九州大學訪問研究，分別鑽研日本儒學、日本中國文學史和日本佛學的研究成果。町田先生也先後接受龔鵬程教授、黃錦鋐老師、林慶彰教授、金培懿教授的邀請，在淡江大學、師範大學、中央研究院中國文哲研究所、雲林科技大學漢學研究所專題講演江戶漢學與明治漢學，引起臺灣中國學界關注日本江戶時代以來於儒學與漢學的研究成果。

町田先生主事九州大學中國哲學研究所，擔任九州中國學會會長的期間，九州中國學界與臺灣學界交流最為頻繁。致力於九州與臺灣學術交流的黃錦鋐老師於二〇一二年去世，劉三富老師、王孝廉老師於二〇一三年退休，兩地的文會或將成為絕響。

中央研究院中國文哲研究所的林慶彰教授要我自述留學生涯，在《國文天地》發表。乃整理讀吉川幸次郎的《遊華記錄》及其研究杜甫的心得，表述最近的感受，感念啟蒙的師恩。

京都中國學的介紹

「你是中國人，為什麼到日本來研究中國哲學」，這是留學日本，經常遭遇的問題。留學之初，始終無法提出合理的解釋。語言的障礙是原因之一，另外，東洋學雖然是日本學問的精要所在，卻說也不出其所以然。經過江戶後期莊子學、日本考證學的周折，於博士論文答辯時，口考教授提問：「你為什麼要留在日本？」我回答說：「中國人到歐美留學，總會把歐美的學術理論，有系統的介紹回中國，但是留學日本的，卻幾乎付諸闕如。因此，我想繼續留在日本，研究日本學者，特別是內藤湖南的學說。希望將來也能把京都中國學介紹到包含臺灣在內的中國的學界。」

將近三十年的九州遊學，町田先生引導我入門的內藤湖南的著作，是我學術生涯轉折的契機，以析理內藤湖南為代表的京都中國學，作為在日本工作的取向。又以吉川幸次郎說留學中國是要理解中國人的價值觀，認識中國第一流的學者和最精善的著述，進而用中國學者的方法來研究中國學問的主張，來說明對京都中國學派二祖（內藤湖南、狩野直喜）三宗（哲學：武內義雄、史學：宮崎市定、文學：吉川幸次郎）的學問發揮，究明京都中國學是日本近代中國學的精華，是定居日本工作的存在依據。

二〇一二年二月下旬，町田先生患肺炎住院，知道我最近讀吉川幸次郎的著作，寫「病床筆記」賜余，教示吉川幸次郎學問的根底所在，以及吉川幸次郎在日本近代中國學界的地位。

吉川幸次郎的杜甫研究

我就讀淡江，聽講張之淦眉叔先生的杜詩，一首〈遊龍門奉先寺〉，眉叔師以一節課的時間，先徵引《詳註》《心解》《鏡詮》《錢注》的解詁，解釋詩句的意義，再以自身作詩的感受，說明杜甫遣詞造句的用心，詳細剖析杜甫用字的精細，對杖的工穩，前後呼應的脈絡與體道心境的推移。遊學東瀛，閱讀吉川幸次郎的《全集・杜甫篇》，一首〈倦夜〉，以五頁的篇幅，說明杜甫以遠近焦距，時間推移之時空的交錯，架構所見之景。詩境呈現出自然秩序的和平，而景物刻畫緻密，用語對仗平穩工整，自然的善意的圓滿是杜甫生命的源泉，緻密工整則是杜詩的基調。至於〈秦州雜詩〉是反映杜甫一生極盡苦寒的詩作。就杜詩凝視細微之妙而言，壯年的詠物詩表現出體物細微的創作藝術，秦州時期的詩作於體物緻密之外又有緣情之綺靡，唯帶有苦寒的憂愁，成都草堂以後的詩作則是體物與緣情兼具，又以自然的善意觀照人間世界，轉化個人的困頓為普遍存在於人間社會的共通憂愁苦楚。如果秦州時期的憂愁隨時間的推移而累加，則草堂以後的憂愁已化作永遠的持續而淡然自處。因此放浪長安的詠物之作是超越六朝初唐外形修飾的象徵，秦州尖銳苦寒是過渡，成都草堂之自然善意的感得是超越江南漂泊無奈的動力，詩境趨向圓熟，格律刻畫皆到達完成的境界。

咀嚼吉川先生的杜詩譯注與賞析，彷彿重溫淡江的風雨，眉叔師闡述古人作詩心境的歲月，也感佩吉川先生自稱「為讀杜甫而誕生」的執著，洵可謂之為「杜甫千年之後的異國知己」。

吉川幸次郎留學中國的意義

吉川幸次郎於昭和三年（1928）至六年（1931）獲得上野基金會的獎助，到北京留學。留學的目的是加強中國語的會話能力，體得中國人學問的方法。吉川幸次郎說：和中國人一樣流暢的說聽中國語是理想而不易達成，但是留學北京，在中國語的環境中，如海綿吸收水分一般，自然習得中國語的表達，則比較容易。將近三年的留學生活，吉川幸次郎體得了中國人的價值觀與學問的方法。吉川幸次郎說：當時到中國留學的日本人，大抵以資料蒐集為目的，而其自身則以體得中國學者的研究方法，辨析書籍或前人學問之良善與否的價值判斷基準為目的。亦即和中國學者相同的感受與思惟來理解中國的學問，是中國學研究的究極宗尚，中國典籍汗牛充棟，唯一流學者的著作是取的判斷，是中國學鑽研的必然取徑。

町田先生在「病床筆記」中，特別強調：叢書的編輯，學界的評價不高，然而服部宇之吉總編輯的《漢文大系》，早稻田大學出版的《漢籍國字解全書》是日本江戶漢學研究的總整理。吉川幸次郎編輯的《世界の名著》《詩人選集》等，集結一時俊秀而解說著述的結晶，是日本近代文化事業的表徵，為日本近代中國學界的里程碑，然今日問津者甚稀。今後中國學研究的重振，或有待如服部、吉川等引領風騷之前賢的再現。町田先生之言洵不誣，或於二十一世紀可以望見斯文斐然成章的嶄新開展。

學問的執著與平凡的積累

內藤湖南說研究中國問題是日本人的天職，而以中國歷史的研究為一生的志業。狩野直喜稱自己的學問是清朝考證學，吉川幸次郎說是為了研究杜甫而誕生，宮崎市定以七十年的講述生涯而成就東洋史巨峰的地位，武內義雄於東北大學樹立諸子學的研究。在大學安定的環境下，專致於著述立說而優遊自得，是京都中國學者的心境，而九州中國學者的人生觀亦然。世稱岡田武彥先生與荒木見悟先生為當代九州二程子，岡田武彥先生自稱「陽明後學」，修築王陽明墓，提倡「身學說」，體驗陽明心學。荒木見悟先生一生除了講述著作之外無他，而致力於儒學與佛學的會通。尤其是町田先生所說：「學者的生涯既無波瀾洶湧，也未必燦爛輝煌，不過是平凡日子的累積而已」，大概是日本中國學者的寫照。我到長崎大學任教以後，也取徑於町田先生講述的生活方式，安身於日本江戶漢學和京都中國學的體會。如果稍能說明日本東洋學的究竟，也只是朝八暮五的平凡累積而已。

二十多年來，感受最深的是日本江戶儒學和近代漢學，由於曾在九州大學訪問研究的林慶彰教授、周彥文教授等學者的整理與鑽研，在臺灣萌芽結實。町田先生於江戶儒學與明治漢學的研究成果，由於在九州大學取得博士學位的藤井倫明教授、金培懿教授的潛心深造而有嶄新精進的開展。臺灣與日本學術的互通，或許能開創東亞漢學研究的新局面。

二〇一三年七月訂補

2001 年 4 月 1 日在福岡舞鶴公園

原載刊物一覽

吉川幸次郎的中國文學論

2005 年 6 月　淡江大學《中文學報》第 12 期

吉川幸次郎的中國精神史論

2015 年 5 月　《東亞漢學研究》第五號（東亞漢學研究學會）

吉川幸次郎的中國經學論—中國人以經典為生活的規範—

2015 年 4 月　第八屆中國經學國際學術研討會論文選集（萬卷樓圖書公司）

吉川幸次郎的《尚書正義》研究

2011 年 8 月　第七屆中國經學國際學術研討會論文集（政治大學中國文學系）

吉川幸次郎於《元雜劇研究》的主張

未刊

吉川幸次郎的陶淵明研究

2012 年 6 月　淡江大學《中文學報》第 26 期

吉川幸次郎及其杜甫研究

2003 年 6 月　杜甫與唐宋詩學國際學術研討會論文集（里仁書局）

吉川幸次郎的杜甫詩論

2014 年 5 月　葉嘉瑩教授九十華誕暨中華詩教國際學術研討

會論文集（南開大學中央文史研究館）

吉川幸次郎的中國文學研究方法論

2011 年 12 月　政治大學《政大中文學報》第 12 期

吉川幸次郎的中日近代中國學綜述

2013 年 9 月　《東亞漢學研究》第三號（東亞漢學研究學會）

吉川幸次郎的「讀書之學」

2014 年 5 月　《東亞漢學研究》第四號（東亞漢學研究學會）

後記：九州遊學

2013 年 6 月　《國文天地》337

國家圖書館出版品預行編目資料

杜甫千年之後的異國知己：吉川幸次郎

連清吉著. – 初版. – 臺北市：臺灣學生，2015.06
面；公分：

ISBN 978-957-15-1681-3 (平裝)

1. 吉川幸次郎 2. 漢學研究 3. 日本

039.31　　104010910

杜甫千年之後的異國知己：吉川幸次郎

著作者：連清吉
出版者：臺灣學生書局有限公司
發行人：楊雲龍
發行所：臺灣學生書局有限公司
臺北市和平東路一段七十五巷十一號
郵政劃撥帳號：00024668
電話：(02)23928185
傳真：(02)23928105
E-mail：student.book@msa.hinet.net
http://www.studentbook.com.tw
本書局登記證字號：行政院新聞局局版北市業字第玖捌壹號
印刷所：長欣印刷企業社
新北市中和區中正路九八八巷十七號
電話：(02)22268853

定價：新臺幣四五〇元

二〇一五年六月初版

03901

ISBN 978-957-15-1681-3 (平裝)

臺灣 學生書局 出版

日本漢學叢刊

❶	日本江戶時代的考證學家及其學問	連清吉著
❷	日本江戶後期以來的莊子研究	連清吉著
❸	從螺旋史觀看中日文化的發展	連清吉著
❹	明治的漢學家	町田三郎著・連清吉譯
❺	日本近代的文化史學家——內藤湖南	連清吉著
❻	日本京都中國學與東亞文化	連清吉著
❼	朱舜水學術思想及其對日本江戶時代文化之影響	莊凱雯著
❽	杜甫千年之後的異國知己：吉川幸次郎	連清吉著